LE ROBERT & NATHAN

CONJUGAISON

NOUVELLE ÉDITION

NATHAN

AVANT-PROPOS

Cet ouvrage a l'ambition de permettre à tous d'accéder directement à la forme conjuguée, au temps et au mode désirés, de tout verbe de la langue française.

Pour atteindre cet objectif, **LE ROBERT & NATHAN CONJUGAISON** s'est doté de trois atouts spécifiques :

■ un répertoire très riche, issu des corpus du Nouveau Petit Robert et du Grand Robert, qui recense les verbes de la langue française, des plus fréquents aux plus rares, des plus récents aux plus anciens,

■ un nombre très important de tableaux de conjugaison qui facilite au maximum le passage du verbe modèle au verbe à conjuguer.

Grâce aux difficultés spécifiques mises clairement en évidence dans chaque tableau, tous les verbes peuvent être conjugués facilement, en évitant les pièges, chacun sur un modèle précis.

■ un chapitre «formes et emplois du verbe» renseigne :
- sur l'usage de chaque temps, de chaque mode, ainsi que sur la règle de concordance des temps,
- sur les règles d'accord du verbe, des plus simples aux plus complexes,
- sur tous les cas particuliers et exceptions des formes et emplois du verbe.

LE ROBERT & NATHAN CONJUGAISON est un ouvrage de référence et d'apprentissage. Sa facilité de consultation et sa rigueur en font l'outil indispensable de la classe, de la famille et de la vie professionnelle.

Ont contribué à cet ouvrage :

Émilie CARELLI

Guy FOURNIER

Maryse FUCHS

Dominique KORACH

Michèle LANCINA

Régine SABRE

© **Éditions Nathan 1996**, 9 rue Méchain - 75014 PARIS

ISBN 2.09.181228-5

Sommaire

Grammaire

Tableaux de conjugaison

Dictionnaire

Parcours d'utilisation

Pour savoir conjuguer un verbe, mais aussi pour comprendre comment il faut utiliser les formes du verbe.

1. Conjuguer un verbe

Comprend conjuguer *percevoir* au présent du subjonctif ?

Chercher ***percevoir*** dans l'INDEX ALPHABÉTIQUE DES VERBES

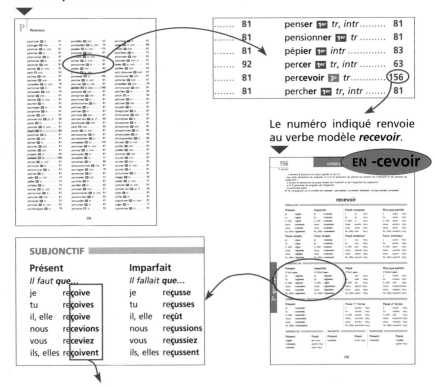

Le numéro indiqué renvoie au verbe modèle ***recevoir***.

La terminaison en gras correspond à la terminaison commune à ***recevoir*** et ***percevoir***.

Pour conjuguer sans efforts et ***pour éviter toute erreur de transposition*** entre le verbe modèle et le verbe conjugué, il suffit de remplacer le « re » de ***recevoir*** par le « per » de ***percevoir***.

4

2. Choisir un temps

Quand employer le passé simple ?
Quand employer l'imparfait ?

Chercher à **passé simple / imparfait**
dans l'INDEX DES FORMES ET EMPLOIS DU VERBE

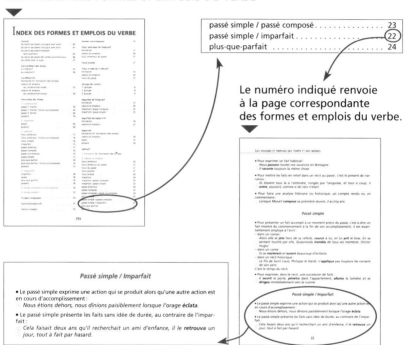

Le numéro indiqué renvoie
à la page correspondante
des formes et emplois du verbe.

3. Résoudre un problème d'accord

Comment accorder le participe passé d'un verbe pronominal ?

▶ Chercher à **accord** ou à **pronominal**.

▶ Le numéro indiqué renvoie à la page correspondante
des formes et emplois du verbe.

Formes et emplois du verbe

LES TROIS GROUPES

On classe traditionnellement les verbes en trois groupes.

Le 1er groupe

Appartiennent à ce groupe les verbes dont l'infinitif se termine par -er :
parler

Environ 90 % des verbes français appartiennent au 1er groupe.

Fiche signalétique du 1er groupe

Infinitif en -er : parler
Participe passé en -é : (ayant) parlé, j'ai parlé
Présent de l'indicatif en -e, -es, -e aux 3 personnes du singulier : je parle, tu parles, elle parle
Passé simple en -a, -èrent à la 3e personne : il parla, ils parlèrent

Attention !
Aller est un verbe du 3e groupe.

Le 2e groupe

Appartiennent à ce groupe les verbes dont l'infinitif se termine par -ir et le participe présent par -issant :
finir, finissant

Ce groupe comprend environ 300 verbes.

Fiche signalétique du 2e groupe

Infinitif en -ir : finir
Imparfait en -issais à la 1re personne du singulier : je finissais
Participe présent en -issant : finissant
Participe passé en -i : (ayant) fini, j'ai fini

Présent de l'indicatif en *-is, -is, -it* aux 3 personnes du singulier : *je finis, tu finis, elle finit*
Passé simple en *-it, -irent* à la 3e personne : *il finit, ils finirent*

Le 3e groupe

Appartiennent à ce groupe tous les autres verbes dont l'infinitif se termine par *-ir*, plus les verbes dont l'infinitif se termine par *-oir* ou par *-re* :
mentir, savoir, prendre

Ce groupe comprend environ 350 verbes.

Fiche signalétique du 3e groupe

Infinitif en *-ir* : *partir, venir*
  en *-oir* : *savoir, pouvoir*
  en *-re* : *mettre, prendre, écrire, boire*
Participe passé le plus souvent en *-i* : *(étant) parti, je suis parti*
  ou en *-u* : *(ayant) vaincu, j'ai vaincu ; (ayant) bu, j'ai bu*
Participe passé en *-s* : *(ayant) mis, j'ai mis*
  ou en *-t* : *(ayant) conduit, j'ai conduit*
Présent de l'indicatif en *-s, -s, -t* aux 3 personnes du singulier : *je pars, tu pars, elle part*
  ou en *-s, -s, -d* : *je prends, tu prends, elle prend*
  ou en *-x, -x, -t* : *je peux, tu peux, il peut*
Passé simple en *-it, -irent* à la 3e personne : *il partit, ils partirent*
  ou en *-ut, -urent* : *il put, ils purent*
  ou en *-int, -inrent* : *il vint, ils vinrent*

LES FORMES SIMPLES ET LES FORMES COMPOSÉES DU VERBE

Les formes simples

> Les formes simples du verbe sont constituées d'un seul mot.

On les retrouve dans tous les temps simples à la voix active :

mode	temps simples	voix active
indicatif	présent	j'aime
	passé simple	j'aimai
	imparfait	j'aimais
	futur simple	j'aimerai
subjonctif	présent	que j'aime
	imparfait	que j'aimasse
conditionnel	présent	j'aimerais
impératif	présent	aime
infinitif	présent	aimer
participe	présent	aimant
	passé	aimé(e)

Les formes composées

> Les formes composées du verbe sont constituées de deux ou plusieurs mots.

On les retrouve dans les temps composés à la voix active et passive ou dans les temps simples à la voix passive :

mode	temps composés	voix active	voix passive
indicatif	passé composé	j'ai aimé	j'ai été aimé(e)
	passé antérieur	j'eus aimé	j'eus été aimé(e)
	plus-que-parfait	j'avais aimé	j'avais été aimé(e)
	futur antérieur	j'aurai aimé	j'aurai été aimé(e)
subjonctif	passé	que j'aie aimé	que j'aie été aimé(e)
	plus-que-parfait	que j'eusse aimé	que j'eusse été aimé(e)
conditionnel	passé 1re forme	j'aurais aimé	j'aurais été aimé(e)
	passé 2e forme	j'eusse aimé	j'eusse été aimé(e)

impératif	passé	aie aimé	(inusité)
infinitif	passé	avoir aimé	avoir été aimé(e)
participe	passé	ayant aimé	ayant été aimé(e)

mode	temps simples	voix passive
indicatif	présent	je suis aimé(e)
	passé simple	je fus aimé(e)
	imparfait	j'étais aimé(e)
	futur simple	je serai aimé(e)
subjonctif	présent	que je sois aimé(e)
	imparfait	que je fusse aimé(e)
conditionnel	présent	je serais aimé(e)
impératif	présent	sois aimé(e)
infinitif	présent	être aimé(e)
participe	présent	étant aimé(e)

LA FORME PRONOMINALE

> Le verbe à la forme pronominale comporte toujours un pronom réfléchi de la même personne que le sujet.

		sujet	pronom réfléchi	verbe
singulier	1re pers.	je	me	lave
	2e pers.	tu	te	laves
	3e pers.	il, elle	se	lave
pluriel	1re pers.	nous	nous	lavons
	2e pers.	vous	vous	lavez
	3e pers.	ils, elles	se	lavent

11

Attention !
À l'impératif, le pronom réfléchi ne précède plus le verbe, mais le suit ; il est séparé de lui par un trait d'union :
    nous nous asseyons → asseyons-nous
À la 2e personne du singulier de l'impératif, on remplace *te* par *toi* :
    tu te laves → lave-toi

• Aux temps simples, les verbes à la forme pronominale suivent la conjugaison des verbes à la voix active, mais aux temps composés ils se conjuguent toujours avec l'auxiliaire *être* :
    *je me **suis** lavée (se laver) / j'ai lavé la vaisselle (laver)*

LES RÈGLES DE FORMATION DES TEMPS ET DES MODES

À chaque personne de chaque temps et de chaque mode correspond une forme verbale.

La formation des temps simples dans le 1er et le 2e groupe

> Aux temps simples, la forme verbale est constituée d'un radical et d'une terminaison.

Le radical est ce qui reste du verbe quand on retire la terminaison.
Les temps simples sont formés de trois façons différentes, à partir de trois types de radicaux.

• Le 1er type de radical est obtenu en prenant la forme de l'infinitif et en ôtant la terminaison *-er* ou *-ir* :
    radical de l'infinitif de *parler* : **parl**(er) → **parl-**
    radical de l'infinitif de *finir* : **fin**(ir) → **fin-**
Sont formés sur ce radical les temps simples suivants :
– Indicatif présent : *je **parle**, je **finis*** ; imparfait (pour le 1er groupe seulement) : *je **parlais*** ; passé simple : *je **parlai**, je **finis**.*

– Subjonctif présent (pour le 1er groupe seulement) : *(il faut que) je* **parle** ;
imparfait : *(il fallait que) je* **parlasse**, *(il fallait que) je* **finisse**.
– Impératif présent : **parle, finis**.

• Le 2e type de radical sert à la formation de certains temps simples pour les
verbes du 2e groupe uniquement. Il est obtenu en prenant la forme du participe présent et en ôtant la terminaison **-ant** :
   radical du participe présent de *finir* : **finiss(ant)** → **finiss-**
Sont formés sur ce radical les temps simples suivants :
– Indicatif imparfait : *je* **finissais**.
– Subjonctif présent : *(il faut que) je* **finisse**.

• Le 3e type de radical est constitué de l'infinitif utilisé en entier :
   radical : **parler-, finir-**
Sont formés sur ce radical les temps simples suivants :
– Indicatif futur simple : *je* **parlerai**, *je* **finirai**.
– Conditionnel présent : *je* **parlerais**, *je* **finirais**.

Attention !
Les verbes en **-e(consonnes)er, -oyer** et **-uyer** ne suivent pas cette règle.

La formation des temps simples dans le 3e groupe

Il n'existe pas de modèle de conjugaison et donc de règles de formation
pour le 3e groupe.

On peut néanmoins signaler les constantes suivantes :
– À l'indicatif présent, tous les verbes se terminent par **-ons, -ez, -ent** aux trois
personnes du pluriel : *nous prenons, vous mettez, ils savent*.
– À l'indicatif imparfait, on retrouve exactement les mêmes terminaisons que
pour les 1er et 2e groupes, **-ais, -ais, -ait, -ions, -iez, -aient** : *je prenais, nous
mettions, ils savaient*.
– À l'impératif présent, sauf quelques exceptions, on retrouve les mêmes
formes qu'à l'indicatif présent aux personnes correspondantes : *mets (tu mets),
mettons (nous mettons), mettez (vous mettez)*.
– Au subjonctif présent, on retrouve les mêmes terminaisons que pour les 1er et
2e groupes, **-e, -es, -e, -ions, -iez, -ent** : *(il faut que) je voie, nous mettions,
ils sachent*.

13

La formation des temps composés et surcomposés dans les trois groupes

Aux temps composés, la forme verbale est constituée de l'auxiliaire *avoir* ou *être* conjugué au temps simple correspondant et du participe passé du verbe conjugué.

Aux temps surcomposés, la forme verbale est constituée de l'auxiliaire *avoir* ou *être* conjugué au temps composé et du participe passé du verbe conjugué.

Les correspondances entre temps simples, temps composés et temps surcomposés s'établissent comme suit :

mode	temps simples de l'auxiliaire	temps composés de la forme verbale	temps surcomposés de la forme verbale
indicatif	présent	passé composé	
	ai	ai parlé	ai eu parlé
	imparfait	plus-que-parfait	
	avais	avais parlé	avais eu parlé
	passé simple	passé antérieur	
	eus	eus parlé	
	futur simple	futur antérieur	
	aurai	aurai parlé	aurai eu parlé
subjonctif	présent	passé	
	aie	aie parlé	aie eu parlé
	imparfait	plus-que-parfait	
	eusse	eusse parlé	
conditionnel	présent	passé 1re forme	
	aurais	aurais parlé	aurais eu parlé
		passé 2e forme	
		eusse parlé	
impératif	présent	passé	
	aie	aie parlé	

TABLEAUX DE FORMATION DES TEMPS ET DES MODES

L'indicatif

Présent

1er groupe	2e groupe
je parle	je finis
tu parles	tu finis
il, elle parle	il, elle finit
nous parlons	nous finissons
vous parlez	vous finissez
ils, elles parlent	ils, elles finissent

1er groupe : radical de l'infinitif suivi de **-e, -es, -e, -ons, -ez, -ent**
2e groupe : radical de l'infinitif suivi de **-is, -is, -it, -issons, -issez, -issent**

Imparfait

1er groupe	2e groupe
je parlais	je finissais
tu parlais	tu finissais
il, elle parlait	il, elle finissait
nous parlions	nous finissions
vous parliez	vous finissiez
ils, elles parlaient	ils, elles finissaient

1er groupe : radical de l'infinitif suivi de **-ais, -ais, -ait, -ions, -iez, -aient**
2e groupe : radical du participe présent suivi de **-ais, -ais, -ait, -ions, -iez, -aient**

Passé simple

1er groupe	2e groupe
je parlai	je finis
tu parlas	tu finis
il, elle parla	il, elle finit
nous parlâmes	nous finîmes
vous parlâtes	vous finîtes
ils, elles parlèrent	ils, elles finirent

1er groupe : radical de l'infinitif suivi de **-ai, -as, -a, -âmes, -âtes, -èrent**
2e groupe : radical de l'infinitif suivi de **-is, -is, -it, -îmes, -îtes, -irent**

Futur simple

1er groupe	2e groupe
je parlerai	je finirai
tu parleras	tu finiras
il, elle parlera	il, elle finira
nous parlerons	nous finirons
vous parlerez	vous finirez
ils, elles parleront	ils, elles finiront

1er et 2e groupe : infinitif en entier suivi de **-ai, -as, -a, -ons, -ez, -ont**

Passé composé

1er groupe	2e groupe
j' **ai** parlé	j' **ai** fini
tu **as** parlé	tu **as** fini
il, elle **a** parlé	il, elle **a** fini
nous **avons** parlé	nous **avons** fini
vous **avez** parlé	vous **avez** fini
ils, elles **ont** parlé	ils, elles **ont** fini

1er et 2e groupe : présent de l'auxiliaire *avoir* ou *être* suivi du participe passé du verbe conjugué

Plus-que-parfait

1er groupe	2e groupe
j' **avais** parlé	j' **avais** fini
tu **avais** parlé	tu **avais** fini
il, elle **avait** parlé	il, elle **avait** fini
nous **avions** parlé	nous **avions** fini
vous **aviez** parlé	vous **aviez** fini
ils, elles **avaient** parlé	ils, elles **avaient** fini

1er et 2e groupe : imparfait de l'auxiliaire *avoir* ou *être* suivi du participe passé du verbe conjugué

Passé antérieur

1er groupe	2e groupe
j' **eus** parlé	j' **eus** fini
tu **eus** parlé	tu **eus** fini
il, elle **eut** parlé	il, elle **eut** fini
nous **eûmes** parlé	nous **eûmes** fini
vous **eûtes** parlé	vous **eûtes** fini
ils, elles **eurent** parlé	ils, elles **eurent** fini

1er et 2e groupe : passé simple de l'auxiliaire *avoir* ou *être* suivi du participe passé du verbe conjugué

Futur antérieur

1er groupe	2e groupe
j' **aurai** parlé	j' **aurai** fini
tu **auras** parlé	tu **auras** fini
il, elle **aura** parlé	il, elle **aura** fini
nous **aurons** parlé	nous **aurons** fini
vous **aurez** parlé	vous **aurez** fini
ils, elles **auront** parlé	ils, elles **auront** fini

1er et 2e groupe : futur simple de l'auxiliaire *avoir* ou *être* suivi du participe passé du verbe conjugué

17

Le subjonctif

Présent

1er groupe	2e groupe
(il faut que) je parle	(il faut que) je finisse
(que) tu parles	(que) tu finisses
(qu')il, elle parle	(qu')il, elle finisse
(que) nous parlions	(que) nous finissions
(que) vous parliez	(que) vous finissiez
(qu')ils, elles parlent	(qu')ils, elles finissent

1er groupe : radical de l'infinitif suivi de -e, -es, -e, -ions, -iez, -ent
2e groupe : radical du participe présent suivi de -e, -es, -e, -ions, -iez, -ent

Imparfait

1er groupe	2e groupe
(il fallait que) je parlasse	(il fallait que) je finisse
(que) tu parlasses	(que) tu finisses
(qu')il, elle parlât	(qu')il, elle finît
(que) nous parlassions	(que) nous finissions
(que) vous parlassiez	(que) vous finissiez
(qu')ils, elles parlassent	(qu')ils, elles finissent

1er groupe : radical de l'infinitif suivi de -asse, -asses, -ât, -assions, -assiez, -assent
2e groupe : radical de l'infinitif suivi de -isse, -isses, -ît, -issions, -issiez, -issent

Passé

1er groupe	2e groupe
(il faut que) j' aie parlé	(il faut que) j' aie fini
(que) tu aies parlé	(que) tu aies fini
(qu')il, elle ait parlé	(qu')il, elle ait fini
(que) nous ayons parlé	(que) nous ayons fini
(que) vous ayez parlé	(que) vous ayez fini
(qu')ils, elles aient parlé	(qu')ils, elles aient fini

1er et 2e groupe : présent du subjonctif de l'auxiliaire avoir ou être suivi du participe passé du verbe conjugué

18

Plus-que-parfait

1er groupe	2e groupe
(que) j' **eusse** parlé	(que) j' **eusse** fini
(que) tu **eusses** parlé	(que) tu **eusses** fini
(qu')il, elle **eût** parlé	(qu')il, elle **eût** fini
(que) nous **eussions** parlé	(que) nous **eussions** fini
(que) vous **eussiez** parlé	(que) vous **eussiez** fini
(qu')ils, elles **eussent** parlé	(qu')ils, elles **eussent** fini

1er et 2e groupe : imparfait du subjonctif de l'auxiliaire *avoir* ou *être* suivi du participe passé du verbe conjugué

Le conditionnel

Présent

1er groupe	2e groupe
je parler**ais**	je finir**ais**
tu parler**ais**	tu finir**ais**
il, elle parler**ait**	il, elle finir**ait**
nous parler**ions**	nous finir**ions**
vous parler**iez**	vous finir**iez**
ils, elles parler**aient**	ils, elles finir**aient**

1er et 2e groupe : infinitif en entier suivi de **-ais, -ais, -ait, -ions, -iez, -aient**

Passé 1re forme

1er groupe	2e groupe
j' **aurais** parlé	j' **aurais** fini
tu **aurais** parlé	tu **aurais** fini
il, elle **aurait** parlé	il, elle **aurait** fini
nous **aurions** parlé	nous **aurions** fini
vous **auriez** parlé	vous **auriez** fini
ils, elles **auraient** parlé	ils, elles **auraient** fini

1er et 2e groupe : présent du conditionnel de l'auxiliaire *avoir* ou *être* suivi du participe passé du verbe conjugué

19

Passé 2e forme

1er groupe	2e groupe
j' **eusse** parlé	j' **eusse** fini
tu **eusses** parlé	tu **eusses** fini
il, elle **eût** parlé	il, elle **eût** fini
nous **eussions** parlé	nous **eussions** fini
vous **eussiez** parlé	vous **eussiez** fini
ils, elles **eussent** parlé	ils, elles **eussent** fini

1er et 2e groupe : imparfait du subjonctif de l'auxiliaire *avoir* ou *être* suivi du participe passé du verbe conjugué

L'impératif

Présent

1er groupe	2e groupe
par**le**	fin**is**
par**lons**	fin**issons**
par**lez**	fin**issez**

1er groupe : radical de l'infinitif suivi de **-e, -ons, -ez**
2e groupe : radical de l'infinitif suivi de **-is, -issons, -issez**

Passé

1er groupe	2e groupe
aie parlé	**aie** fini
ayons parlé	**ayons** fini
ayez parlé	**ayez** fini

1er et 2e groupe : présent de l'impératif de l'auxiliaire *avoir* ou *être* suivi du participe passé du verbe conjugué

LES VALEURS ET EMPLOIS DES TEMPS ET DES MODES

Chaque mode, outre sa valeur générale, a des emplois particuliers. De même chaque temps, à côté de son sens propre, a des valeurs secondaires.

L'indicatif

Le mode indicatif sert à exprimer la réalité d'une action considérée comme certaine ou probable, en la situant dans le présent, le passé ou le futur.

Présent

• Pour exprimer un fait qui se déroule au moment où l'on parle :
  *Qui **est** à l'appareil ?*
  *Je ne me **sens** pas très bien.*

• Pour exprimer un fait qui se prolonge dans le passé ou dans le futur :
  *Ils **habitent** le quartier depuis trente ans.*
  *Elle **attend** un bébé.*

• Pour exprimer le futur proche :
  *Je **reviens** tout de suite.*
  *Nos amis **arrivent** demain.*

• Pour exprimer un fait futur présenté comme dépendant directement d'un autre fait :
  *Un mot de plus de ta part et je te **jette** dehors.*

• Avec la conjonction *si*, pour exprimer un fait futur sur la réalité duquel on ne se prononce pas :
  *Si demain matin tu **vas** au marché, je t'accompagnerai.*

• Pour exprimer un passé récent :
  *Je **sors** de chez mon frère.*

• Pour formuler un proverbe, une maxime :
  *L'argent ne **fait** pas le bonheur.*

• Pour énoncer une vérité scientifique :
  *L'eau **bout** à 100 °C.*

• Pour énoncer ce qui est vrai à tout moment :
  *Tout le monde **peut** se tromper.*
  *Il **a** les yeux verts.*

• Pour exprimer un fait habituel :

> *Nous **passons** toutes nos vacances en Bretagne.*
> *Il **raconte** toujours la même chose.*

• Pour mettre les faits en relief dans un récit au passé ; c'est le présent de narration :

> *Ils étaient tous là à l'attendre, rongés par l'angoisse, et tout à coup, il **entre**, souriant, comme si de rien n'était.*

• Pour faire une analyse littéraire ou historique, un compte rendu ou un commentaire :

> *Lorsque Mozart **compose** sa première œuvre, il **a** cinq ans.*

Passé simple

• Pour présenter un fait accompli à un moment précis du passé, c'est-à-dire un fait montré du commencement à la fin de son accomplissement ; il est essentiellement employé à l'écrit :
– dans un roman :

> *Alors elle se **jeta** hors de sa cellule, **courut** à lui, et lui **prit** le bras. En se sentant touché par elle, Quasimodo **trembla** de tous ses membres. (Victor Hugo)*

– dans un conte :

> *Ils se **marièrent** et **eurent** beaucoup d'enfants.*

– dans un récit historique :

> *Le fils de Saint Louis, Philippe le Hardi, n'**appliqua** pas toujours les conseils de son père.*

C'est le temps du récit.

• Pour exprimer, dans le récit, une succession de faits :

> *Il **ouvrit** la porte, **pénétra** dans l'appartement, **alluma** la lumière et se **dirigea** immédiatement vers la cuisine.*

Passé simple / Imparfait

• Le passé simple exprime une action qui se produit alors qu'une autre action est en cours d'accomplissement :

> *Nous étions dehors, nous dînions paisiblement lorsque l'orage **éclata**.*

• Le passé simple présente les faits sans idée de durée, au contraire de l'imparfait :

> *Cela faisait deux ans qu'il recherchait un ami d'enfance, il le **retrouva** un jour, tout à fait par hasard.*

- Le passé simple présente les faits successivement dans le passé, alors que l'imparfait présente les faits simultanément :
  *Elle **ouvrit** la porte, **alluma** la lumière et **alla** s'allonger sur le canapé.*
  Tout était calme ce soir-là : les enfants jouaient tranquillement dans leur chambre, leur mère préparait le repas dans la cuisine et le chien, Jim, dormait devant la cheminée.

Passé simple / Passé composé

- Le passé simple est essentiellement employé dans la langue écrite soutenue :
  *Il **marcha** trente jours, il **marcha** trente nuits. (Victor Hugo)*
- Il a progressivement été remplacé dans la langue parlée par le passé composé :
  Les voisins m'ont dit qu'il a marché toute la nuit.

Passé composé

- Pour présenter un fait accompli à un moment précis ou non du passé ; il est essentiellement employé dans la langue orale, les dialogues, la correspondance :
  *Hier soir, je **suis rentrée** très tard.*
  *J'**ai** bien **reçu** ta lettre.*
- Pour présenter, dans le passé, une succession de faits :
  *Nous **avons passé** des vacances extraordinaires : nous **avons visité** des sites magnifiques, nous **avons rencontré** des gens sympathiques et nous nous **sommes** beaucoup **amusés**.*
- Pour présenter un fait passé dont l'influence se fait encore sentir dans le présent :
  *Mes parents **sont venus** s'installer près de chez nous : ils habitent à deux rues d'ici.*
- Pour formuler des dépêches, des gros titres dans les journaux, des nouvelles courtes :
  *Le Premier ministre **a annoncé** une série de mesures pour lutter contre le chômage.*
- Pour énoncer, sans narration, des faits historiques anciens :
  *Christophe Colomb **a découvert** l'Amérique.*
- Au lieu du futur antérieur, pour exprimer un fait sur le point d'être achevé, mais présenté comme déjà accompli :
  *J'arrive, j'**ai terminé** dans deux secondes.*
- Avec la conjonction *si*, pour exprimer un fait futur dont l'accomplissement reste incertain :
  *Si tu n'**as** pas **rangé** ta chambre demain, tu seras punie.*
- Pour exprimer une vérité générale :
  *On n'**a** jamais **vu** la petite bête manger la grosse.*

Passé composé / Passé surcomposé

• Le passé surcomposé est essentiellement employé dans la langue parlée, à la place du passé antérieur, pour exprimer un fait qui s'est déroulé avant un autre, exprimé lui au passé composé :

> *Quand elle a eu fini de tout ranger dans la maison, elle **est sortie** se promener avec une amie.*

Plus-que-parfait

• Pour exprimer qu'un fait passé s'est déroulé avant un autre, mais avec un intervalle de temps entre les deux ;
– avant un fait au passé composé :

> *Nous avons revu ce couple si sympathique que nous **avions rencontré** l'été dernier.*

– avant un fait à l'imparfait :

> *Tout le monde pensait qu'il **était parti** en voyage.*

– avant un fait au passé simple :

> *En la voyant pleurer, il comprit qu'elle **avait échoué** à son examen.*

• Pour exprimer l'idée d'habitude à propos d'une action passée qui se déroulait immédiatement avant une autre :

> *Enfants, dès que nous **avions fini** nos devoirs, ma mère nous faisait dîner.*

• Pour exprimer un fait isolé, passé par rapport au moment présent :

> *Je t'**avais prévenu**.*
> *Je te l'**avais** bien **dit**.*

• Avec la conjonction *si*, pour exprimer une hypothèse faite dans le passé :

> *Si j'**avais su**, je ne serais pas venu.*

• Avec la conjonction *si*, dans une proposition indépendante exclamative, pour exprimer le regret :

> *Si j'**avais su** !*
> *Ah ! si tu m'**avais écoutée**.*

Imparfait

• Pour présenter un fait passé en cours d'accomplissement, c'est-à-dire une action ou un état dont ni le commencement ni la fin ne sont indiqués :
– dans une description :

> *Il y **avait** beaucoup de monde dans le métro ce matin : les gens se **bousculaient** pour entrer dans les wagons, ils se **piétinaient**, s'**interpellaient** ; c'**était** affreux !*

– dans un portrait :
> *La mariée **était** magnifique : elle **était** vêtue d'une robe en dentelle, elle **por-tait** un voile immense. Ses cheveux **étaient** parsemés de petites roses blanches.*

– dans un commentaire ou une explication :
> *Tu n'as pas vu le livre qui **était** sur mon bureau ?*
> *Le professeur s'est fâché parce que les élèves n'**arrêtaient** pas de parler.*

C'est le temps de la description.

• Pour exprimer un fait passé simultané par rapport à un autre :
> *Lorsque mes parents **étaient** en voyage, je **dormais** chez ma tante.*

• Pour exprimer une habitude, un fait passés qui se répétaient ; le verbe à l'imparfait est souvent accompagné de locutions exprimant le temps ou l'habitude :
> *Quand j'**étais** enfant, ma mère me **racontait** chaque soir une histoire.*
> *Mon père **avait** pour habitude de se lever le premier.*

• Avec la conjonction *si*, pour exprimer une hypothèse, une supposition ; l'imparfait n'exprime plus dans ce cas un fait passé, mais un fait présent ou futur irréel ou non réalisé :
> *Ah, si j'**étais** riche !*
> *Si tu m'**accompagnais** demain, ça me rendrait un grand service.*

• À la place du conditionnel passé, pour présenter de façon plus vivante un fait comme certain ; l'imparfait a dans ce cas la valeur d'un futur antérieur du passé :
> *Sans ton intervention, il nous **jetait** dehors.*

• Pour énoncer un fait historique daté avec précision dans le passé ; c'est un imparfait historique :
> *En 1715, **mourait** Louis XIV. **Se mettait** alors en place la régence de Philippe d'Orléans qui **allait** durer jusqu'en 1723.*

• Pour formuler une demande avec politesse :
> *Excusez-moi : je **voulais** savoir si vous aviez ces chaussures en 38.*

Imparfait / Passé simple

• L'imparfait exprime une action inachevée quand une autre s'est produite :
> *Nous **étions** dehors, nous **dînions** paisiblement lorsque l'orage éclata.*

Imparfait / Passé composé

• L'imparfait exprime une action inachevée quand une autre s'est produite. Le passé composé a ici la même valeur que le passé simple, mais il s'emploie de préférence à l'oral (ou dans les articles de presse), alors que le passé simple s'emploie dans la langue écrite (roman, récit historique, conte...) :

Nous **étions** dehors, nous **dînions** paisiblement lorsque l'orage a éclaté.
Il **pleuvait** à torrents quand nous sommes revenus de la piscine.
Quand je suis née, mes parents **avaient** tout juste vingt ans.

Passé antérieur

• Pour exprimer qu'un fait passé s'est déroulé immédiatement avant un autre exprimé au passé simple ; il s'emploie surtout dans la langue écrite :
Dès qu'il **eut fini** de dîner, il alla se coucher.

Futur simple

• Pour exprimer un fait à venir, proche ou lointain, par rapport au présent :
Quand je **serai** grand, je **serai** pompier.
Va te coucher, tu **finiras** ton travail demain.
Il **ira** loin.

• Pour formuler un ordre de façon moins sèche qu'à l'impératif :
Vous **lirez** ce livre pour la semaine prochaine. (Lisez ce livre...)

• Au lieu du présent de l'indicatif, pour atténuer avec politesse une formulation :
Je vous **avouerai** que je n'approuve pas du tout votre conduite. (Je vous avoue que...)
Je vous **dirai** qu'à mon avis vous avez tort. (Je vous dis...)

• Pour énoncer des faits historiques passés :
Victoria accède au trône en 1837. Elle y **restera** jusqu'en 1901.

Futur antérieur

• Pour exprimer un fait futur, antérieur à un autre fait futur exprimé, lui, au futur simple :
Je **serai** déjà **partie** quand vous arriverez.

• Pour indiquer qu'un fait à venir aura lieu avant le moment dont on parle :
Dépêchez-vous sinon vous n'**aurez** jamais **fini** pour samedi.

• Pour exprimer un fait futur, non encore réalisé, mais considéré comme déjà accompli :
  *Attends-moi, j'**aurai terminé** dans deux minutes.*

• Au lieu du passé composé, pour exprimer un fait probable mais non certain :
  *Il **aura oublié** notre rendez-vous. (Il a sans doute oublié...)*

Futur proche

• Pour situer un fait dans un avenir très proche, on emploie les périphrases verbales suivantes :
– *aller* au présent de l'indicatif suivi de l'infinitif :
  *Dépêchez-vous, le train **va démarrer**.*
– *devoir* au présent de l'indicatif suivi de l'infinitif :
  *Elle **doit se faire opérer** la semaine prochaine.*
– *être sur le point de* au présent de l'indicatif suivi de l'infinitif :
  *Elle **est sur le point d'accoucher**.*

• Pour exprimer le futur proche dans le passé, on emploie les périphrases verbales suivantes :
– *aller* à l'imparfait de l'indicatif suivi de l'infinitif :
  *Je croyais qu'il **allait arriver** très vite. (Je crois qu'il va arriver très vite.)*
– *devoir* à l'imparfait de l'indicatif suivi de l'infinitif :
  *Il a dit qu'il **devait arriver** dans une heure. (Il dit qu'il doit arriver dans une heure.)*
– *être sur le point de* à l'imparfait de l'indicatif suivi de l'infinitif :
  *Je croyais qu'ils **étaient sur le point de déménager**. (Je crois qu'ils sont sur le point de déménager.)*

Futur du passé

• Pour exprimer le futur dans un récit au passé, on emploie le présent du conditionnel :
  *Je savais qu'il **viendrait**. (Je sais qu'il viendra.)*

Futur antérieur du passé

• Pour exprimer le futur antérieur dans un récit au passé, on emploie le passé du conditionnel :
  *Je pensais qu'il **serait** déjà **parti** quand j'arriverais. (Je pense qu'il sera déjà parti quand j'arriverai.)*

Le subjonctif

Le subjonctif est, par excellence, le mode de la proposition subordonnée, bien qu'on le trouve parfois dans des propositions indépendantes ou principales. Il exprime généralement une idée d'incertitude ou de possibilité.

Emploi obligatoire du mode subjonctif après certains verbes

- Après les verbes qui expriment un souhait, un désir, une volonté, un ordre ou une défense : *aimer que, aimer mieux que, attendre que, autoriser que, avoir envie que, défendre que, demander que, désirer que, exiger que, interdire que, ordonner que, permettre que, préférer que, souhaiter que, tenir à ce que, vouloir que...*

  *J'aimerais mieux que vous **restiez** chez vous.*
  *Il a envie que tu **viennes**.*
  *Mon père ne permet pas que nous **sortions** seuls le soir.*
  *Nous voulons que vous nous **accompagniez**.*

- Après les verbes qui expriment une permission, un consentement, un refus, une attente, une recommandation, un empêchement : *accepter que, approuver que, désapprouver que, empêcher que, être d'accord pour que, éviter que, proposer que, recommander que, refuser que, s'opposer à ce que, souffrir que, supporter que, tolérer que...*

  *J'accepte que vous **assistiez** à notre réunion.*
  *Elle refuse que nous l'**accompagnions**.*

- Après les verbes de sentiment (admiration, amour, haine, crainte, étonnement, joie, regret, indignation) : *admirer que, adorer que, aimer que, apprécier que, avoir honte que, avoir peur que, ne pas comprendre que, craindre que, critiquer (le fait) que, déplorer que, détester que, redouter que, regretter que, s'étonner que, s'indigner que, s'inquiéter que, se moquer que, se réjouir que...*

  *Elle adore qu'on lui **fasse** des cadeaux.*
  *Nous déplorons que vous **deviez** attendre si longtemps.*

  Attention !
  Espérer que est suivi de l'indicatif.
  *J'espère qu'il **viendra**.*

- Après certains verbes impersonnels : *il arrive que, il convient que, il est (grand) temps que, il faut que, il faudrait que, il importe que, il se peut que, il suffit que, il vaut mieux que, peu importe que...*

  *Il importe que vous **soyez** présent à cette réunion.*
  *Il vaut mieux que nous **attendions**.*

• Après la construction *cela* suivi d'un verbe : *cela m'amuse que, cela m'arrange que, cela m'étonne que, cela m'inquiète que, cela me déplaît que, cela me dérange que, cela me rassure que, cela me surprend que...*
> *Cela m'arrange que vous ne **veniez** que demain.*
> *Cela me gêne que vous **fassiez** tout le travail.*

• Après les verbes *faire, faire en sorte que...*
> *Fais (en sorte) que ton père n'en **sache** rien.*

Emploi obligatoire du mode subjonctif après certaines conjonctions de subordination ou locutions conjonctives

• Après certaines locutions conjonctives introduisant une proposition subordonnée circonstancielle de **temps** : *avant que (ne), en attendant que, jusqu'à ce que...*
> *J'attendrai ici jusqu'à ce que tu **reviennes**.*
> *Prenons l'apéritif en attendant qu'ils nous **rejoignent**.*

> *Attention !*
> *Après que est suivi de l'indicatif.*

• Après certaines locutions conjonctives introduisant une proposition subordonnée circonstancielle de **conséquence** (la conséquence est envisagée mais non réalisée) : *pour que, assez (+ adjectif) pour que, trop (+ adjectif) pour que, sans que,* une proposition principale négative ou interrogative suivie de *que...*
> *Il est encore trop petit pour qu'on le **fasse** manger avec les adultes.*
> *Elle est partie sans qu'on le **sache**.*
> *Ce n'est pas si grave qu'on ne **puisse** rien faire.*

• Après certaines locutions conjonctives introduisant une proposition subordonnée circonstancielle de **cause** (la cause est présentée comme fausse) : *non que, non pas que, ce n'est pas que...*
> *Ce n'est pas que je **veuille** vous chasser, mais il est déjà très tard et demain nous nous levons tôt.*

• Après toutes les locutions conjonctives introduisant une proposition subordonnée circonstancielle de **but** : *afin que, à seule fin que, de crainte que... (ne), de peur que... (ne), pour que, que...*
> *Viens demain afin que je te **présente** mes parents.*
> *Je lui ai téléphoné de peur (crainte) qu'il ne **parte**.*
> *Il est passé pour que je lui **remplisse** ses papiers.*
> *Approche que je t'**embrasse**.*

• Après les locutions conjonctives introduisant une proposition subordonnée circonstancielle de **concession** ou **d'opposition** : *bien que, encore que, malgré que, quoique, si... que, quelque... que, tout... que...*
> *Je pense à toi bien que tu **sois** loin d'ici.*
> *Si loin que tu **sois**, je pense à toi.*
> *Quelque grande que **soit** sa fortune, il n'en est pas moins un homme comme un autre.*

• Après certaines locutions conjonctives introduisant une proposition subordonnée circonstancielle de **condition** : *à (la) condition que, à moins que... (ne), à supposer que, en supposant que, en admettant que, pourvu que, que... (ou) que, si tant est que, sans que, supposé que, soit que... soit que...*
> *Il viendra à condition que tu le **préviennes**.*
> *En admettant qu'il **prenne** un avion ce soir, il arrivera à temps.*
> *Qu'il **soit** d'accord ou qu'il ne le **soit** pas ne change rien au problème.*

• Après certaines locutions conjonctives introduisant une proposition subordonnée circonstancielle de **comparaison** : *autant que, pour autant que...*
> *Pour autant que je **sache**, vous êtes de service aujourd'hui.*
> *Il est rusé autant qu'on **puisse** l'être.*

• Après la conjonction *que*, en proposition indépendante, pour exprimer :
– un ordre ou une défense :
> *Qu'il **sorte** et qu'il ne **revienne** plus.*
– un souhait, une prière, un encouragement :
> *Que votre volonté **soit** faite.*
> *Que Dieu vous **garde**.*
– l'indignation :
> *Que je lui **fasse** des excuses, jamais !*

> **Attention !**
> Que peut être omis :
> *Dieu vous **garde**.*

Emploi obligatoire du mode subjonctif après certains adjectifs ou participes

• Après les expressions suivantes : *être choqué que, content que, désolé que, enchanté que, étonné que, fâché que, fier que, flatté que, gêné que, heureux que, indigné que, mécontent que, ravi que, satisfait que, surpris que, triste que...*
> *Je suis content que vous **puissiez** venir.*
> *Il est très fâché que tu **sois parti** sans lui dire au revoir.*
> *Elle est ravie que vous **passiez** ce soir.*

• Après les expressions suivantes : *Il est / C'est / Je trouve agréable que, amusant que, bête que, bien que, bizarre que, bon que, drôle que, ennuyeux que, essentiel que, étonnant que, étrange que, excellent que, faux que, honteux que, important que, impossible que, indispensable que, inévitable que, injuste que, intéressant que, inutile que, juste que, logique que, mal que, malheureux que, mauvais que, naturel que, nécessaire que, normal que, possible que, rare que, regrettable que, sensationnel que, surprenant que, sympathique que, terrible que, triste que, utile que...*

   *Il est amusant que nous **soyons** du même village.*
   *Il est important que vous **compreniez** bien.*
   *Je trouve tout à fait normal que son mari la **soutienne**.*
   *Il trouve regrettable que vous ne lui en **ayez** pas **parlé**.*

• Après les constructions impersonnelles suivantes : *c'est dommage que, une chance que, une chose (curieuse, inquiétante, bizarre, etc.) que, un fait (remarquable, intéressant, etc.) que, une honte que, un malheur que...*

   *C'est dommage que tu ne **puisses** pas nous accompagner.*
   *C'est une chose incroyable qu'il **ait réussi** son examen.*

Emploi du mode subjonctif en alternance avec l'indicatif

• Dans certaines propositions relatives :
– on emploie le subjonctif quand on veut marquer une légère réserve ou une atténuation :
   *C'est peut-être le plus beau voyage que nous **ayons fait**.* (subjonctif)
– on emploie l'indicatif quand on affirme sans réserve un fait considéré dans sa réalité irréfutable :
   *C'est sans aucun doute le plus beau voyage que nous **avons fait**.* (indicatif)

• Après la forme négative ou interrogative des verbes d'opinion ou de jugement comme : *croire, estimer, juger, imaginer, penser, trouver, être d'avis, être certain que, être convaincu, être persuadé...*
   *Je ne crois pas qu'il **vienne** / qu'il **viendra**.*
   *Il n'est pas convaincu que tu **sois** le meilleur / que tu **es** le meilleur.*

L'indicatif permet de mettre l'accent sur le fait considéré, plus que sur l'opinion exprimée dans la proposition principale. Par ailleurs, la formulation à l'indicatif est moins recherchée que celle au subjonctif :
   *Penses-tu qu'il **a réussi** ? / qu'il **ait réussi** ?*
   *Estimez-vous que c'**est** la meilleure chose à faire ? / que ce **soit**... ?*

Valeurs des temps du subjonctif

• Le **présent** est employé dans une subordonnée au subjonctif avec un verbe au présent, au futur simple, à l'imparfait de l'indicatif ou au présent du conditionnel dans la principale :

– lorsqu'on veut exprimer un fait qui se déroule au même moment que celui de la principale (simultanéité) :

*J'exige que tu lui **fasses** des excuses sur-le-champ.*
*Demain, je garderai les enfants, bien que j'**aie** beaucoup de travail à faire.*
*J'étais contente que tu **sois** auprès de moi hier soir.*
*J'aimerais bien qu'il me **rende** mes livres.*

– lorsqu'on veut exprimer un fait futur par rapport à celui exprimé par la principale (postériorité) :

*Je ne crois pas qu'il **vienne** demain.*
*Je t'apporterai mes cours afin que tu **puisses** réviser.*
*Il exagère : il voulait que je lui **rapporte** ses livres le lendemain.*
*Je préférerais que vous **reveniez** demain.*

• Le **passé** est employé dans une subordonnée au subjonctif avec un verbe au présent, au passé (passé composé, imparfait, passé simple...), au futur simple de l'indicatif ou au présent du conditionnel dans la principale :

– lorsqu'on veut exprimer un fait qui se déroule avant celui de la principale (antériorité) :

*Je regrette que tu **sois parti** si tôt hier.*
*J'ai regretté que tu **sois parti** si tôt.*
*J'arriverai avant que tu **sois parti**.*
*J'aimerais que tu te **sois trompé**.*

– lorsqu'on veut exprimer un fait qui se déroule avant un moment défini :

*Je veux que vous **ayez terminé** votre travail pour demain soir.*
*Vous regarderez la télévision jusqu'à ce que votre père et moi **soyons rentrés**.*

• L'**imparfait** et le **plus-que-parfait** devraient se substituer respectivement au présent et au passé lorsque le verbe de la principale est à un temps du passé de l'indicatif ou au conditionnel, mais cet usage n'est plus guère en vigueur que dans la langue soutenue et littéraire :

*Il a exigé qu'elle **revienne**. (langue courante)*
*Il exigea qu'elle **revînt**. (langue soutenue)*
*Il ne m'a rien dit avant qu'elle **soit arrivée**. (langue courante)*
*Il ne m'a rien dit avant qu'elle **fût arrivée**. (langue soutenue)*

Le conditionnel

Le conditionnel a deux valeurs : une valeur de mode et une valeur de temps.

LE CONDITIONNEL MODE

Le conditionnel mode exprime généralement une idée dont la réalisation dépend d'une condition, exprimée ou sous-entendue.

Présent

- Pour exprimer un fait soumis à une condition, exprimée ou non :
  *Si vous nous accompagniez, cela nous **ferait** plaisir.*
  *Cela me **ferait** plaisir de vous voir.*

- Pour exprimer un désir, un souhait, un rêve ou un regret :
  *J'**aimerais** bien qu'il arrive.*
  *Je **voudrais** déjà être à demain.*
  *Nous **irions** bien à Venise, mais nous n'avons pas d'argent.*

- Pour formuler une demande avec politesse :
  ***Pourriez**-vous me dire l'heure, s'il vous plaît ?*
  ***Voudriez**-vous avoir la gentillesse de m'aider à porter ces paquets ?*

- Pour marquer l'étonnement dans une phrase exclamative :
  *Vous **feriez** ça pour moi !*

- Pour exprimer une possibilité, une probabilité, une apparence :
  *On **dirait** qu'il a peur.*
  *Il se **pourrait** bien qu'il ne vienne pas.*

- Pour exprimer le défi avec le verbe *vouloir* :
  *Il prétend qu'il est le meilleur. Je **voudrais** bien voir ça.*

Passé 1re forme

- Pour indiquer qu'un fait aurait eu lieu dans le passé si une ou plusieurs conditions avaient été remplies :
  *Je **serais venu** t'aider si tu m'avais prévenu.*
  *Si tu avais travaillé plus, tu **aurais réussi** ton examen.*

- Pour relater un fait qui demande à être vérifié :
  *Selon certaines rumeurs, le Président **aurait démissionné**. Cette information demande à être confirmée.*

Passé 2ᵉ forme

• Il est uniquement employé dans la langue littéraire :
*Si j'avais osé, je **fusse parti** sans même les saluer. (Si j'avais osé, je serais parti sans même les saluer.)*
– dans une proposition principale d'un système hypothétique, pour exprimer un fait irréel dans le passé (dans la langue courante, on emploie le passé 1ʳᵉ forme).

> *Attention !*
> Il arrive que l'on trouve le plus-que-parfait du subjonctif et non de l'indicatif dans la proposition subordonnée :
> *Si j'**eusse osé**, je fusse parti.*

– en proposition indépendante, pour exprimer à la place du passé 1ʳᵉ forme, un regret, un souhait non réalisé :
*J'**eusse aimé** faire le tour du monde. (J'aurais aimé faire le tour du monde.)*

LE CONDITIONNEL TEMPS

Le conditionnel temps sert à exprimer le futur dans une proposition subordonnée, après un verbe principal au passé, sans aucune idée de condition.

• Le présent exprime le futur dans une subordonnée, lorsque le verbe de la principale est au passé (imparfait, passé simple, passé composé, plus-que-parfait). C'est ce qu'on appelle le futur dans le passé :
*Il a dit (disait, avait dit, dit) qu'il **arriverait** en retard. (Il dit [présent] qu'il arrivera [futur] en retard.)*

• Le passé 1ʳᵉ forme exprime le futur antérieur dans une subordonnée, lorsque le verbe de la principale est au passé (imparfait, passé simple, passé composé, plus-que-parfait). C'est ce qu'on appelle le futur antérieur dans le passé :
*Il a dit (disait, avait dit, dit) que tu **serais** déjà **partie** quand j'arriverais. (Il dit [présent] que tu seras déjà partie [futur antérieur] quand j'arriverai.)*

L'impératif

Le mode impératif exprime essentiellement l'ordre, le conseil et la défense.

Présent

• Pour exprimer un ordre ou une défense :
***Va** te laver les mains.*
*N'en **parle** à personne.*

- Avec le verbe *vouloir*, pour formuler un ordre de façon moins sèche :
  Veuillez *sortir, s'il vous plaît.*
- Pour formuler un conseil :
  Offrez-vous *des vacances de rêve.*
- Au lieu d'une subordonnée introduite par *si*, pour exprimer une hypothèse ou une condition :
  Lisez *cette brochure et vous en saurez plus. (Si vous lisez cette brochure...)*
- Au lieu du subjonctif, pour exprimer une hypothèse :
  Venez *ou ne* **venez** *pas, cela m'est complètement égal. (Que vous veniez ou que vous ne veniez pas, cela m'est complètement égal.)*
- Avec le verbe *aller* + infinitif, pour mettre en valeur ou renforcer l'idée exprimée par le verbe à l'infinitif :
  *N'***allez** *pas croire qu'on vous en veut.*

Passé

- Pour exprimer qu'un ordre doit être exécuté pour un moment précis :
  Soyez revenus *pour 5 heures.*
  Ayez terminé *ce travail pour demain sans faute.*

LA CONCORDANCE DES TEMPS

La concordance des temps à l'indicatif

> Dans une phrase où les verbes sont à l'indicatif, si l'on change le temps du verbe de la principale, il faut aussi changer le temps du verbe de la subordonnée pour faire concorder les temps de ces deux propositions.

Le verbe de la principale est au présent ou au futur simple

- Le verbe de la subordonnée se met au temps voulu par le sens, comme dans une proposition indépendante :
  Quand on est petit, on n'a le droit de rien faire.
       présent   présent
  La femme que tu as rencontrée ce matin est écrivain.
                passé composé   présent

*J'espère que vous nous **donnerez** de vos nouvelles.*
présent   futur
*Je lui dirai que tu **es passée.***
futur simple   passé composé

Le verbe de la principale est à un temps du passé

- L'imparfait remplace le présent dans la subordonnée :
  *Je croyais qu'il **dormait**.*   *Je crois qu'il **dort**.*
- Le plus-que-parfait remplace le passé simple et le passé composé dans la subordonnée :
  *Je pensais qu'il **avait renoncé**.*   *Je pense qu'il **renonça**.*
                                     *Je pense qu'il **a renoncé**.*
- Le conditionnel présent remplace le futur simple dans la subordonnée :
  *J'espérais qu'il **viendrait**.*   *J'espère qu'il **viendra**.*
- Le conditionnel passé 1re forme remplace le futur antérieur dans la subordonnée :
  *J'espérais qu'il **aurait réussi**.*   *J'espère qu'il **aura réussi**.*

La concordance des temps au subjonctif

> Dans une phrase où les verbes sont à l'indicatif pour la principale et au subjonctif pour la subordonnée, si l'on change le temps du verbe de la principale, il faut aussi changer le temps du verbe de la subordonnée pour faire concorder les temps de ces deux propositions.

Le verbe de la principale est au présent ou au futur simple de l'indicatif

- Le verbe de la subordonnée se met au présent ou au passé du subjonctif :
  *Il faut qu'il **ait** un sacré courage pour oser faire ça.* (1)
  présent   présent
  *Il faudra absolument que tu **passes** le voir demain.* (2)
  futur simple   présent
  *Je ne crois pas qu'il **ait réussi**.* (3)
  présent   passé
  *J'attendrai que tu **aies fini** de travailler pour partir.* (4)
  futur simple   passé

Le subjonctif ayant moins de temps que l'indicatif, il en résulte qu'un même temps du subjonctif peut avoir plusieurs valeurs : le présent exprime à la fois le présent (1) et le futur (2) ; le passé exprime le passé (3) et le futur antérieur (4).

Le verbe de la principale est à un temps du passé de l'indicatif

• L'imparfait remplace le présent dans la subordonnée :
  Je craignais qu'il ne se fâchât.   *Je crains qu'il ne se fâche.*

• Le plus-que-parfait remplace le passé :
  Je ne pensais pas qu'il eût entendu.   *Je ne pense pas qu'il ait entendu.*

• La concordance ci-dessus, prescrite par les règles, n'est plus guère en usage dans la langue parlée courante :
  – le présent du subjonctif tend à remplacer l'imparfait du subjonctif :
  Je craignais qu'il ne se fâche (au lieu de *qu'il ne se fâchât).*
  – le passé du subjonctif tend à remplacer le plus-que-parfait du subjonctif :
  Je ne pensais pas qu'il ait entendu (au lieu de *qu'il eût entendu).*

Le verbe de la principale est au conditionnel présent

• Le verbe de la subordonnée se met à l'imparfait ou au plus-que-parfait :
  *Je voudrais que tu **fusses** mon frère.*
  présent   imparfait
  *Je voudrais que tu **eusses refusé.***
  présent   plus-que-parfait

• Là encore, la concordance prescrite par les règles n'est plus guère en usage dans la langue parlée courante :
  – le présent du subjonctif tend à remplacer l'imparfait du subjonctif :
  *Je voudrais que tu **sois** mon frère (et non que tu fusses).*
  – le passé du subjonctif tend à remplacer le plus-que-parfait du subjonctif :
  *Je voudrais que tu **aies refusé** (et non que tu eusses refusé).*

L' ACCORD DU VERBE AVEC LE SUJET

Le verbe s'accorde en personne (1re, 2e ou 3e personne) et en nombre (singulier ou pluriel) avec son sujet.

Je parle anglais.   *Tous mes amis parlent anglais.*
sujet

Les cas difficiles de l'accord en nombre

Le verbe se met généralement au singulier

● Lorsque *peu* est précédé de l'article défini *le* ou de l'adjectif démonstratif *ce* :
   Le peu de choses qui m'appartient est à vous.
   Ce peu de choses m'appartient.

● Après *tout le monde* :
   Tout le monde peut se tromper.

● Après *plus d'un* :
   Plus d'un s'en souviendra.

● Lorsque le sujet est le pronom neutre *il*, sujet apparent d'un verbe imper-sonnel :
   Il est tombé de gros grêlons la nuit dernière.
   Il y avait beaucoup d'invités.

● Lorsqu'il y a deux ou plusieurs sujets résumés ou annoncés par un pronom comme *aucun, chacun, nul, personne, rien, tout…* :
   Assiettes, plats, verres : tout était cassé.
   Ses parents, ses amis, ses collègues, personne n'avait oublié cette fête.

● Lorsque le sujet est *l'un ou l'autre* :
   L'un ou l'autre se dit.
   L'une ou l'autre d'entre elles choisira.

Le verbe se met obligatoirement au pluriel

● Lorsque le sujet est un groupe nominal exprimant la quantité comme : *nombre de, quantité de, force, la plupart…*
   La plupart des invités étaient absents.
   Bon nombre d'invités étaient absents.

● Lorsque le sujet est un adverbe de quantité comme *assez, beaucoup, combien, moins, peu, plus, tant, trop…* (le verbe se met au pluriel, que l'ad-verbe soit suivi ou non d'un complément) :
   Beaucoup d'invités étaient absents.
   Beaucoup étaient absents.
   Peu de candidats se sont présentés.
   Peu se sont présentés.

- Après *moins de deux* :
  Moins de deux jours lui ont suffi pour tout déménager.
- Lorsqu'il y a deux ou plusieurs sujets coordonnés par *et* :
  Mon père, ma mère et mon frère viendront.
  Anne-Sophie et Florent seront là.

Le verbe se met au singulier ou au pluriel

- Lorsque le sujet est un nom collectif (*bande, file, foule, troupeau,* etc.) suivi d'un complément au pluriel :
  – le verbe s'accorde avec le nom collectif au singulier si l'on met l'accent sur l'ensemble ; il se met donc au singulier :
  Un troupeau de moutons barrait la route.
  – le verbe s'accorde avec le complément si l'on met l'accent sur le complément ; il se met donc au pluriel :
  Un troupeau de moutons barraient la route.

- Lorsque le sujet est un nom collectif précédé d'un article défini (*le, la, les*), d'un adjectif démonstratif (*ce, cet, cette, ces*) ou d'un adjectif possessif (*mon, ton, son, ma, ta, sa,* etc.), le verbe s'accorde obligatoirement avec le nom collectif :
  Le troupeau de moutons barrait la route.
  Son troupeau de moutons barrait la route.
  Quand nous sommes arrivés, ces troupeaux de moutons barraient déjà la route.

- Lorsque le sujet est une fraction (*moitié, tiers, quart,* etc.) ou un nom comme *dizaine, centaine* suivi d'un complément au pluriel :
  – le verbe s'accorde avec la fraction ou le nom *dizaine, centaine,* etc., si l'on met l'accent sur la fraction ou le nom ; il se met donc au singulier :
  Une centaine de personnes était présente.
  Un tiers des personnes invitées était présent.
  – le verbe s'accorde avec le complément si l'on met l'accent sur ce complément ; il se met donc au pluriel :
  Une centaine de personnes étaient présentes.
  Un tiers des personnes invitées étaient présentes.

- Lorsque le sujet est le pronom neutre *ce (c')*, le verbe est au singulier.
  C'est nous les meilleurs.
  C'est vous les fautifs.
  Avec les pronoms *eux* ou *elles,* il est plus élégant de mettre le pluriel :
  Ce sont eux les coupables.
  Ce sont elles les plus belles.

• Lorsqu'il y a deux ou plusieurs sujets de sens proche juxtaposés :
– le verbe s'accorde avec le plus rapproché :
  Son courage, son sang-froid, son calme nous étonna tous.
– le verbe peut aussi s'accorder avec l'ensemble de tous les sujets ; il se met alors au pluriel :
  Son courage, son sang-froid, son calme nous étonnèrent tous.

• Lorsqu'il y a deux ou plusieurs sujets coordonnés par *ni* ou par *ou* :
– le verbe se met au singulier lorsque les éléments coordonnés sont considérés isolément :
  Ni la douceur ni la violence n'en viendra à bout.
  La douceur ou la violence fera le reste.
– le verbe se met au pluriel lorsque l'on considère les éléments coordonnés comme un ensemble :
  Ni mon père ni ma mère ne viendront.
  Une chute ou un choc peuvent lui rendre la mémoire.

• Lorsqu'il y a deux ou plusieurs sujets joints par *ainsi que* ou *comme*, le verbe se met au singulier ou au pluriel :
  Mon père comme ma mère aime la campagne.
  Mon père comme ma mère aiment la campagne.

• Lorsque le sujet est *l'un et l'autre* ou *ni l'un ni l'autre*, le verbe se met indifféremment au singulier ou au pluriel :
  L'un et l'autre se dit.
  L'un et l'autre se disent.
  Ni l'un ni l'autre ne se dit.
  Ni l'un ni l'autre ne se disent.

• *Soit, peu importe* se mettent indifféremment au singulier ou au pluriel :
  Soi(en)t deux triangles isocèles.
  Peu importe(nt) vos motifs.

Les cas difficiles de l'accord en personne

• Lorsque le sujet est le pronom relatif *qui*, le verbe se met à la même personne que l'antécédent :
  C'est moi qui ai cassé le vase.
  C'est toi, Marie, qui es arrivée la première.
  On se plaint toujours à nous qui n'y sommes pour rien.

• Lorsque l'antécédent est *le seul, le premier*, etc., et qu'il est attribut du sujet, le verbe se met :
– soit à la même personne que le sujet :
  Tu es le seul qui as réussi.
– soit à la même personne que l'antécédent :
  Tu es le seul qui a réussi.

• La 1re personne l'emporte sur les deux autres. Lorsque deux ou plusieurs sujets sont coordonnés et que l'un de ces sujets est à la 1re personne, le verbe se met à la 1re personne, quelle que soit la personne à laquelle se trouvent les autres sujets :
  Florent et moi partirons demain.
  Mes parents et moi sommes très contents.
  Toi et moi partirons demain.
  Ta sœur, toi et moi partirons demain.

• La 2e personne l'emporte sur la 3e :
  Emma et toi êtes mes meilleures amies.
  Toi et lui êtes très semblables.

• Le masculin l'emporte toujours sur le féminin :
  Michel et Anne-Laure sont arrivés les premiers.
  Ma mère et mon père sont partis ce matin.

L' ACCORD DU PARTICIPE PASSÉ

Le participe passé conjugué avec *être*

Le participe passé conjugué avec l'auxiliaire *être* s'accorde en genre et en nombre avec le sujet :

Emma est entrée.
sujet

Les invités sont partis sans prévenir.

41

Le participe passé conjugué avec *avoir*

● Cas n° 1

Lorsque le participe passé est conjugué avec l'auxiliaire *avoir* et que le verbe n'a pas de complément d'objet direct ou qu'il a un complément d'objet direct placé derrière lui, le participe passé reste invariable :

Pierre a lu.

Ils ont lu des livres.
          c.o.d.

● Cas n° 2

Lorsque le participe passé est conjugué avec l'auxiliaire *avoir* et que le verbe a un complément d'objet direct placé devant, le participe passé s'accorde en genre et en nombre avec ce complément d'objet direct :

Voilà les livres que j'ai lus.
              c.o.d.

Regarde les livres qu'elle a lus.

C'est Emma qui les a lus.

Combien de livres a-t-elle lus ?

Quels livres a-t-elle lus ?

Lesquels a-t-elle lus.

Attention !

Certains verbes ont un participe passé invariable : *agir, appartenir, bavarder, bondir, briller, complaire, contribuer, daigner, défaillir, déplaire, dîner, discourir, dormir, douter, durer, équivaloir, errer, être, falloir, flotter, frémir, frissonner, geindre, gémir, grelotter, hésiter, insister, jouir, luire, lutter, mentir, nuire, officier, paître, pécher, plaire, pleuvoir, pouvoir, profiter, reluire, résister, résonner, ressembler, rire, sembler, siéger, souper, sourire, succéder, suffire, survivre, tarder, tousser, voyager...*

Les cas difficiles

• Le verbe conjugué avec *avoir* est suivi d'un infinitif :
– si le c.o.d. fait l'action exprimée par l'infinitif (sens actif), le participe s'accorde avec le c.o.d. :
  Les musiciens que j'ai entendus jouer étaient excellents.
  Je les ai entendus calomnier ta sœur.
– si le c.o.d. subit l'action exprimée par l'infinitif (sens passif), il n'y a pas d'accord :
  Les airs que j'ai entendu jouer étaient très beaux.
  Je les ai entendu calomnier. (Ils ont été calomniés)

• Le participe passé *fait* est suivi d'un infinitif, il reste invariable :
  *As-tu vu la robe que j'ai **fait** faire ?*
  *La robe que je me suis **fait** offrir pour mon anniversaire est magnifique.*

• Le participe passé est suivi d'un attribut du c.o.d. :
– le participe passé s'accorde en genre et en nombre avec le c.o.d. si celui-ci précède le participe :
  On l'a crue morte.
  Est-ce là la destinée qu'on lui a prédite exceptionnelle.
– le participe passé peut rester invariable si l'on considère qu'il forme avec l'attribut un bloc indissociable :
  Une vie qu'on aurait voulu heureuse.
  Hélène, qu'on avait cru si forte, s'est effondrée.

• Le participe passé a pour c.o.d. le pronom neutre *le* (*l'*), il reste invariable :
  Cette leçon est plus facile que je ne l'aurais pensé.
  Les enfants ont été plus sages que je ne l'avais prévu.

• Le participe passé a pour c.o.d. le pronom relatif *que* représentant deux antécédents coordonnés par *ainsi que, autant que, comme, de même que*, etc. :
– le participe passé s'accorde en genre et en nombre avec le premier antécédent si c'est sur lui qu'on met l'accent :
  C'est sa bonne volonté, tout autant que son dévouement, que j'ai admirée.
– le participe passé s'accorde en genre et en nombre avec les deux antécédents si l'on considère qu'ils font bloc :
  C'est ma mère ainsi que mon père que j'ai invités.

• Le participe passé a pour c.o.d. le pronom relatif *que* représentant deux antécédents joints par *ou* ou bien par *ni* :
– le participe passé s'accorde en genre et en nombre avec les deux antécédents si l'on considère les éléments coordonnés comme un ensemble :
  Ce n'est ni la couleur ni la forme que nous avions choisies.

– le participe passé s'accorde en genre et en nombre avec le second antécédent lorsque les éléments coordonnés sont considérés isolément :
  C'est un homme ou une femme que l'on a enlevée.

• Le participe passé a pour c.o.d. le pronom relatif *que* représentant le groupe *un(e) des..., un(e) de...* :
– le participe passé s'accorde le plus souvent en genre et en nombre avec le nom pluriel complément :
  Je te rapporte déjà un des livres que tu m'avais prêtés.
– le participe passé s'accorde avec *un(e)* si l'on met l'accent sur l'élément isolé considéré :
  J'ai cassé un des verres que tu m'as offert.

• Le verbe a pour c.o.d. un nom collectif suivi d'un complément au pluriel :
– le participe passé s'accorde en genre et en nombre avec le nom collectif si l'on met l'accent sur ce dernier et la quantité qu'il désigne :
  Qu'il soit malade ne m'étonne pas, vu la quantité de bonbons qu'il a mangée.
  Le peu d'efforts qu'il a fait a payé.
– le participe passé s'accorde en genre et en nombre avec le complément au pluriel si c'est ce dernier qu'on veut mettre l'accent :
  Qu'il soit malade ne m'étonne pas, vu la quantité de bonbons qu'il a mangés.
  Le peu d'efforts qu'il a faits a payé.

• Le participe passé de verbes employés intransitivement comme *courir, coûter, dormir, durer, marcher, mesurer, peser, régner, reposer, vivre, valoir,* etc., reste invariable, car le complément qui accompagne ces verbes et que l'on prend parfois pour un c.o.d. est en fait un complément circonstanciel :
  Les deux heures que j'ai dormi m'ont fait du bien.
  Je ne regrette pas les cent francs que ce livre m'a coûté.
  Les soixante-dix années qu'il a vécu ont été bien remplies.
  Les cent kilos qu'il a pesé ne sont plus qu'un mauvais souvenir.

• Les verbes *courir, coûter, peser, valoir* et *vivre* sont employés transitivement dans un sens différent de leur sens habituel ; le participe passé s'accorde normalement en genre et en nombre avec le c.o.d. :
  Tu n'imagines pas les dangers que j'ai courus.
  Si tu savais les efforts que ce travail m'a coûtés !

• Les participes passés *dit, dû, cru, pensé, permis, prévu, pu, su, voulu* restent invariables lorsqu'ils ont pour c.o.d. :
– un infinitif :
  Je n'ai pas reçu les encouragements que j'aurais pensé recevoir.
  Il a fait toutes les démarches qu'il a cru devoir faire.
– une proposition ou un infinitif sous-entendus :
  Il a fait toutes les démarches qu'il avait dit (qu'il ferait).
  Elle m'a rendu tous les services qu'elle a pu (me rendre).

• Le participe passé, dans des constructions impersonnelles comme *il y a, il faut, il neige*, etc., reste invariable :
   *Il y a **eu** des centaines de lettres de réclamation.*

• Le participe passé est employé avec le pronom personnel *en* :
– il reste invariable si *en* est employé seul :
   *Des fruits de mer, nous **en** avons mangé tout l'été.*
   *Des nouvelles de mes parents, j'**en** ai reçu hier.*
– il peut s'accorder, mais ce n'est pas obligatoire, lorsque *en* est accompagné d'un adverbe de quantité :
   *Des fruits de mer, combien **on en** a mangé(s) cet été !*

Le participe passé employé sans auxiliaire

> Le participe passé employé seul suit les règles d'accord de l'adjectif qualificatif.
> Lorsqu'il est :
> – épithète, il s'accorde en genre et en nombre avec le nom auquel il se rapporte :
>   *Elle a un visage fatigué ces derniers temps.*
> – attribut du sujet, il s'accorde en genre et en nombre avec le sujet :
>   *Emma semble fatiguée ces derniers temps.*
> – attribut du c.o.d., il s'accorde en genre et en nombre avec le c.o.d. :
>   *Je trouve Emma fatiguée ces derniers temps.*
> – apposé, il s'accorde en genre et en nombre avec le nom auquel il est apposé :
>   *Fatiguée, Emma décida d'aller faire une sieste.*

Les cas difficiles

• Les participes *attendu, compris (non compris, y compris), entendu, excepté, ôté, supposé, vu* :
– restent invariables lorsqu'ils sont placés devant le nom :
   Toutes les pièces ont été nettoyées, y compris la cave.
   Tous ont été invités, excepté les enfants.
– s'accordent en genre et en nombre avec le nom auquel ils se rapportent lorsqu'ils sont placés derrière ce nom :
   Toutes les pièces ont été nettoyées, la cave comprise.
   Tous ont été invités, les enfants exceptés.

• *Étant donné, mis à part, passé,* même lorsqu'ils sont placés devant le nom, peuvent s'accorder en genre et en nombre avec ce nom :

*Pass**ées** les vacances, ils ne se revirent plus.*
*Pass**é** les vacances, ils ne se revirent plus.*

Ils s'accordent obligatoirement quand ils sont placés derrière le nom :

*Les vacances pass**ées**, ils ne se revirent plus.*

• *Ci-annexé, ci-inclus, ci-joint* :
– restent invariables lorsqu'ils ont la valeur d'un adverbe (pour vérifier si c'est le cas, on peut les remplacer par *ci-dessus, ci-dessous* ou *ci-contre*) :

Veuillez trouver ci-joint (ci-dessous) les pièces demandées.
Vous trouverez ci-annexé (ci-contre) les pièces demandées.
Ci-inclus (ci-contre) les factures déjà payées.

– s'accordent en genre et en nombre avec le nom auquel ils se rapportent lorsqu'ils ont la valeur d'un adjectif qualificatif (pour vérifier si c'est le cas, on peut alors les remplacer par un adjectif qualificatif quelconque) :

*Veuillez examiner les pièces ci-join**tes** (comptables).*
*Vous lirez les pièces ci-annex**ées** (manuscrites).*
*Les factures ci-incl**uses** (principales) ont déjà été payées.*

• *Approuvé, lu, vu* sont toujours invariables lorsqu'ils sont employés dans les locutions :
– « Lu et approuvé » :

Faites précéder votre signature de la mention « Lu et approuvé ».

– « Vu » :

Il fait toujours précéder sa signature de la mention « Vu ».

L'ACCORD DU PARTICIPE PASSÉ DES VERBES PRONOMINAUX

Pour bien accorder le participe passé des verbes pronominaux, il faut d'abord savoir de quel type est le verbe pronominal employé. On distingue les verbes pronominaux de sens réfléchi ou réciproque, les verbes pronominaux de sens passif et les verbes essentiellement pronominaux :

– un verbe pronominal est de « sens réfléchi » lorsque le sujet exerce l'action sur lui-même :
Emma se lave.
– un verbe pronominal est de « sens réciproque » lorsque deux ou plusieurs êtres exercent une action l'un sur l'autre (les uns sur les autres) :
Ils se regardent.
– un verbe est essentiellement pronominal lorsqu'il n'existe qu'à la forme pronominale. Dans ce type de verbes, le pronom *se* n'occupe aucune fonction :
Il se sont enfuis.
– un verbe pronominal est de « sens passif » lorsque le sujet subit l'action :
Mon livre se vend très bien. *(est beaucoup vendu)*

Les verbes pronominaux de sens réfléchi ou réciproque

• Cas n° 1 :
Lorsque le pronom réfléchi occupe la fonction de complément d'objet direct du verbe, le participe passé s'accorde en genre et en nombre avec le sujet :

Emma s' est lavée   → *Emma a lavé « qui » ? « se »*
   sujet   c.o.d.
Elles se sont lavées   → *Elles ont lavé « qui » ? « se »*
Ils se sont regardés   → *Ils ont regardé « qui » ? « se »*

• Cas n° 2 :
Lorsque le pronom réfléchi occupe la fonction de complément d'objet indirect du verbe, le participe passé reste invariable :

Emma s'est lavé les mains   → *Emma a lavé les mains « à qui » ?*
   c.o.i.   *« à se »*
Ils se sont lavé les mains   → *Ils ont lavé les mains « à qui » ?*
                                  « à se »
Elles se sont souri   → *Elles ont souri « à qui » ? « à se »*

Attention !
Lorsque le verbe pronominal est précédé d'un complément d'objet direct, le participe passé s'accorde en genre et en nombre avec le c.o.d., même si le pronom réfléchi occupe la fonction de complément d'objet indirect :
La lettre qu'ils se sont écrite → *La lettre qu'ils ont écrite « à qui » ?*
      c.o.d.   c.o.i.   *« à se »*

Les verbes essentiellement pronominaux et les verbes pronominaux de sens passif

Le participe passé s'accorde toujours en genre et en nombre avec le sujet :

Ils se sont enfuis.
sujet
Ses livres se sont vendus par centaines de milliers.
Ils se sont souvenus de toi.

Les cas difficiles

• Le participe passé des verbes *se complaire, se convenir, se déplaire, se mentir, se nuire, se parler (à soi), se plaire, se ressembler, se rire de, se sourire, se succéder, se suffire, se survivre, s'en vouloir* reste toujours invariable :
Ils se sont déplu au premier regard.
Ils se sont ri de nous.
Elles se sont souri en cachette.
Ils s'en sont toujours voulu de ne pas avoir acheté cette maison.

• Le verbe à la forme pronominale est suivi d'un infinitif :
– lorsque l'infinitif est de sens actif, le participe passé s'accorde en genre et en nombre avec le sujet :
Elle s'est entendue appeler à l'aide dans son rêve.
– lorsque l'infinitif est de sens passif, le participe passé reste invariable :
Elle marchait dans la rue lorsqu'elle s'est entendu appeler par son prénom.

• Le participe du verbe *se faire* est toujours invariable :
Elle s'est fait faire une robe magnifique.
Les enfants se sont fait gronder.
Sauf lorsqu'il est suivi d'un attribut du c.o.d. ; dans ce cas, il s'accorde en genre et en nombre avec l'attribut :
Elle s'est faite religieuse.

Tableaux de conjugaison

Tableaux

avoir

Auxiliaire

INDICATIF

Présent		Imparfait		Passé composé			Plus-que-parfait		
j'	ai	j'	avais	j'	ai	eu	j'	avais	eu
tu	as	tu	avais	tu	as	eu	tu	avais	eu
il, elle	a	il, elle	avait	il, elle	a	eu	il, elle	avait	eu
nous	avons	nous	avions	nous	avons	eu	nous	avions	eu
vous	avez	vous	aviez	vous	avez	eu	vous	aviez	eu
ils, elles	ont	ils, elles	avaient	ils, elles	ont	eu	ils, elles	avaient eu	

Passé simple		Futur simple		Passé antérieur			Futur antérieur		
j'	eus	j'	aurai	j'	eus	eu	j'	aurai	eu
tu	eus	tu	auras	tu	eus	eu	tu	auras	eu
il, elle	eut	il, elle	aura	il, elle	eut	eu	il, elle	aura	eu
nous	eûmes	nous	aurons	nous	eûmes	eu	nous	aurons	eu
vous	eûtes	vous	aurez	vous	eûtes	eu	vous	aurez	eu
ils, elles	eurent	ils, elles	auront	ils, elles	eurent	eu	ils, elles	auront	eu

SUBJONCTIF

Présent		Imparfait		Passé			Plus-que-parfait		
*Il faut **que**...*		*Il fallait **que**...*		*Il faut **que**...*			*Il fallait **que**...*		
j'	aie	j'	eusse	j'	aie	eu	j'	eusse	eu
tu	aies	tu	eusses	tu	aies	eu	tu	eusses	eu
il, elle	ait	il, elle	eût	il, elle	ait	eu	il, elle	eût	eu
nous	ayons	nous	eussions	nous	ayons	eu	nous	eussions	eu
vous	ayez	vous	eussiez	vous	ayez	eu	vous	eussiez	eu
ils, elles	aient	ils, elles	eussent	ils, elles	aient	eu	ils, elles	eussent	eu

CONDITIONNEL

Présent		Passé 1re forme			Passé 2e forme		
j'	aurais	j'	aurais	eu	j'	eusse	eu
tu	aurais	tu	aurais	eu	tu	eusses	eu
il, elle	aurait	il, elle	aurait	eu	il, elle	eût	eu
nous	aurions	nous	aurions	eu	nous	eussions	eu
vous	auriez	vous	auriez	eu	vous	eussiez	eu
ils, elles	auraient	ils, elles	auraient eu		ils, elles	eussent	eu

IMPÉRATIF | **INFINITIF** | **PARTICIPE**

Présent	Passé	Présent	Passé	Présent	Passé
aie	aie eu	avoir	avoir eu	ayant	eu(e)
ayons	ayons eu				ayant eu
ayez	ayez eu				

être

Présent		Imparfait		Passé composé			Plus-que-parfait		
je	suis	j'	étais	j'	ai	été	j'	avais	été
tu	es	tu	étais	tu	as	été	tu	avais	été
il, elle	est	il, elle	était	il, elle	a	été	il, elle	avait	été
nous	sommes	nous	étions	nous	avons	été	nous	avions	été
vous	êtes	vous	étiez	vous	avez	été	vous	aviez	été
ils, elles	sont	ils, elles	étaient	ils, elles	ont	été	ils, elles	avaient	été

Passé simple		Futur simple		Passé antérieur			Futur antérieur		
je	fus	je	serai	j'	eus	été	j'	aurai	été
tu	fus	tu	seras	tu	eus	été	tu	auras	été
il, elle	fut	il, elle	sera	il, elle	eut	été	il, elle	aura	été
nous	fûmes	nous	serons	nous	eûmes	été	nous	aurons	été
vous	fûtes	vous	serez	vous	eûtes	été	vous	aurez	été
ils, elles	furent	ils, elles	seront	ils, elles	eurent	été	ils, elles	auront	été

Présent		Imparfait		Passé			Plus-que-parfait		
Il faut que...		*Il fallait que...*		*Il faut que...*			*Il fallait que...*		
je	sois	je	fusse	j'	aie	été	j'	eusse	été
tu	sois	tu	fusses	tu	aies	été	tu	eusses	été
il, elle	soit	il, elle	fût	il, elle	ait	été	il, elle	eût	été
nous	soyons	nous	fussions	nous	ayons	été	nous	eussions	été
vous	soyez	vous	fussiez	vous	ayez	été	vous	eussiez	été
ils, elles	soient	ils, elles	fussent	ils, elles	aient	été	ils, elles	eussent	été

Présent		Passé 1re forme			Passé 2e forme		
je	serais	j'	aurais	été	j'	eusse	été
tu	serais	tu	aurais	été	tu	eusses	été
il, elle	serait	il, elle	aurait	été	il, elle	eût	été
nous	serions	nous	aurions	été	nous	eussions	été
vous	seriez	vous	auriez ·	été	vous	eussiez	été
ils, elles	seraient	ils, elles	auraient	été	ils, elles	eussent	été

| |

Présent	Passé	Présent	Passé	Présent	Passé
sois	aie été	être	avoir été	étant	été
soyons	ayons été				ayant été
soyez	ayez été				

Auxiliaire

V. passive

être aimé

INDICATIF

Présent		Imparfait		Passé composé			Plus-que-parfait		
je	**suis** aimé(e)	j'	**étais** aimé(e)	j'	ai	**été** aimé(e)	j'	avais	**été** aimé(e)
tu	**es** aimé(e)	tu	**étais** aimé(e)	tu	as	**été** aimé(e)	tu	avais	**été** aimé(e)
il, elle	**est** aimé(e)	il, elle	**était** aimé(e)	il, elle	a	**été** aimé(e)	il, elle	avait	**été** aimé(e)
nous	**sommes** aimé(e)s	nous	**étions** aimé(e)s	nous	avons	**été** aimé(e)s	nous	avions	**été** aimé(e)s
vous	**êtes** aimé(e)s	vous	**étiez** aimé(e)s	vous	avez	**été** aimé(e)s	vous	aviez	**été** aimé(e)s
ils, elles	**sont** aimé(e)s	ils, elles	**étaient** aimé(e)s	ils, elles	ont	**été** aimé(e)s	ils, elles	avaient	**été** aimé(e)s

Passé simple		Futur simple		Passé antérieur			Futur antérieur		
je	**fus** aimé(e)	je	**serai** aimé(e)	j'	eus	**été** aimé(e)	j'	aurai	**été** aimé(e)
tu	**fus** aimé(e)	tu	**seras** aimé(e)	tu	eus	**été** aimé(e)	tu	auras	**été** aimé(e)
il, elle	**fut** aimé(e)	il, elle	**sera** aimé(e)	il, elle	eut	**été** aimé(e)	il, elle	aura	**été** aimé(e)
nous	**fûmes** aimé(e)s	nous	**serons** aimé(e)s	nous	eûmes	**été** aimé(e)s	nous	aurons	**été** aimé(e)s
vous	**fûtes** aimé(e)s	vous	**serez** aimé(e)s	vous	eûtes	**été** aimé(e)s	vous	aurez	**été** aimé(e)s
ils, elles	**furent** aimé(e)s	ils, elles	**seront** aimé(e)s	ils, elles	eurent	**été** aimé(e)s	ils, elles	auront	**été** aimé(e)s

SUBJONCTIF

Présent		Imparfait		Passé			Plus-que-parfait		
Il faut **que...**		*Il fallait* **que...**		*Il faut* **que...**			*Il fallait* **que...**		
je	**sois** aimé(e)	je	**fusse** aimé(e)	j'	aie	**été** aimé(e)	j'	eusse	**été** aimé(e)
tu	**sois** aimé(e)	tu	**fusses** aimé(e)	tu	aies	**été** aimé(e)	tu	eusses	**été** aimé(e)
il, elle	**soit** aimé(e)	il, elle	**fût** aimé(e)	il, elle	ait	**été** aimé(e)	il, elle	eût	**été** aimé(e)
nous	**soyons** aimé(e)s	nous	**fussions** aimé(e)s	nous	ayons	**été** aimé(e)s	nous	eussions	**été** aimé(e)s
vous	**soyez** aimé(e)s	vous	**fussiez** aimé(e)s	vous	ayez	**été** aimé(e)s	vous	eussiez	**été** aimé(e)s
ils, elles	**soient** aimé(e)s	ils, elles	**fussent** aimé(e)s	ils, elles	aient	**été** aimé(e)s	ils, elles	eussent	**été** aimé(e)s

CONDITIONNEL

Présent		Passé 1re forme			Passé 2e forme		
je	**serais** aimé(e)	j'	aurais	**été** aimé(e)	j'	eusse	**été** aimé(e)
tu	**serais** aimé(e)	tu	aurais	**été** aimé(e)	tu	eusses	**été** aimé(e)
il, elle	**serait** aimé(e)	il, elle	aurait	**été** aimé(e)	il, elle	eût	**été** aimé(e)
nous	**serions** aimé(e)s	nous	aurions	**été** aimé(e)s	nous	eussions	**été** aimé(e)s
vous	**seriez** aimé(e)s	vous	auriez	**été** aimé(e)s	vous	eussiez	**été** aimé(e)s
ils, elles	**seraient** aimé(e)s	ils, elles	auraient	**été** aimé(e)s	ils, elles	eussent	**été** aimé(e)s

IMPÉRATIF

Présent	Passé	
sois aimé(e)	aie	**été** aimé(e)
soyons aimé(e)s	ayons	**été** aimé(e)s
soyez aimé(e)s	ayez	**été** aimé(e)s

INFINITIF

Présent	Passé
être aimé(e)	avoir **été** aimé(e)

PARTICIPE

Présent	Passé
étant aimé(e)	aimé(e)
	(ayant **été**) aimé(e)

s'envoler

INDICATIF

Présent	Imparfait	Passé composé	Plus-que-parfait
je **m'** envole	je **m'** envolais	je **me** suis envolé(e)	je **m'** étais envolé(e)
tu **t'** envoles	tu **t'** envolais	tu **t'** es envolé(e)	tu **t'** étais envolé(e)
il, elle **s'** envole	il, elle **s'** envolait	il, elle **s'** est envolé(e)	il, elle **s'** était envolé(e)
nous **nous** envolons	nous **nous** envolions	nous **nous** sommes envolé(e)s	nous **nous** étions envolé(e)s
vous **vous** envolez	vous **vous** envoliez	vous **vous** êtes envolé(e)s	vous **vous** étiez envolé(e)s
ils, elles **s'** envolent	ils, elles **s'** envolaient	ils, elles **se** sont envolé(e)s	ils, elles **s'** étaient envolé(e)s

Passé simple	Futur simple	Passé antérieur	Futur antérieur
je **m'** envolai	je **m'** envolerai	je **me** fus envolé(e)	je **me** serai envolé(e)
tu **t'** envolas	tu **t'** envoleras	tu **te** fus envolé(e)	tu **te** seras envolé(e)
il, elle **s'** envola	il, elle **s'** envolera	il, elle **se** fut envolé(e)	il, elle **se** sera envolé(e)
nous **nous** envolâmes	nous **nous** envolerons	nous **nous** fûmes envolé(e)s	nous **nous** serons envolé(e)s
vous **vous** envolâtes	vous **vous** envolerez	vous **vous** fûtes envolé(e)s	vous **vous** serez envolé(e)s
ils, elles **s'** envolèrent	ils, elles **s'** envoleront	ils, elles **se** furent envolé(e)s	ils, elles **se** seront envolé(e)s

SUBJONCTIF

Présent	Imparfait	Passé	Plus-que-parfait
Il faut *que...*	Il fallait *que...*	Il faut *que...*	Il fallait *que...*
je **m'** envole	je **m'** envolasse	je **me** sois envolé(e)	je **me** fusse envolé(e)
tu **t'** envoles	tu **t'** envolasses	tu **te** sois envolé(e)	tu **te** fusses envolé(e)
il, elle **s'** envole	il, elle **s'** envolât	il, elle **se** soit envolé(e)	il, elle **se** fût envolé(e)
nous **nous** envolions	nous **nous** envolassions	nous **nous** soyons envolé(e)s	nous **nous** fussions envolé(e)s
vous **vous** envoliez	vous **vous** envolassiez	vous **vous** soyez envolé(e)s	vous **vous** fussiez envolé(e)s
ils, elles **s'** envolent	ils, elles **s'** envolassent	ils, elles **se** soient envolé(e)s	ils, elles **se** fussent envolé(e)s

CONDITIONNEL

Présent	Passé 1re forme	Passé 2e forme
je **m'** envolerais	je **me** serais envolé(e)	je **me** fusse envolé(e)
tu **t'** envolerais	tu **te** serais envolé(e)	tu **te** fusses envolé(e)
il, elle **s'** envolerait	il, elle **se** serait envolé(e)	il, elle **se** fût envolé(e)
nous **nous** envolerions	nous **nous** serions envolé(e)s	nous **nous** fussions envolé(e)s
vous **vous** envoleriez	vous **vous** seriez envolé(e)s	vous **vous** fussiez envolé(e)s
ils, elles **s'** envoleraient	ils, elles **se** seraient envolé(e)s	ils, elles **se** fussent envolé(e)s

IMPÉRATIF

Présent	Passé
envole-**toi**	*(inusité)*
envolons-**nous**	
envolez-**vous**	

INFINITIF

Présent	Passé
s'envoler	s'être envolé(e)

PARTICIPE

Présent	Passé
s'envolant	s'étant envolé(e)

● VERBES MODÈLES DU 1er GROUPE

verbes en	n°	modèle	autres verbes	particularités orthographiques
-er	81	parler	chanter, aimer...	présent en -e, -es, -e, -ons, -ez, -ent ; p. simple en -ai, -as, -a, -âmes, -âtes, -èrent ; p. passé en -é(e) ; p. pst en -ant
-cer	63	commencer	avancer, effacer...	alternance c/ç
-scer	59	acquiescer	s'immiscer	alternance sc/sç
-quer	78	marquer	vaquer, appliquer...	permanence de qu
-ger	77	manger	déménager, bouger...	alternance g/ge
-guer	68	distinguer	naviguer, conjuguer...	permanence de gu
arguer	61			emploi du tréma
-ayer	82	payer	balayer, rayer...	alternance y/i y suivi de i y ou i suivis de e muet
-eyer	73	grasseyer	faseyer, volleyer...	permanence du y y suivi de i y suivi de e muet
-oyer	69	employer	aboyer, côtoyer...	alternance y/i y suivi de i i suivi de e muet
-envoyer	71	envoyer	renvoyer	alternance y/i y suivi de i changement de radical au futur simple de l'indicatif et au présent du conditionnel
-uyer	70	ennuyer	essuyer, appuyer...	alternance y/i y suivi de i i suivi de e muet
-ier	83	prier	crier, manier...	doublement du i i suivi de e muet
-gner	89	signer	cogner, gagner...	gn suivi de i
-iller	62	briller	piller, habiller...	ll suivi de i

1er groupe

-llier	80	pallier	allier, rallier...	doublement du **i** i suivi de **e muet**
-ailler	91	travailler	tailler, bailler...	ll suivi de **i**
-eiller	87	réveiller	surveiller, conseiller...	ll suivi de **i**
-ouiller	79	mouiller	rouiller, débrouiller...	ll suivi de **i**

-e(m, n, p, s, v, vr)er	88	semer	lever, mener, peser, sevrer...	alternance **e/è**
-ecer	66	dépecer	clamecer	alternance **e/è** alternance **c/ç**
-eter	58	acheter	breveter, fureter...	alternance **e/è**
	75	jeter	caqueter, cacheter...	doublement du **t**
-eler	72	geler	démanteler, écarteler...	alternance **e/è**
	60	appeler	chanceler, épeler...	doublement du **l**
-eller	74	interpeller	exceller, libeller...	permanence des deux **l** ll suivi de **i**

-éer	64	créer	agréer, suppléer...	é suivi de **e muet**
rapiécer	84			alternance **é/è** alternance **c/ç**
-é(br, ch, cr, d, gl, gr, j, l, m, n, p, r, s, t, tr, vr)er	57	accéder	considérer, ébrécher, exécrer, galéjer, léser, pénétrer, recéper, régler...	alternance **é/è**
-éger	56	abréger	alléger, protéger...	alternance **é/è** alternance **g/ge**
-égner	85	régner	imprégner	alternance **é/è** **gn** suivi de **i**
-éguer	65	déléguer	alléguer, léguer...	alternance **é/è** permanence de **gu**
-équer	67	disséquer	hypothéquer, réséquer...	alternance **é/è** permanence de **qu**

-uer	86	remuer	suer, muer...	u suivi de **e muet**
-ouer	76	louer	trouer, clouer...	u suivi de **e muet**

-er	90	tomber	s'affairer, arriver...	temps composés avec l'auxiliaire être

1er groupe

é devient è :
- aux trois personnes du singulier et à la 3e personne du pluriel du présent de l'indicatif et du subjonctif ;
- à la 2e personne du singulier du présent de l'impératif.
▶ Au futur simple de l'indicatif et au présent du conditionnel, le é est généralement prononcé [ɛ], d'où la tolérance d'écriture maintenant admise qui consiste à remplacer le é par un è à toutes les personnes de ces temps.
● g devient ge devant a et o pour garder le son [ʒ].

abréger

INDICATIF

Présent		Imparfait		Passé composé			Plus-que-parfait		
j'	abrège	j'	abrégeais	j'	ai	abrégé	j'	avais	abrégé
tu	abrèges	tu	abrégeais	tu	as	abrégé	tu	avais	abrégé
il, elle	abrège	il, elle	abrégeait	il, elle	a	abrégé	il, elle	avait	abrégé
nous	abrégeons	nous	abrégions	nous	avons	abrégé	nous	avions	abrégé
vous	abrégez	vous	abrégiez	vous	avez	abrégé	vous	aviez	abrégé
ils, elles	abrègent	ils, elles	abrégeaient	ils, elles	ont	abrégé	ils, elles	avaient	abrégé

Passé simple		Futur simple		Passé antérieur			Futur antérieur		
j'	abrégeai	j'	abrégerai	j'	eus	abrégé	j'	aurai	abrégé
tu	abrégeas	tu	abrégeras	tu	eus	abrégé	tu	auras	abrégé
il, elle	abrégea	il, elle	abrégera	il, elle	eut	abrégé	il, elle	aura	abrégé
nous	abrégeâmes	nous	abrégerons	nous	eûmes	abrégé	nous	aurons	abrégé
vous	abrégeâtes	vous	abrégerez	vous	eûtes	abrégé	vous	aurez	abrégé
ils, elles	abrégèrent	ils, elles	abrégeront	ils, elles	eurent	abrégé	ils, elles	auront	abrégé

SUBJONCTIF

Présent		Imparfait		Passé			Plus-que-parfait		
Il faut que...		Il fallait que...		Il faut que...			Il fallait que...		
j'	abrège	j'	abrégeasse	j'	aie	abrégé	j'	eusse	abrégé
tu	abrèges	tu	abrégeasses	tu	aies	abrégé	tu	eusses	abrégé
il, elle	abrège	il, elle	abrégeât	il, elle	ait	abrégé	il, elle	eût	abrégé
nous	abrégions	nous	abrégeassions	nous	ayons	abrégé	nous	eussions	abrégé
vous	abrégiez	vous	abrégeassiez	vous	ayez	abrégé	vous	eussiez	abrégé
ils, elles	abrègent	ils, elles	abrégeassent	ils, elles	aient	abrégé	ils, elles	eussent	abrégé

CONDITIONNEL

Présent		Passé 1re forme			Passé 2e forme		
j'	abrégerais	j'	aurais	abrégé	j'	eusse	abrégé
tu	abrégerais	tu	aurais	abrégé	tu	eusses	abrégé
il, elle	abrégerait	il, elle	aurait	abrégé	il, elle	eût	abrégé
nous	abrégerions	nous	aurions	abrégé	nous	eussions	abrégé
vous	abrégeriez	vous	auriez	abrégé	vous	eussiez	abrégé
ils, elles	abrégeraient	ils, elles	auraient	abrégé	ils, elles	eussent	abrégé

IMPÉRATIF

Présent	Passé
abrège	aie abrégé
abrégeons	ayons abrégé
abrégez	ayez abrégé

INFINITIF

Présent	Passé
abréger	avoir abrégé

PARTICIPE

Présent	Passé
abrégeant	abrégé(e)
	ayant abrégé

1er groupe

é devient **è** :
- aux trois personnes du singulier et à la 3e personne du pluriel du présent de l'indicatif et du subjonctif ;
- à la 2e personne du singulier du présent de l'impératif.
▶ Au futur simple de l'indicatif et au présent du conditionnel, le é est généralement prononcé [ɛ], d'où la tolérance d'écriture admise qui consiste à remplacer le é par un è à toutes les personnes de ces temps.
▶ Les verbes en -é(consonnes)er correspondent à : -é(br, ch, cr, d, gl, gr, j, l, m, n, p, r, s, t, tr, vr)er.

accéder

INDICATIF

Présent		Imparfait		Passé composé			Plus-que-parfait		
j'	accède	j'	accédais	j'	ai	accédé	j'	avais	accédé
tu	accèdes	tu	accédais	tu	as	accédé	tu	avais	accédé
il, elle	accède	il, elle	accédait	il, elle	a	accédé	il, elle	avait	accédé
nous	accédons	nous	accédions	nous	avons	accédé	nous	avions	accédé
vous	accédez	vous	accédiez	vous	avez	accédé	vous	aviez	accédé
ils, elles	accèdent	ils, elles	accédaient	ils, elles	ont	accédé	ils, elles	avaient	accédé

Passé simple		Futur simple		Passé antérieur			Futur antérieur		
j'	accédai	j'	accéderai	j'	eus	accédé	j'	aurai	accédé
tu	accédas	tu	accéderas	tu	eus	accédé	tu	auras	accédé
il, elle	accéda	il, elle	accédera	il, elle	eut	accédé	il, elle	aura	accédé
nous	accédâmes	nous	accéderons	nous	eûmes	accédé	nous	aurons	accédé
vous	accédâtes	vous	accéderez	vous	eûtes	accédé	vous	aurez	accédé
ils, elles	accédèrent	ils, elles	accéderont	ils, elles	eurent	accédé	ils, elles	auront	accédé

SUBJONCTIF

Présent		Imparfait		Passé			Plus-que-parfait		
Il faut *que...*		Il fallait *que...*		Il faut *que...*			Il fallait *que...*		
j'	accède	j'	accédasse	j'	aie	accédé	j'	eusse	accédé
tu	accèdes	tu	accédasses	tu	aies	accédé	tu	eusses	accédé
il, elle	accède	il, elle	accédât	il, elle	ait	accédé	il, elle	eût	accédé
nous	accédions	nous	accédassions	nous	ayons	accédé	nous	eussions	accédé
vous	accédiez	vous	accédassiez	vous	ayez	accédé	vous	eussiez	accédé
ils, elles	accèdent	ils, elles	accédassent	ils, elles	aient	accédé	ils, elles	eussent	accédé

CONDITIONNEL

Présent		Passé 1re forme			Passé 2e forme		
j'	accéderais	j'	aurais	accédé	j'	eusse	accédé
tu	accéderais	tu	aurais	accédé	tu	eusses	accédé
il, elle	accéderait	il, elle	aurait	accédé	il, elle	eût	accédé
nous	accéderions	nous	aurions	accédé	nous	eussions	accédé
vous	accéderiez	vous	auriez	accédé	vous	eussiez	accédé
ils, elles	accéderaient	ils, elles	auraient	accédé	ils, elles	eussent	accédé

IMPÉRATIF

Présent	Passé
accède	aie accédé
accédons	ayons accédé
accédez	ayez accédé

INFINITIF

Présent	Passé
accéder	avoir accédé

PARTICIPE

Présent	Passé
accédant	accédé
	ayant accédé

1er groupe

VERBES EN -eter

● e devient **è** :
- aux trois personnes du singulier et à la 3e personne du pluriel du présent de l'indicatif et du subjonctif ;
- à la 2e personne du singulier du présent de l'impératif ;
- à toutes les personnes du futur simple de l'indicatif et du présent du conditionnel.

▶ Se conjuguent sur le modèle d'*acheter* : *béguer, bouveter, breveter, corseter, crocheter, fileter, fureter, haleter, préacheter, racheter.*

Les autres verbes en **-eter** se conjuguent sur le modèle de *jeter* (cf. *jeter*, 75).

acheter

INDICATIF

Présent		Imparfait		Passé composé			Plus-que-parfait		
j'	ach**è**te	j'	achetais	j'	ai	acheté	j'	avais	acheté
tu	ach**è**tes	tu	achetais	tu	as	acheté	tu	avais	acheté
il, elle	ach**è**te	il, elle	achetait	il, elle	a	acheté	il, elle	avait	acheté
nous	achetons	nous	achetions	nous	avons	acheté	nous	avions	acheté
vous	achetez	vous	achetiez	vous	avez	acheté	vous	aviez	acheté
ils, elles	ach**è**tent	ils, elles	achetaient	ils, elles	ont	acheté	ils, elles	avaient	acheté

Passé simple		Futur simple		Passé antérieur			Futur antérieur		
j'	achetai	j'	ach**è**terai	j'	eus	acheté	j'	aurai	acheté
tu	achetas	tu	ach**è**teras	tu	eus	acheté	tu	auras	acheté
il, elle	acheta	il, elle	ach**è**tera	il, elle	eut	acheté	il, elle	aura	acheté
nous	achetâmes	nous	ach**è**terons	nous	eûmes	acheté	nous	aurons	acheté
vous	achetâtes	vous	ach**è**terez	vous	eûtes	acheté	vous	aurez	acheté
ils, elles	achetèrent	ils, elles	ach**è**teront	ils, elles	eurent	acheté	ils, elles	auront	acheté

SUBJONCTIF

Présent		Imparfait		Passé			Plus-que-parfait		
Il faut que...		*Il fallait que...*		*Il faut que...*			*Il fallait que...*		
j'	ach**è**te	j'	achetasse	j'	aie	acheté	j'	eusse	acheté
tu	ach**è**tes	tu	achetasses	tu	aies	acheté	tu	eusses	acheté
il, elle	ach**è**te	il, elle	achetât	il, elle	ait	acheté	il, elle	eût	acheté
nous	achetions	nous	achetassions	nous	ayons	acheté	nous	eussions	acheté
vous	achetiez	vous	achetassiez	vous	ayez	acheté	vous	eussiez	acheté
ils, elles	ach**è**tent	ils, elles	achetassent	ils, elles	aient	acheté	ils, elles	eussent	acheté

CONDITIONNEL

Présent		Passé 1re forme			Passé 2e forme		
j'	ach**è**terais	j'	aurais	acheté	j'	eusse	acheté
tu	ach**è**terais	tu	aurais	acheté	tu	eusses	acheté
il, elle	ach**è**terait	il, elle	aurait	acheté	il, elle	eût	acheté
nous	ach**è**terions	nous	aurions	acheté	nous	eussions	acheté
vous	ach**è**teriez	vous	auriez	acheté	vous	eussiez	acheté
ils, elles	ach**è**teraient	ils, elles	auraient	acheté	ils, elles	eussent	acheté

IMPÉRATIF

Présent	Passé
ach**è**te	aie acheté
achetons	ayons acheté
achetez	ayez acheté

INFINITIF

Présent	Passé
acheter	avoir acheté

PARTICIPE

Présent	Passé
achetant	acheté(e)
	ayant acheté

c devient **ç** devant **a** et **o** pour garder le son [s] :
- à la 1re personne du pluriel du présent de l'indicatif et de l'impératif ;
- aux trois personnes du singulier et à la 3e personne du pluriel de l'imparfait de l'indicatif ;
- à toutes les personnes de l'imparfait du subjonctif et du passé simple de l'indicatif (sauf à la 3e personne du pluriel du passé simple) ;
- au participe présent.

acquiescer

INDICATIF

Présent	Imparfait	Passé composé	Plus-que-parfait
j' acquiesce	j' acquiesçais	j' ai acquiescé	j' avais acquiescé
tu acquiesces	tu acquiesçais	tu as acquiescé	tu avais acquiescé
il, elle acquiesce	il, elle acquiesçait	il, elle a acquiescé	il, elle avait acquiescé
nous acquiesçons	nous acquiescions	nous avons acquiescé	nous avions acquiescé
vous acquiescez	vous acquiesciez	vous avez acquiescé	vous aviez acquiescé
ils, elles acquiescent	ils, elles acquiesçaient	ils, elles ont acquiescé	ils, elles avaient acquiescé

Passé simple	Futur simple	Passé antérieur	Futur antérieur
j' acquiesçai	j' acquiescerai	j' eus acquiescé	j' aurai acquiescé
tu acquiesças	tu acquiesceras	tu eus acquiescé	tu auras acquiescé
il, elle acquiesça	il, elle acquiescera	il, elle eut acquiescé	il, elle aura acquiescé
nous acquiesçâmes	nous acquiescerons	nous eûmes acquiescé	nous aurons acquiescé
vous acquiesçâtes	vous acquiescerez	vous eûtes acquiescé	vous aurez acquiescé
ils, elles acquiescèrent	ils, elles acquiesceront	ils, elles eurent acquiescé	ils, elles auront acquiescé

SUBJONCTIF

Présent	Imparfait	Passé	Plus-que-parfait
Il faut que...	*Il fallait que...*	*Il faut que...*	*Il fallait que...*
j' acquiesce	j' acquiesçasse	j' aie acquiescé	j' eusse acquiescé
tu acquiesces	tu acquiesçasses	tu aies acquiescé	tu eusses acquiescé
il, elle acquiesce	il, elle acquiesçât	il, elle ait acquiescé	il, elle eût acquiescé
nous acquiescions	nous acquiesçassions	nous ayons acquiescé	nous eussions acquiescé
vous acquiesciez	vous acquiesçassiez	vous ayez acquiescé	vous eussiez acquiescé
ils, elles acquiescent	ils, elles acquiesçassent	ils, elles aient acquiescé	ils, elles eussent acquiescé

CONDITIONNEL

Présent	Passé 1re forme	Passé 2e forme
j' acquiescerais	j' aurais acquiescé	j' eusse acquiescé
tu acquiescerais	tu aurais acquiescé	tu eusses acquiescé
il, elle acquiescerait	il, elle aurait acquiescé	il, elle eût acquiescé
nous acquiescerions	nous aurions acquiescé	nous eussions acquiescé
vous acquiesceriez	vous auriez acquiescé	vous eussiez acquiescé
ils, elles acquiesceraient	ils, elles auraient acquiescé	ils, elles eussent acquiescé

IMPÉRATIF

Présent	Passé
acquiesce	aie acquiescé
acquiesçons	ayons acquiescé
acquiescez	ayez acquiescé

INFINITIF

Présent	Passé
acquiescer	avoir acquiescé

PARTICIPE

Présent	Passé
acquiesçant	acquiescé
	ayant acquiescé

1er groupe

VERBES EN -eler

I devient II :
- aux trois personnes du singulier et à la 3e personne du pluriel du présent de l'indicatif et du subjonctif ;
- à la 2e personne du singulier du présent de l'impératif ;
- à toutes les personnes du futur simple de l'indicatif et du présent du conditionnel.

▶ Exceptions : *aciseler, celer, ciseler, congeler, se crêpeler, déceler, décongeler, dégeler* (être ou avoir), *démanteler, écarteler, embreler, s'encasteler, épinceler, friseler, geler, harceler, marteler, modeler, peler, receler, recongeler, regeler, remodeler, surgeler* ne doublent pas le **l**, mais changent le **e** du radical en **è** (cf. *geler*, 72).

appeler

INDICATIF

Présent		Imparfait		Passé composé			Plus-que-parfait		
j'	appelle	j'	appelais	j'	ai	appelé	j'	avais	appelé
tu	appelles	tu	appelais	tu	as	appelé	tu	avais	appelé
il, elle	appelle	il, elle	appelait	il, elle	a	appelé	il, elle	avait	appelé
nous	appelons	nous	appelions	nous	avons	appelé	nous	avions	appelé
vous	appelez	vous	appeliez	vous	avez	appelé	vous	aviez	appelé
ils, elles	appellent	ils, elles	appelaient	ils, elles	ont	appelé	ils, elles	avaient	appelé

Passé simple		Futur simple		Passé antérieur			Futur antérieur		
j'	appelai	j'	appellerai	j'	eus	appelé	j'	aurai	appelé
tu	appelas	tu	appelleras	tu	eus	appelé	tu	auras	appelé
il, elle	appela	il, elle	appellera	il, elle	eut	appelé	il, elle	aura	appelé
nous	appelâmes	nous	appellerons	nous	eûmes	appelé	nous	aurons	appelé
vous	appelâtes	vous	appellerez	vous	eûtes	appelé	vous	aurez	appelé
ils, elles	appelèrent	ils, elles	appelleront	ils, elles	eurent	appelé	ils, elles	auront	appelé

SUBJONCTIF

Présent		Imparfait		Passé			Plus-que-parfait		
Il faut que...		*Il fallait que...*		*Il faut que...*			*Il fallait que...*		
j'	appelle	j'	appelasse	j'	aie	appelé	j'	eusse	appelé
tu	appelles	tu	appelasses	tu	aies	appelé	tu	eusses	appelé
il, elle	appelle	il, elle	appelât	il, elle	ait	appelé	il, elle	eût	appelé
nous	appelions	nous	appelassions	nous	ayons	appelé	nous	eussions	appelé
vous	appeliez	vous	appelassiez	vous	ayez	appelé	vous	eussiez	appelé
ils, elles	appellent	ils, elles	appelassent	ils, elles	aient	appelé	ils, elles	eussent	appelé

CONDITIONNEL

Présent		Passé 1re forme			Passé 2e forme		
j'	appellerais	j'	aurais	appelé	j'	eusse	appelé
tu	appellerais	tu	aurais	appelé	tu	eusses	appelé
il, elle	appellerait	il, elle	aurait	appelé	il, elle	eût	appelé
nous	appellerions	nous	aurions	appelé	nous	eussions	appelé
vous	appelleriez	vous	auriez	appelé	vous	eussiez	appelé
ils, elles	appelleraient	ils, elles	auraient	appelé	ils, elles	eussent	appelé

IMPÉRATIF

Présent	Passé
appelle	aie appelé
appelons	ayons appelé
appelez	ayez appelé

INFINITIF

Présent	Passé
appeler	avoir appelé

PARTICIPE

Présent	Passé
appelant	appelé(e)
	ayant appelé

● e devient **ë** :
- aux trois personnes du singulier et à la 3e personne du pluriel du présent de l'indicatif et du subjonctif ;
- à la 2e personne du singulier du présent de l'impératif ;
- à toutes les personnes du futur simple de l'indicatif et du présent du conditionnel.
● i devient **ï** aux 1res et 2es personnes du pluriel de l'imparfait de l'indicatif et du présent du subjonctif.
▶ L'usage du tréma n'est plus obligatoire, mais sa présence sur le **e** et le **i** indique qu'il faut prononcer le **u** et non pas l'inclure dans la prononciation du son [g] orthographié **gu**.

arguer

INDICATIF

Présent		Imparfait		Passé composé			Plus-que-parfait		
j'	arguë	j'	arguais	j'	ai	argué	j'	avais	argué
tu	arguës	tu	arguais	tu	as	argué	tu	avais	argué
il, elle	arguë	il, elle	arguait	il, elle	a	argué	il, elle	avait	argué
nous	arguons	nous	arguïons	nous	avons	argué	nous	avions	argué
vous	arguez	vous	arguïez	vous	avez	argué	vous	aviez	argué
ils, elles	arguënt	ils, elles	arguaient	ils, elles	ont	argué	ils, elles	avaient	argué

Passé simple		Futur simple		Passé antérieur			Futur antérieur		
j'	arguai	j'	arguërai	j'	eus	argué	j'	aurai	argué
tu	arguas	tu	arguëras	tu	eus	argué	tu	auras	argué
il, elle	argua	il, elle	arguëra	il, elle	eut	argué	il, elle	aura	argué
nous	arguâmes	nous	arguërons	nous	eûmes	argué	nous	aurons	argué
vous	arguâtes	vous	arguërez	vous	eûtes	argué	vous	aurez	argué
ils, elles	arguèrent	ils, elles	arguëront	ils, elles	eurent	argué	ils, elles	auront	argué

SUBJONCTIF

Présent		Imparfait		Passé			Plus-que-parfait		
Il faut *que*...		Il fallait *que*...		Il faut *que*...			Il fallait *que*...		
j'	arguë	j'	arguasse	j'	aie	argué	j'	eusse	argué
tu	arguës	tu	arguasses	tu	aies	argué	tu	eusses	argué
il, elle	arguë	il, elle	arguât	il, elle	ait	argué	il, elle	eût	argué
nous	arguïons	nous	arguassions	nous	ayons	argué	nous	eussions	argué
vous	arguïez	vous	arguassiez	vous	ayez	argué	vous	eussiez	argué
ils, elles	arguënt	ils, elles	arguassent	ils, elles	aient	argué	ils, elles	eussent	argué

CONDITIONNEL

Présent		Passé 1re forme			Passé 2e forme		
j'	arguërais	j'	aurais	argué	j'	eusse	argué
tu	arguërais	tu	aurais	argué	tu	eusses	argué
il, elle	arguërait	il, elle	aurait	argué	il, elle	eût	argué
nous	arguërions	nous	aurions	argué	nous	eussions	argué
vous	arguëriez	vous	auriez	argué	vous	eussiez	argué
ils, elles	arguëraient	ils, elles	auraient	argué	ils, elles	eussent	argué

IMPÉRATIF

Présent	Passé
arguë	aie argué
arguons	ayons argué
arguez	ayez argué

INFINITIF

Présent	Passé
arguer	avoir argué

PARTICIPE

Présent	Passé
arguant	argué(e)
	ayant argué

1er groupe

● Il devient **lli** aux 1res et 2es personnes du pluriel de l'imparfait de l'indicatif et du présent du subjonctif.

briller

INDICATIF

Présent		Imparfait		Passé composé			Plus-que-parfait		
je	brille	je	brillais	j'	ai	brillé	j'	avais	brillé
tu	brilles	tu	brillais	tu	as	brillé	tu	avais	brillé
il, elle	brille	il, elle	brillait	il, elle	a	brillé	il, elle	avait	brillé
nous	brillons	nous	brillions	nous	avons	brillé	nous	avions	brillé
vous	brillez	vous	brilliez	vous	avez	brillé	vous	aviez	brillé
ils, elles	brillent	ils, elles	brillaient	ils, elles	ont	brillé	ils, elles	avaient	brillé

Passé simple		Futur simple		Passé antérieur			Futur antérieur		
je	brillai	je	brillerai	j'	eus	brillé	j'	aurai	brillé
tu	brillas	tu	brilleras	tu	eus	brillé	tu	auras	brillé
il, elle	brilla	il, elle	brillera	il, elle	eut	brillé	il, elle	aura	brillé
nous	brillâmes	nous	brillerons	nous	eûmes	brillé	nous	aurons	brillé
vous	brillâtes	vous	brillerez	vous	eûtes	brillé	vous	aurez	brillé
ils, elles	brillèrent	ils, elles	brilleront	ils, elles	eurent	brillé	ils, elles	auront	brillé

SUBJONCTIF

Présent		Imparfait		Passé			Plus-que-parfait		
Il faut **que...**		Il fallait **que...**		Il faut **que...**			Il fallait **que...**		
je	brille	je	brillasse	j'	aie	brillé	j'	eusse	brillé
tu	brilles	tu	brillasses	tu	aies	brillé	tu	eusses	brillé
il, elle	brille	il, elle	brillât	il, elle	ait	brillé	il, elle	eût	brillé
nous	brillions	nous	brillassions	nous	ayons	brillé	nous	eussions	brillé
vous	brilliez	vous	brillassiez	vous	ayez	brillé	vous	eussiez	brillé
ils, elles	brillent	ils, elles	brillassent	ils, elles	aient	brillé	ils, elles	eussent	brillé

CONDITIONNEL

Présent		Passé 1re forme			Passé 2e forme		
je	brillerais	j'	aurais	brillé	j'	eusse	brillé
tu	brillerais	tu	aurais	brillé	tu	eusses	brillé
il, elle	brillerait	il, elle	aurait	brillé	il, elle	eût	brillé
nous	brillerions	nous	aurions	brillé	nous	eussions	brillé
vous	brilleriez	vous	auriez	brillé	vous	eussiez	brillé
ils, elles	brilleraient	ils, elles	auraient	brillé	ils, elles	eussent	brillé

IMPÉRATIF

Présent	Passé
brille	aie brillé
brillons	ayons brillé
brillez	ayez brillé

INFINITIF

Présent	Passé
briller	avoir brillé

PARTICIPE

Présent	Passé
brillant	brillé
	ayant brillé

1er groupe

c devient **ç** devant **a** et **o** pour garder le son [s] :
- à la 1ʳᵉ personne du pluriel du présent de l'indicatif et de l'impératif ;
- aux trois personnes du singulier et à la 3ᵉ personne du pluriel de l'imparfait de l'indicatif ;
- à toutes les personnes de l'imparfait du subjonctif et du passé simple de l'indicatif (sauf à la 3ᵉ personne du pluriel du passé simple) ;
- au participe présent.

commencer

INDICATIF

Présent	Imparfait	Passé composé	Plus-que-parfait
je commence	je commençais	j' ai commencé	j' avais commencé
tu commences	tu commençais	tu as commencé	tu avais commencé
il, elle commence	il, elle commençait	il, elle a commencé	il, elle avait commencé
nous commençons	nous commencions	nous avons commencé	nous avions commencé
vous commencez	vous commenciez	vous avez commencé	vous aviez commencé
ils, elles commencent	ils, elles commençaient	ils, elles ont commencé	ils, elles avaient commencé

Passé simple	Futur simple	Passé antérieur	Futur antérieur
je commençai	je commencerai	j' eus commencé	j' aurai commencé
tu commenças	tu commenceras	tu eus commencé	tu auras commencé
il, elle commença	il, elle commencera	il, elle eut commencé	il, elle aura commencé
nous commençâmes	nous commencerons	nous eûmes commencé	nous aurons commencé
vous commençâtes	vous commencerez	vous eûtes commencé	vous aurez commencé
ils, elles commencèrent	ils, elles commenceront	ils, elles eurent commencé	ils, elles auront commencé

SUBJONCTIF

Présent	Imparfait	Passé	Plus-que-parfait
Il faut que...	*Il fallait que...*	*Il faut que...*	*Il fallait que...*
je commence	je commençasse	j' aie commencé	j' eusse commencé
tu commences	tu commençasses	tu aies commencé	tu eusses commencé
il, elle commence	il, elle commençât	il, elle ait commencé	il, elle eût commencé
nous commencions	nous commençassions	nous ayons commencé	nous eussions commencé
vous commenciez	vous commençassiez	vous ayez commencé	vous eussiez commencé
ils, elles commencent	ils, elles commençassent	ils, elles aient commencé	ils, elles eussent commencé

CONDITIONNEL

Présent	Passé 1ʳᵉ forme	Passé 2ᵉ forme
je commencerais	j' aurais commencé	j' eusse commencé
tu commencerais	tu aurais commencé	tu eusses commencé
il, elle commencerait	il, elle aurait commencé	il, elle eût commencé
nous commencerions	nous aurions commencé	nous eussions commencé
vous commenceriez	vous auriez commencé	vous eussiez commencé
ils, elles commenceraient	ils, elles auraient commencé	ils, elles eussent commencé

IMPÉRATIF

Présent	Passé
commence	aie commencé
commençons	ayons commencé
commencez	ayez commencé

INFINITIF

Présent	Passé
commencer	avoir commencé

PARTICIPE

Présent	Passé
commençant	commencé(e)
	ayant commencé

1ᵉʳ groupe

VERBES EN -éer

• é est suivi d'un **e** :
- à l'infinitif ;
- aux trois personnes du singulier et à la 3e personne du pluriel du présent de l'indicatif et du subjonctif ;
- à la 2e personne du singulier du présent de l'impératif ;
- à toutes les personnes du futur simple de l'indicatif et du présent du conditionnel. Pour ne pas l'oublier, il faut se rappeler que le futur simple de l'indicatif et le présent du conditionnel ajoutent leurs terminaisons à l'infinitif du verbe.
▶ Au participe passé féminin, **éé** devient **ée** : *créée, créées*.

créer

INDICATIF

Présent		Imparfait		Passé composé			Plus-que-parfait		
je	crée	je	créais	j'	ai	créé	j'	avais	créé
tu	crées	tu	créais	tu	as	créé	tu	avais	créé
il, elle	crée	il, elle	créait	il, elle	a	créé	il, elle	avait	créé
nous	créons	nous	créions	nous	avons	créé	nous	avions	créé
vous	créez	vous	créiez	vous	avez	créé	vous	aviez	créé
ils, elles	créent	ils, elles	créaient	ils, elles	ont	créé	ils, elles	avaient	créé

Passé simple		Futur simple		Passé antérieur			Futur antérieur		
je	créai	je	créerai	j'	eus	créé	j'	aurai	créé
tu	créas	tu	créeras	tu	eus	créé	tu	auras	créé
il, elle	créa	il, elle	créera	il, elle	eut	créé	il, elle	aura	créé
nous	créâmes	nous	créerons	nous	eûmes	créé	nous	aurons	créé
vous	créâtes	vous	créerez	vous	eûtes	créé	vous	aurez	créé
ils, elles	créèrent	ils, elles	créeront	ils, elles	eurent	créé	ils, elles	auront	créé

SUBJONCTIF

Présent		Imparfait		Passé			Plus-que-parfait		
Il faut que...		*Il fallait que...*		*Il faut que...*			*Il fallait que...*		
je	crée	je	créasse	j'	aie	créé	j'	eusse	créé
tu	crées	tu	créasses	tu	aies	créé	tu	eusses	créé
il, elle	crée	il, elle	créât	il, elle	ait	créé	il, elle	eût	créé
nous	créions	nous	créassions	nous	ayons	créé	nous	eussions	créé
vous	créiez	vous	créassiez	vous	ayez	créé	vous	eussiez	créé
ils, elles	créent	ils, elles	créassent	ils, elles	aient	créé	ils, elles	eussent	créé

CONDITIONNEL

Présent		Passé 1re forme			Passé 2e forme		
je	créerais	j'	aurais	créé	j'	eusse	créé
tu	créerais	tu	aurais	créé	tu	eusses	créé
il, elle	créerait	il, elle	aurait	créé	il, elle	eût	créé
nous	créerions	nous	aurions	créé	nous	eussions	créé
vous	créeriez	vous	auriez	créé	vous	eussiez	créé
ils, elles	créeraient	ils, elles	auraient	créé	ils, elles	eussent	créé

IMPÉRATIF

Présent	Passé
crée	aie créé
créons	ayons créé
créez	ayez créé

INFINITIF

Présent	Passé
créer	avoir créé

PARTICIPE

Présent	Passé
créant	créé(e)
	ayant créé

● é devient **è** :
- aux trois personnes du singulier et à la 3e personne du pluriel du présent de l'indicatif et du subjonctif;
- à la 2e personne du singulier du présent de l'impératif.
▶ Au futur simple de l'indicatif et au présent du conditionnel, le **é** est généralement prononcé [ɛ], d'où la tolérance d'écriture maintenant admise qui consiste à remplacer le **é** par un **è** à toutes les personnes de ces temps.
● **gu** reste **gu**, même devant **a** et **o**.

déléguer

INDICATIF

Présent		**Imparfait**		**Passé composé**			**Plus-que-parfait**		
je	délègue	je	déléguais	j'	ai	délégué	j'	avais	délégué
tu	délègues	tu	déléguais	tu	as	délégué	tu	avais	délégué
il, elle	délègue	il, elle	déléguait	il, elle	a	délégué	il, elle	avait	délégué
nous	déléguons	nous	déléguions	nous	avons	délégué	nous	avions	délégué
vous	déléguez	vous	déléguiez	vous	avez	délégué	vous	aviez	délégué
ils, elles	délèguent	ils, elles	déléguaient	ils, elles	ont	délégué	ils, elles	avaient	délégué

Passé simple		**Futur simple**		**Passé antérieur**			**Futur antérieur**		
je	déléguai	je	déléguerai	j'	eus	délégué	j'	aurai	délégué
tu	déléguas	tu	délégueras	tu	eus	délégué	tu	auras	délégué
il, elle	délégua	il, elle	déléguera	il, elle	eut	délégué	il, elle	aura	délégué
nous	déléguâmes	nous	déléguerons	nous	eûmes	délégué	nous	aurons	délégué
vous	déléguâtes	vous	déléguerez	vous	eûtes	délégué	vous	aurez	délégué
ils, elles	déléguèrent	ils, elles	délégueront	ils, elles	eurent	délégué	ils, elles	auront	délégué

SUBJONCTIF

Présent		**Imparfait**		**Passé**			**Plus-que-parfait**		
Il faut que...		*Il fallait que...*		*Il faut que...*			*Il fallait que...*		
je	délègue	je	déléguasse	j'	aie	délégué	j'	eusse	délégué
tu	délègues	tu	déléguasses	tu	aies	délégué	tu	eusses	délégué
il, elle	délègue	il, elle	déléguât	il, elle	ait	délégué	il, elle	eût	délégué
nous	déléguions	nous	déléguassions	nous	ayons	délégué	nous	eussions	délégué
vous	déléguiez	vous	déléguassiez	vous	ayez	délégué	vous	eussiez	délégué
ils, elles	délèguent	ils, elles	déléguassent	ils, elles	aient	délégué	ils, elles	eussent	délégué

CONDITIONNEL

Présent		**Passé 1re forme**			**Passé 2e forme**		
je	déléguerais	j'	aurais	délégué	j'	eusse	délégué
tu	déléguerais	tu	aurais	délégué	tu	eusses	délégué
il, elle	déléguerait	il, elle	aurait	délégué	il, elle	eût	délégué
nous	déléguerions	nous	aurions	délégué	nous	eussions	délégué
vous	délégueriez	vous	auriez	délégué	vous	eussiez	délégué
ils, elles	délégueraient	ils, elles	auraient	délégué	ils, elles	eussent	délégué

IMPÉRATIF

Présent	**Passé**
délègue	aie délégué
déléguons	ayons délégué
déléguez	ayez délégué

INFINITIF

Présent	**Passé**
déléguer	avoir délégué

PARTICIPE

Présent	**Passé**
déléguant	délégué(e)
	ayant délégué

1er groupe

VERBES EN -ecer

● e devient **è** :
- aux trois personnes du singulier et à la 3e personne du pluriel du présent de l'indicatif et du subjonctif ;
- à la 2e personne du singulier du présent de l'impératif ;
- à toutes les personnes du futur simple de l'indicatif et du présent du conditionnel.
● c devient **ç** devant a et o pour garder le son [s].

dépecer

INDICATIF

Présent		Imparfait		Passé composé			Plus-que-parfait		
je	dépèce	je	dépeçais	j'	ai	dépecé	j'	avais	dépecé
tu	dépèces	tu	dépeçais	tu	as	dépecé	tu	avais	dépecé
il, elle	dépèce	il, elle	dépeçait	il, elle	a	dépecé	il, elle	avait	dépecé
nous	dépeçons	nous	dépecions	nous	avons	dépecé	nous	avions	dépecé
vous	dépecez	vous	dépeciez	vous	avez	dépecé	vous	aviez	dépecé
ils, elles	dépècent	ils, elles	dépeçaient	ils, elles	ont	dépecé	ils, elles	avaient	dépecé

Passé simple		Futur simple		Passé antérieur			Futur antérieur		
je	dépeçai	je	dépècerai	j'	eus	dépecé	j'	aurai	dépecé
tu	dépeças	tu	dépèceras	tu	eus	dépecé	tu	auras	dépecé
il, elle	dépeça	il, elle	dépècera	il, elle	eut	dépecé	il, elle	aura	dépecé
nous	dépeçâmes	nous	dépècerons	nous	eûmes	dépecé	nous	aurons	dépecé
vous	dépeçâtes	vous	dépècerez	vous	eûtes	dépecé	vous	aurez	dépecé
ils, elles	dépecèrent	ils, elles	dépèceront	ils, elles	eurent	dépecé	ils, elles	auront	dépecé

SUBJONCTIF

Présent		Imparfait		Passé			Plus-que-parfait		
Il faut que...		*Il fallait que...*		*Il faut que...*			*Il fallait que...*		
je	dépèce	je	dépeçasse	j'	aie	dépecé	j'	eusse	dépecé
tu	dépèces	tu	dépeçasses	tu	aies	dépecé	tu	eusses	dépecé
il, elle	dépèce	il, elle	dépeçât	il, elle	ait	dépecé	il, elle	eût	dépecé
nous	dépecions	nous	dépeçassions	nous	ayons	dépecé	nous	eussions	dépecé
vous	dépeciez	vous	dépeçassiez	vous	ayez	dépecé	vous	eussiez	dépecé
ils, elles	dépècent	ils, elles	dépeçassent	ils, elles	aient	dépecé	ils, elles	eussent	dépecé

CONDITIONNEL

Présent		Passé 1re forme			Passé 2e forme		
je	dépècerais	j'	aurais	dépecé	j'	eusse	dépecé
tu	dépècerais	tu	aurais	dépecé	tu	eusses	dépecé
il, elle	dépècerait	il, elle	aurait	dépecé	il, elle	eût	dépecé
nous	dépècerions	nous	aurions	dépecé	nous	eussions	dépecé
vous	dépèceriez	vous	auriez	dépecé	vous	eussiez	dépecé
ils, elles	dépèceraient	ils, elles	auraient	dépecé	ils, elles	eussent	dépecé

IMPÉRATIF

Présent	Passé
dépèce	aie dépecé
dépeçons	ayons dépecé
dépecez	ayez dépecé

INFINITIF

Présent	Passé
dépecer	avoir dépecé

PARTICIPE

Présent	Passé
dépeçant	dépecé(e)
	ayant dépecé

1er groupe

é devient **è** :
- aux trois personnes du singulier et à la 3e personne du pluriel du présent de l'indicatif et du subjonctif;
- à la 2e personne du singulier du présent de l'impératif.

▶ Au futur simple de l'indicatif et au présent du conditionnel, le **é** est généralement prononcé [ɛ], d'où la tolérance d'écriture maintenant admise qui consiste à remplacer le **é** par un **è** à toutes les personnes de ces temps.

▶ **qu** est conservé à toutes les formes.

disséquer

INDICATIF

Présent		Imparfait		Passé composé			Plus-que-parfait		
je	dissèque	je	disséquais	j'	ai	disséqué	j'	avais	disséqué
tu	dissèques	tu	disséquais	tu	as	disséqué	tu	avais	disséqué
il, elle	dissèque	il, elle	disséquait	il, elle	a	disséqué	il, elle	avait	disséqué
nous	disséquons	nous	disséquions	nous	avons	disséqué	nous	avions	disséqué
vous	disséquez	vous	disséquiez	vous	avez	disséqué	vous	aviez	disséqué
ils, elles	dissèquent	ils, elles	disséquaient	ils, elles	ont	disséqué	ils, elles	avaient	disséqué

Passé simple		Futur simple		Passé antérieur			Futur antérieur		
je	disséquai	je	disséquerai	j'	eus	disséqué	j'	aurai	disséqué
tu	disséquas	tu	disséqueras	tu	eus	disséqué	tu	auras	disséqué
il, elle	disséqua	il, elle	disséquera	il, elle	eut	disséqué	il, elle	aura	disséqué
nous	disséquâmes	nous	disséquerons	nous	eûmes	disséqué	nous	aurons	disséqué
vous	disséquâtes	vous	disséquerez	vous	eûtes	disséqué	vous	aurez	disséqué
ils, elles	disséquèrent	ils, elles	disséqueront	ils, elles	eurent	disséqué	ils, elles	auront	disséqué

SUBJONCTIF

Présent		Imparfait		Passé			Plus-que-parfait		
Il faut que...		Il fallait que...		Il faut que...			Il fallait que...		
je	dissèque	je	disséquasse	j'	aie	disséqué	j'	eusse	disséqué
tu	dissèques	tu	disséquasses	tu	aies	disséqué	tu	eusses	disséqué
il, elle	dissèque	il, elle	disséquât	il, elle	ait	disséqué	il, elle	eût	disséqué
nous	disséquions	nous	disséquassions	nous	ayons	disséqué	nous	eussions	disséqué
vous	disséquiez	vous	disséquassiez	vous	ayez	disséqué	vous	eussiez	disséqué
ils, elles	dissèquent	ils, elles	disséquassent	ils, elles	aient	disséqué	ils, elles	eussent	disséqué

CONDITIONNEL

Présent		Passé 1re forme			Passé 2e forme		
je	disséquerais	j'	aurais	disséqué	j'	eusse	disséqué
tu	disséquerais	tu	aurais	disséqué	tu	eusses	disséqué
il, elle	disséquerait	il, elle	aurait	disséqué	il, elle	eût	disséqué
nous	disséquerions	nous	aurions	disséqué	nous	eussions	disséqué
vous	disséqueriez	vous	auriez	disséqué	vous	eussiez	disséqué
ils, elles	disséqueraient	ils, elles	auraient	disséqué	ils, elles	eussent	disséqué

IMPÉRATIF

Présent	Passé
dissèque	aie disséqué
disséquons	ayons disséqué
disséquez	ayez disséqué

INFINITIF

Présent	Passé
disséquer	avoir disséqué

PARTICIPE

Présent	Passé
disséquant	disséqué(e)
	ayant disséqué

1er groupe

- gu reste **gu** même devant **a** et **o**.
- ▶ gu devient **g** pour l'adjectif verbal des verbes *délé**guer**, diva**guer**, extrava**guer**, fati**guer**, intri**guer**, navi**guer**, zigza**guer*** : *le personnel navigant.*

distinguer

INDICATIF

Présent		Imparfait		Passé composé			Plus-que-parfait		
je	distingue	je	distinguais	j'	ai	distingué	j'	avais	distingué
tu	distingues	tu	distinguais	tu	as	distingué	tu	avais	distingué
il, elle	distingue	il, elle	distinguait	il, elle	a	distingué	il, elle	avait	distingué
nous	distinguons	nous	distinguions	nous	avons	distingué	nous	avions	distingué
vous	distinguez	vous	distinguiez	vous	avez	distingué	vous	aviez	distingué
ils, elles	distinguent	ils, elles	distinguaient	ils, elles	ont	distingué	ils, elles	avaient	distingué

Passé simple		Futur simple		Passé antérieur			Futur antérieur		
je	distinguai	je	distinguerai	j'	eus	distingué	j'	aurai	distingué
tu	distinguas	tu	distingueras	tu	eus	distingué	tu	auras	distingué
il, elle	distingua	il, elle	distinguera	il, elle	eut	distingué	il, elle	aura	distingué
nous	distinguâmes	nous	distinguerons	nous	eûmes	distingué	nous	aurons	distingué
vous	distinguâtes	vous	distinguerez	vous	eûtes	distingué	vous	aurez	distingué
ils, elles	distinguèrent	ils, elles	distingueront	ils, elles	eurent	distingué	ils, elles	auront	distingué

SUBJONCTIF

Présent		Imparfait		Passé			Plus-que-parfait		
Il faut *que...*		Il fallait *que...*		Il faut *que...*			Il fallait *que...*		
je	distingue	je	distinguasse	j'	aie	distingué	j'	eusse	distingué
tu	distingues	tu	distinguasses	tu	aies	distingué	tu	eusses	distingué
il, elle	distingue	il, elle	distinguât	il, elle	ait	distingué	il, elle	eût	distingué
nous	distinguions	nous	distinguassions	nous	ayons	distingué	nous	eussions	distingué
vous	distinguiez	vous	distinguassiez	vous	ayez	distingué	vous	eussiez	distingué
ils, elles	distinguent	ils, elles	distinguassent	ils, elles	aient	distingué	ils, elles	eussent	distingué

CONDITIONNEL

Présent		Passé 1re forme			Passé 2e forme		
je	distinguerais	j'	aurais	distingué	j'	eusse	distingué
tu	distinguerais	tu	aurais	distingué	tu	eusses	distingué
il, elle	distinguerait	il, elle	aurait	distingué	il, elle	eût	distingué
nous	distinguerions	nous	aurions	distingué	nous	eussions	distingué
vous	distingueriez	vous	auriez	distingué	vous	eussiez	distingué
ils, elles	distingueraient	ils, elles	auraient	distingué	ils, elles	eussent	distingué

IMPÉRATIF

Présent	Passé
distingue	aie distingué
distinguons	ayons distingué
distinguez	ayez distingué

INFINITIF

Présent	Passé
distinguer	avoir distingué

PARTICIPE

Présent	Passé
distinguant	distingué(e)
	ayant distingué

1er groupe

y devient **obligatoirement i** devant **e muet** :
- aux trois personnes du singulier et à la 3e personne du pluriel du présent de l'indicatif et du subjonctif ;
- à la 2e personne du singulier du présent de l'impératif ;
- à toutes les personnes du futur simple de l'indicatif et du présent du conditionnel.

● y devient **yi** aux 1res et 2es personnes du pluriel de l'imparfait de l'indicatif et du présent du subjonctif.

● i est suivi d'un **e** à toutes les personnes du futur simple de l'indicatif et du présent du conditionnel. Étant donné qu'il ne se prononce pas, on a souvent tendance à l'oublier à l'écrit.

employer

INDICATIF

Présent		Imparfait		Passé composé			Plus-que-parfait		
j'	emploie	j'	employais	j'	ai	employé	j'	avais	employé
tu	emploies	tu	employais	tu	as	employé	tu	avais	employé
il, elle	emploie	il, elle	employait	il, elle	a	employé	il, elle	avait	employé
nous	employons	nous	employions	nous	avons	employé	nous	avions	employé
vous	employez	vous	employiez	vous	avez	employé	vous	aviez	employé
ils, elles	emploient	ils, elles	employaient	ils, elles	ont	employé	ils, elles	avaient	employé

Passé simple		Futur simple		Passé antérieur			Futur antérieur		
j'	employai	j'	emploierai	j'	eus	employé	j'	aurai	employé
tu	employas	tu	emploieras	tu	eus	employé	tu	auras	employé
il, elle	employa	il, elle	emploiera	il, elle	eut	employé	il, elle	aura	employé
nous	employâmes	nous	emploierons	nous	eûmes	employé	nous	aurons	employé
vous	employâtes	vous	emploierez	vous	eûtes	employé	vous	aurez	employé
ils, elles	employèrent	ils, elles	emploieront	ils, elles	eurent	employé	ils, elles	auront	employé

SUBJONCTIF

Présent		Imparfait		Passé			Plus-que-parfait		
Il faut que...		Il fallait que...		Il faut que...			Il fallait que...		
j'	emploie	j'	employasse	j'	aie	employé	j'	eusse	employé
tu	emploies	tu	employasses	tu	aies	employé	tu	eusses	employé
il, elle	emploie	il, elle	employât	il, elle	ait	employé	il, elle	eût	employé
nous	employions	nous	employassions	nous	ayons	employé	nous	eussions	employé
vous	employiez	vous	employassiez	vous	ayez	employé	vous	eussiez	employé
ils, elles	emploient	ils, elles	employassent	ils, elles	aient	employé	ils, elles	eussent	employé

CONDITIONNEL

Présent		Passé 1re forme			Passé 2e forme		
j'	emploierais	j'	aurais	employé	j'	eusse	employé
tu	emploierais	tu	aurais	employé	tu	eusses	employé
il, elle	emploierait	il, elle	aurait	employé	il, elle	eût	employé
nous	emploierions	nous	aurions	employé	nous	eussions	employé
vous	emploieriez	vous	auriez	employé	vous	eussiez	employé
ils, elles	emploieraient	ils, elles	auraient	employé	ils, elles	eussent	employé

IMPÉRATIF

Présent	Passé
emploie	aie employé
employons	ayons employé
employez	ayez employé

INFINITIF

Présent	Passé
employer	avoir employé

PARTICIPE

Présent	Passé
employant	employé(e)
	ayant employé

1er groupe

VERBES EN -uyer

- **y** devient **obligatoirement i** devant **e muet** :
  - aux trois personnes du singulier et à la 3e personne du pluriel du présent de l'indicatif et du subjonctif ;
  - à la 2e personne du singulier du présent de l'impératif ;
  - à toutes les personnes du futur simple de l'indicatif et du présent du conditionnel.
- **y** devient **yi** aux 1res et 2es personnes du pluriel de l'imparfait de l'indicatif et du présent du subjonctif.
- **i** est suivi d'un **e** à toutes les personnes du futur simple de l'indicatif et du présent du conditionnel. Étant donné qu'il ne se prononce pas, on a souvent tendance à l'oublier à l'écrit.

ennuyer

INDICATIF

Présent		Imparfait		Passé composé			Plus-que-parfait		
j'	ennuie	j'	ennuyais	j'	ai	ennuyé	j'	avais	ennuyé
tu	ennuies	tu	ennuyais	tu	as	ennuyé	tu	avais	ennuyé
il, elle	ennuie	il, elle	ennuyait	il, elle	a	ennuyé	il, elle	avait	ennuyé
nous	ennuyons	nous	ennuyions	nous	avons	ennuyé	nous	avions	ennuyé
vous	ennuyez	vous	ennuyiez	vous	avez	ennuyé	vous	aviez	ennuyé
ils, elles	ennuient	ils, elles	ennuyaient	ils, elles	ont	ennuyé	ils, elles	avaient	ennuyé

Passé simple		Futur simple		Passé antérieur			Futur antérieur		
j'	ennuyai	j'	ennuierai	j'	eus	ennuyé	j'	aurai	ennuyé
tu	ennuyas	tu	ennuieras	tu	eus	ennuyé	tu	auras	ennuyé
il, elle	ennuya	il, elle	ennuiera	il, elle	eut	ennuyé	il, elle	aura	ennuyé
nous	ennuyâmes	nous	ennuierons	nous	eûmes	ennuyé	nous	aurons	ennuyé
vous	ennuyâtes	vous	ennuierez	vous	eûtes	ennuyé	vous	aurez	ennuyé
ils, elles	ennuyèrent	ils, elles	ennuieront	ils, elles	eurent	ennuyé	ils, elles	auront	ennuyé

SUBJONCTIF

Présent		Imparfait		Passé			Plus-que-parfait		
Il faut que...		Il fallait que...		Il faut que...			Il fallait que...		
j'	ennuie	j'	ennuyasse	j'	aie	ennuyé	j'	eusse	ennuyé
tu	ennuies	tu	ennuyasses	tu	aies	ennuyé	tu	eusses	ennuyé
il, elle	ennuie	il, elle	ennuyât	il, elle	ait	ennuyé	il, elle	eût	ennuyé
nous	ennuyions	nous	ennuyassions	nous	ayons	ennuyé	nous	eussions	ennuyé
vous	ennuyiez	vous	ennuyassiez	vous	ayez	ennuyé	vous	eussiez	ennuyé
ils, elles	ennuient	ils, elles	ennuyassent	ils, elles	aient	ennuyé	ils, elles	eussent	ennuyé

CONDITIONNEL

Présent		Passé 1re forme			Passé 2e forme		
j'	ennuierais	j'	aurais	ennuyé	j'	eusse	ennuyé
tu	ennuierais	tu	aurais	ennuyé	tu	eusses	ennuyé
il, elle	ennuierait	il, elle	aurait	ennuyé	il, elle	eût	ennuyé
nous	ennuierions	nous	aurions	ennuyé	nous	eussions	ennuyé
vous	ennuieriez	vous	auriez	ennuyé	vous	eussiez	ennuyé
ils, elles	ennuieraient	ils, elles	auraient	ennuyé	ils, elles	eussent	ennuyé

IMPÉRATIF

Présent	Passé
ennuie	aie ennuyé
ennuyons	ayons ennuyé
ennuyez	ayez ennuyé

INFINITIF

Présent	Passé
ennuyer	avoir ennuyé

PARTICIPE

Présent	Passé
ennuyant	ennuyé(e)
	ayant ennuyé

● **y** devient **obligatoirement i** devant **e** muet :
- aux trois personnes du singulier et à la 3e personne du pluriel du présent de l'indicatif et du subjonctif ;
- à la 2e personne du singulier du présent de l'impératif.
● **y** devient **yi** aux 1res et 2es personnes du pluriel de l'imparfait de l'indicatif et du présent du subjonctif.
● Au futur simple de l'indicatif et au présent du conditionnel, les formes sont construites sur le radical **enverr**.

envoyer

INDICATIF

Présent	Imparfait	Passé composé	Plus-que-parfait
j' envoie	j' envoyais	j' ai envoyé	j' avais envoyé
tu envoies	tu envoyais	tu as envoyé	tu avais envoyé
il, elle envoie	il, elle envoyait	il, elle a envoyé	il, elle avait envoyé
nous envoyons	nous envoyions	nous avons envoyé	nous avions envoyé
vous envoyez	vous envoyiez	vous avez envoyé	vous aviez envoyé
ils, elles envoient	ils, elles envoyaient	ils, elles ont envoyé	ils, elles avaient envoyé

Passé simple	Futur simple	Passé antérieur	Futur antérieur
j' envoyai	j' enverrai	j' eus envoyé	j' aurai envoyé
tu envoyas	tu enverras	tu eus envoyé	tu auras envoyé
il, elle envoya	il, elle enverra	il, elle eut envoyé	il, elle aura envoyé
nous envoyâmes	nous enverrons	nous eûmes envoyé	nous aurons envoyé
vous envoyâtes	vous enverrez	vous eûtes envoyé	vous aurez envoyé
ils, elles envoyèrent	ils, elles enverront	ils, elles eurent envoyé	ils, elles auront envoyé

SUBJONCTIF

Présent	Imparfait	Passé	Plus-que-parfait
Il faut que...	Il fallait que...	Il faut que...	Il fallait que...
j' envoie	j' envoyasse	j' aie envoyé	j' eusse envoyé
tu envoies	tu envoyasses	tu aies envoyé	tu eusses envoyé
il, elle envoie	il, elle envoyât	il, elle ait envoyé	il, elle eût envoyé
nous envoyions	nous envoyassions	nous ayons envoyé	nous eussions envoyé
vous envoyiez	vous envoyassiez	vous ayez envoyé	vous eussiez envoyé
ils, elles envoient	ils, elles envoyassent	ils, elles aient envoyé	ils, elles eussent envoyé

CONDITIONNEL

Présent	Passé 1re forme	Passé 2e forme
j' enverrais	j' aurais envoyé	j' eusse envoyé
tu enverrais	tu aurais envoyé	tu eusses envoyé
il, elle enverrait	il, elle aurait envoyé	il, elle eût envoyé
nous enverrions	nous aurions envoyé	nous eussions envoyé
vous enverriez	vous auriez envoyé	vous eussiez envoyé
ils, elles enverraient	ils, elles auraient envoyé	ils, elles eussent envoyé

IMPÉRATIF

Présent	Passé
envoie	aie envoyé
envoyons	ayons envoyé
envoyez	ayez envoyé

INFINITIF

Présent	Passé
envoyer	avoir envoyé

PARTICIPE

Présent	Passé
envoyant	envoyé(e)
	ayant envoyé

1er groupe

VERBES EN -eler

○ e devient **è** :
- aux trois personnes du singulier et à la 3e personne du pluriel du présent de l'indicatif et du subjonctif ;
- à la 2e personne du singulier du présent de l'impératif ;
- à toutes les personnes du futur simple de l'indicatif et du présent du conditionnel.
▶ Se conjuguent sur le modèle de *geler*: *aciseler*, *celer*, *ciseler*, *congeler*, *se crêpeler*, *déceler*, *décongeler*, *dégeler*, *démanteler*, *écarteler*, *embreler*, *s'encasteler*, *épinceler*, *friseler*, *harceler*, *marteler*, *modeler*, *peler*, *receler*, *recongeler*, *regeler*, *remodeler*, *surgeler*. Les autres verbes en *-eler* se conjuguent sur le modèle d'*appeler* (cf. 60).

geler

INDICATIF

Présent		Imparfait		Passé composé			Plus-que-parfait		
je	gèle	je	gelais	j'	ai	gelé	j'	avais	gelé
tu	gèles	tu	gelais	tu	as	gelé	tu	avais	gelé
il, elle	gèle	il, elle	gelait	il, elle	a	gelé	il, elle	avait	gelé
nous	gelons	nous	gelions	nous	avons	gelé	nous	avions	gelé
vous	gelez	vous	geliez	vous	avez	gelé	vous	aviez	gelé
ils, elles	gèlent	ils, elles	gelaient	ils, elles	ont	gelé	ils, elles	avaient gelé

Passé simple		Futur simple		Passé antérieur			Futur antérieur		
je	gelai	je	gèlerai	j'	eus	gelé	j'	aurai	gelé
tu	gelas	tu	gèleras	tu	eus	gelé	tu	auras	gelé
il, elle	gela	il, elle	gèlera	il, elle	eut	gelé	il, elle	aura	gelé
nous	gelâmes	nous	gèlerons	nous	eûmes	gelé	nous	aurons	gelé
vous	gelâtes	vous	gèlerez	vous	eûtes	gelé	vous	aurez	gelé
ils, elles	gelèrent	ils, elles	gèleront	ils, elles	eurent gelé	ils, elles	auront	gelé

SUBJONCTIF

Présent		Imparfait		Passé			Plus-que-parfait		
Il faut que...		*Il fallait que...*		*Il faut que...*			*Il fallait que...*		
je	gèle	je	gelasse	j'	aie	gelé	j'	eusse	gelé
tu	gèles	tu	gelasses	tu	aies	gelé	tu	eusses	gelé
il, elle	gèle	il, elle	gelât	il, elle	ait	gelé	il, elle	eût	gelé
nous	gelions	nous	gelassions	nous	ayons	gelé	nous	eussions gelé
vous	geliez	vous	gelassiez	vous	ayez	gelé	vous	eussiez gelé
ils, elles	gèlent	ils, elles	gelassent	ils, elles	aient	gelé	ils, elles	eussent gelé

CONDITIONNEL

Présent		Passé 1re forme			Passé 2e forme		
je	gèlerais	j'	aurais	gelé	j'	eusse	gelé
tu	gèlerais	tu	aurais	gelé	tu	eusses	gelé
il, elle	gèlerait	il, elle	aurait	gelé	il, elle	eût	gelé
nous	gèlerions	nous	aurions	gelé	nous	eussions gelé
vous	gèleriez	vous	auriez	gelé	vous	eussiez gelé
ils, elles	gèleraient	ils, elles	auraient gelé	ils, elles	eussent gelé

IMPÉRATIF

Présent	Passé
gèle	aie gelé
gelons	ayons gelé
gelez	ayez gelé

INFINITIF

Présent	Passé
geler	avoir gelé

PARTICIPE

Présent	Passé
gelant	gelé(e)
	ayant gelé

(marge : 1er groupe)

y devient **yi** aux 1res et 2es personnes du pluriel de l'imparfait de l'indicatif et du présent du subjonctif.

● **y** est suivi d'un **e** à toutes les personnes du futur simple de l'indicatif et du présent du conditionnel. Pour ne pas l'oublier, il faut se rappeler que le futur simple de l'indicatif et le présent du conditionnel ajoutent leurs terminaisons à l'infinitif du verbe.

▶ **y** est conservé à toutes les formes, à la différence des verbes en -*ayer*, -*oyer* et -*uyer*.

grasseyer

INDICATIF

Présent		Imparfait		Passé composé			Plus-que-parfait		
je	grasseye	je	grasseyais	j'	ai	grasseyé	j'	avais	grasseyé
tu	grasseyes	tu	grasseyais	tu	as	grasseyé	tu	avais	grasseyé
il, elle	grasseye	il, elle	grasseyait	il, elle	a	grasseyé	il, elle	avait	grasseyé
nous	grasseyons	nous	grasseyions	nous	avons	grasseyé	nous	avions	grasseyé
vous	grasseyez	vous	grasseyiez	vous	avez	grasseyé	vous	aviez	grasseyé
ils, elles	grasseyent	ils, elles	grasseyaient	ils, elles	ont	grasseyé	ils, elles	avaient	grasseyé

Passé simple		Futur simple		Passé antérieur			Futur antérieur		
je	grasseyai	je	grasseyerai	j'	eus	grasseyé	j'	aurai	grasseyé
tu	grasseyas	tu	grasseyeras	tu	eus	grasseyé	tu	auras	grasseyé
il, elle	grasseya	il, elle	grasseyera	il, elle	eut	grasseyé	il, elle	aura	grasseyé
nous	grasseyâmes	nous	grasseyerons	nous	eûmes	grasseyé	nous	aurons	grasseyé
vous	grasseyâtes	vous	grasseyerez	vous	eûtes	grasseyé	vous	aurez	grasseyé
ils, elles	grasseyèrent	ils, elles	grasseyeront	ils, elles	eurent	grasseyé	ils, elles	auront	grasseyé

SUBJONCTIF

Présent		Imparfait		Passé			Plus-que-parfait		
Il faut que...		*Il fallait que...*		*Il faut que...*			*Il fallait que...*		
je	grasseye	je	grasseyasse	j'	aie	grasseyé	j'	eusse	grasseyé
tu	grasseyes	tu	grasseyasses	tu	aies	grasseyé	tu	eusses	grasseyé
il, elle	grasseye	il, elle	grasseyât	il, elle	ait	grasseyé	il, elle	eût	grasseyé
nous	grasseyions	nous	grasseyassions	nous	ayons	grasseyé	nous	eussions	grasseyé
vous	grasseyiez	vous	grasseyassiez	vous	ayez	grasseyé	vous	eussiez	grasseyé
ils, elles	grasseyent	ils, elles	grasseyassent	ils, elles	aient	grasseyé	ils, elles	eussent	grasseyé

CONDITIONNEL

Présent		Passé 1re forme			Passé 2e forme		
je	grasseyerais	j'	aurais	grasseyé	j'	eusse	grasseyé
tu	grasseyerais	tu	aurais	grasseyé	tu	eusses	grasseyé
il, elle	grasseyerait	il, elle	aurait	grasseyé	il, elle	eût	grasseyé
nous	grasseyerions	nous	aurions	grasseyé	nous	eussions	grasseyé
vous	grasseyeriez	vous	auriez	grasseyé	vous	eussiez	grasseyé
ils, elles	grasseyeraient	ils, elles	auraient	grasseyé	ils, elles	eussent	grasseyé

IMPÉRATIF

Présent	Passé
grasseye	aie grasseyé
grasseyons	ayons grasseyé
grasseyez	ayez grasseyé

INFINITIF

Présent	Passé
grasseyer	avoir grasseyé

PARTICIPE

Présent	Passé
grasseyant	grasseyé(e)
	ayant grasseyé

1er groupe

VERBES EN -eller

● Le verbe *interpeller* garde **ll** à toutes les formes, même lorsque **e** se prononce [ə] et non [ɛ] ;
c'est le cas :
– aux 1res et 2es personnes du pluriel du présent de l'indicatif, du subjonctif et de l'impératif ;
– à toutes les personnes de l'imparfait et du passé simple de l'indicatif ;
– à toutes les personnes de l'imparfait du subjonctif ;
– à l'infinitif et au participe, présent et passé.
● Il devient **lli** aux 1res et 2es personnes du pluriel de l'imparfait de l'indicatif et du présent du subjonctif.

interpeller

INDICATIF

Présent		Imparfait		Passé composé			Plus-que-parfait		
j'	interpelle	j'	interpellais	j'	ai	interpellé	j'	avais	interpellé
tu	interpelles	tu	interpellais	tu	as	interpellé	tu	avais	interpellé
il, elle	interpelle	il, elle	interpellait	il, elle	a	interpellé	il, elle	avait	interpellé
nous	interpellons	nous	interpellions	nous	avons	interpellé	nous	avions	interpellé
vous	interpellez	vous	interpelliez	vous	avez	interpellé	vous	aviez	interpellé
ils, elles	interpellent	ils, elles	interpellaient	ils, elles	ont	interpellé	ils, elles	avaient	interpellé

Passé simple		Futur simple		Passé antérieur			Futur antérieur		
j'	interpellai	j'	interpellerai	j'	eus	interpellé	j'	aurai	interpellé
tu	interpellas	tu	interpelleras	tu	eus	interpellé	tu	auras	interpellé
il, elle	interpella	il, elle	interpellera	il, elle	eut	interpellé	il, elle	aura	interpellé
nous	interpellâmes	nous	interpellerons	nous	eûmes	interpellé	nous	aurons	interpellé
vous	interpellâtes	vous	interpellerez	vous	eûtes	interpellé	vous	aurez	interpellé
ils, elles	interpellèrent	ils, elles	interpelleront	ils, elles	eurent	interpellé	ils, elles	auront	interpellé

SUBJONCTIF

Présent		Imparfait		Passé			Plus-que-parfait		
Il faut *que...*		Il fallait *que...*		Il faut *que...*			Il fallait *que...*		
j'	interpelle	j'	interpellasse	j'	aie	interpellé	j'	eusse	interpellé
tu	interpelles	tu	interpellasses	tu	aies	interpellé	tu	eusses	interpellé
il, elle	interpelle	il, elle	interpellât	il, elle	ait	interpellé	il, elle	eût	interpellé
nous	interpellions	nous	interpellassions	nous	ayons	interpellé	nous	eussions	interpellé
vous	interpelliez	vous	interpellassiez	vous	ayez	interpellé	vous	eussiez	interpellé
ils, elles	interpellent	ils, elles	interpellassent	ils, elles	aient	interpellé	ils, elles	eussent	interpellé

CONDITIONNEL

Présent		Passé 1re forme			Passé 2e forme		
j'	interpellerais	j'	aurais	interpellé	j'	eusse	interpellé
tu	interpellerais	tu	aurais	interpellé	tu	eusses	interpellé
il, elle	interpellerait	il, elle	aurait	interpellé	il, elle	eût	interpellé
nous	interpellerions	nous	aurions	interpellé	nous	eussions	interpellé
vous	interpelleriez	vous	auriez	interpellé	vous	eussiez	interpellé
ils, elles	interpelleraient	ils, elles	auraient	interpellé	ils, elles	eussent	interpellé

IMPÉRATIF

Présent	Passé
interpelle	aie interpellé
interpellons	ayons interpellé
interpellez	ayez interpellé

INFINITIF

Présent	Passé
interpeller	avoir interpellé

PARTICIPE

Présent	Passé
interpellant	interpellé(e)
	ayant interpellé

t devient **tt** :
- aux trois personnes du singulier et à la 3e personne du pluriel du présent de l'indicatif et du subjonctif ;
- à la 2e personne du singulier du présent de l'impératif ;
- à toutes les personnes du futur simple de l'indicatif et du présent du conditionnel.
► Exceptions : *acheter, béqueter, bouveter, breveter, corseter, crocheter, fileter, fureter, haleter, préacheter, racheter* ne doublent pas le **t**, mais changent le **e** du radical en **è** (cf. *acheter*, 58).

jeter

INDICATIF

Présent		Imparfait		Passé composé			Plus-que-parfait		
je	jette	je	jetais	j'	ai	jeté	j'	avais	jeté
tu	jettes	tu	jetais	tu	as	jeté	tu	avais	jeté
il, elle	jette	il, elle	jetait	il, elle	a	jeté	il, elle	avait	jeté
nous	jetons	nous	jetions	nous	avons	jeté	nous	avions	jeté
vous	jetez	vous	jetiez	vous	avez	jeté	vous	aviez	jeté
ils, elles	jettent	ils, elles	jetaient	ils, elles	ont	jeté	ils, elles	avaient	jeté

Passé simple		Futur simple		Passé antérieur			Futur antérieur		
je	jetai	je	jetterai	j'	eus	jeté	j'	aurai	jeté
tu	jetas	tu	jetteras	tu	eus	jeté	tu	auras	jeté
il, elle	jeta	il, elle	jettera	il, elle	eut	jeté	il, elle	aura	jeté
nous	jetâmes	nous	jetterons	nous	eûmes	jeté	nous	aurons	jeté
vous	jetâtes	vous	jetterez	vous	eûtes	jeté	vous	aurez	jeté
ils, elles	jetèrent	ils, elles	jetteront	ils, elles	eurent	jeté	ils, elles	auront	jeté

SUBJONCTIF

Présent		Imparfait		Passé			Plus-que-parfait		
Il faut que...		*Il fallait que...*		*Il faut que...*			*Il fallait que...*		
je	jette	je	jetasse	j'	aie	jeté	j'	eusse	jeté
tu	jettes	tu	jetasses	tu	aies	jeté	tu	eusses	jeté
il, elle	jette	il, elle	jetât	il, elle	ait	jeté	il, elle	eût	jeté
nous	jetions	nous	jetassions	nous	ayons	jeté	nous	eussions	jeté
vous	jetiez	vous	jetassiez	vous	ayez	jeté	vous	eussiez	jeté
ils, elles	jettent	ils, elles	jetassent	ils, elles	aient	jeté	ils, elles	eussent	jeté

CONDITIONNEL

Présent		Passé 1re forme			Passé 2e forme		
je	jetterais	j'	aurais	jeté	j'	eusse	jeté
tu	jetterais	tu	aurais	jeté	tu	eusses	jeté
il, elle	jetterait	il, elle	aurait	jeté	il, elle	eût	jeté
nous	jetterions	nous	aurions	jeté	nous	eussions	jeté
vous	jetteriez	vous	auriez	jeté	vous	eussiez	jeté
ils, elles	jetteraient	ils, elles	auraient	jeté	ils, elles	eussent	jeté

IMPÉRATIF

Présent	Passé
jette	aie jeté
jetons	ayons jeté
jetez	ayez jeté

INFINITIF

Présent	Passé
jeter	avoir jeté

PARTICIPE

Présent	Passé
jetant	jeté(e)
	ayant jeté

1er groupe

VERBES EN -ouer

u est suivi d'un **e** à toutes les personnes du futur simple de l'indicatif et du présent du conditionnel. Pour ne pas l'oublier, il faut se rappeler que le futur simple de l'indicatif et le présent du conditionnel ajoutent leurs terminaisons à l'infinitif du verbe.

louer

INDICATIF

Présent		Imparfait		Passé composé			Plus-que-parfait		
je	loue	je	louais	j'	ai	loué	j'	avais	loué
tu	loues	tu	louais	tu	as	loué	tu	avais	loué
il, elle	loue	il, elle	louait	il, elle	a	loué	il, elle	avait	loué
nous	louons	nous	louions	nous	avons	loué	nous	avions	loué
vous	louez	vous	louiez	vous	avez	loué	vous	aviez	loué
ils, elles	louent	ils, elles	louaient	ils, elles	ont	loué	ils, elles	avaient	loué

Passé simple		Futur simple		Passé antérieur			Futur antérieur		
je	louai	je	louerai	j'	eus	loué	j'	aurai	loué
tu	louas	tu	loueras	tu	eus	loué	tu	auras	loué
il, elle	loua	il, elle	louera	il, elle	eut	loué	il, elle	aura	loué
nous	louâmes	nous	louerons	nous	eûmes	loué	nous	aurons	loué
vous	louâtes	vous	louerez	vous	eûtes	loué	vous	aurez	loué
ils, elles	louèrent	ils, elles	loueront	ils, elles	eurent	loué	ils, elles	auront	loué

SUBJONCTIF

Présent		Imparfait		Passé			Plus-que-parfait		
Il faut que...		*Il fallait que...*		*Il faut que...*			*Il fallait que...*		
je	loue	je	louasse	j'	aie	loué	j'	eusse	loué
tu	loues	tu	louasses	tu	aies	loué	tu	eusses	loué
il, elle	loue	il, elle	louât	il, elle	ait	loué	il, elle	eût	loué
nous	louions	nous	louassions	nous	ayons	loué	nous	eussions	loué
vous	louiez	vous	louassiez	vous	ayez	loué	vous	eussiez	loué
ils, elles	louent	ils, elles	louassent	ils, elles	aient	loué	ils, elles	eussent	loué

CONDITIONNEL

Présent		Passé 1re forme			Passé 2e forme		
je	louerais	j'	aurais	loué	j'	eusse	loué
tu	louerais	tu	aurais	loué	tu	eusses	loué
il, elle	louerait	il, elle	aurait	loué	il, elle	eût	loué
nous	louerions	nous	aurions	loué	nous	eussions	loué
vous	loueriez	vous	auriez	loué	vous	eussiez	loué
ils, elles	loueraient	ils, elles	auraient	loué	ils, elles	eussent	loué

IMPÉRATIF

Présent	Passé
loue	aie loué
louons	ayons loué
louez	ayez loué

INFINITIF

Présent	Passé
louer	avoir loué

PARTICIPE

Présent	Passé
louant	loué(e)
	ayant loué

1er groupe

g devient **ge** devant **a** et **o** pour garder le son [ʒ] :
- à la 1re personne du pluriel du présent de l'indicatif et de l'impératif ;
- aux trois personnes du singulier et à la 3e personne du pluriel de l'imparfait de l'indicatif ;
- aux trois personnes du singulier, aux 1re et 2e personnes du pluriel du passé simple de l'indicatif ;
- à toutes les personnes de l'imparfait du subjonctif ;
- au participe présent.

manger

INDICATIF

Présent	Imparfait	Passé composé	Plus-que-parfait
je mange	je mangeais	j' ai mangé	j' avais mangé
tu manges	tu mangeais	tu as mangé	tu avais mangé
il, elle mange	il, elle mangeait	il, elle a mangé	il, elle avait mangé
nous mangeons	nous mangions	nous avons mangé	nous avions mangé
vous mangez	vous mangiez	vous avez mangé	vous aviez mangé
ils, elles mangent	ils, elles mangeaient	ils, elles ont mangé	ils, elles avaient mangé

Passé simple	Futur simple	Passé antérieur	Futur antérieur
je mangeai	je mangerai	j' eus mangé	j' aurai mangé
tu mangeas	tu mangeras	tu eus mangé	tu auras mangé
il, elle mangea	il, elle mangera	il, elle eut mangé	il, elle aura mangé
nous mangeâmes	nous mangerons	nous eûmes mangé	nous aurons mangé
vous mangeâtes	vous mangerez	vous eûtes mangé	vous aurez mangé
ils, elles mangèrent	ils, elles mangeront	ils, elles eurent mangé	ils, elles auront mangé

SUBJONCTIF

Présent Il faut que...	Imparfait Il fallait que...	Passé Il faut que...	Plus-que-parfait Il fallait que...
je mange	je mangeasse	j' aie mangé	j' eusse mangé
tu manges	tu mangeasses	tu aies mangé	tu eusses mangé
il, elle mange	il, elle mangeât	il, elle ait mangé	il, elle eût mangé
nous mangions	nous mangeassions	nous ayons mangé	nous eussions mangé
vous mangiez	vous mangeassiez	vous ayez mangé	vous eussiez mangé
ils, elles mangent	ils, elles mangeassent	ils, elles aient mangé	ils, elles eussent mangé

CONDITIONNEL

Présent	Passé 1re forme	Passé 2e forme
je mangerais	j' aurais mangé	j' eusse mangé
tu mangerais	tu aurais mangé	tu eusses mangé
il, elle mangerait	il, elle aurait mangé	il, elle eût mangé
nous mangerions	nous aurions mangé	nous eussions mangé
vous mangeriez	vous auriez mangé	vous eussiez mangé
ils, elles mangeraient	ils, elles auraient mangé	ils, elles eussent mangé

IMPÉRATIF

Présent	Passé
mange	aie mangé
mangeons	ayons mangé
mangez	ayez mangé

INFINITIF

Présent	Passé
manger	avoir mangé

PARTICIPE

Présent	Passé
mangeant	mangé(e) ayant mangé

1er groupe

VERBES EN -quer

▶ **qu** est conservé à toutes les formes.
▶ **qu** devient **c** pour l'adjectif verbal des verbes *communiquer, provoquer, suffoquer, vaquer* : *des portes communicantes.*

marquer

INDICATIF

Présent	Imparfait	Passé composé	Plus-que-parfait
je mar**que**	je mar**quais**	j' ai marqué	j' avais marqué
tu mar**ques**	tu mar**quais**	tu as marqué	tu avais marqué
il, elle mar**que**	il, elle mar**quait**	il, elle a marqué	il, elle avait marqué
nous mar**quons**	nous mar**quions**	nous avons marqué	nous avions marqué
vous mar**quez**	vous mar**quiez**	vous avez marqué	vous aviez marqué
ils, elles mar**quent**	ils, elles mar**quaient**	ils, elles ont marqué	ils, elles avaient marqué

Passé simple	Futur simple	Passé antérieur	Futur antérieur
je mar**quai**	je mar**querai**	j' eus marqué	j' aurai marqué
tu mar**quas**	tu mar**queras**	tu eus marqué	tu auras marqué
il, elle mar**qua**	il, elle mar**quera**	il, elle eut marqué	il, elle aura marqué
nous mar**quâmes**	nous mar**querons**	nous eûmes marqué	nous aurons marqué
vous mar**quâtes**	vous mar**querez**	vous eûtes marqué	vous aurez marqué
ils, elles mar**quèrent**	ils, elles mar**queront**	ils, elles eurent marqué	ils, elles auront marqué

SUBJONCTIF

Présent	Imparfait	Passé	Plus-que-parfait
Il faut que...	*Il fallait que...*	*Il faut que...*	*Il fallait que...*
je mar**que**	je mar**quasse**	j' aie marqué	j' eusse marqué
tu mar**ques**	tu mar**quasses**	tu aies marqué	tu eusses marqué
il, elle mar**que**	il, elle mar**quât**	il, elle ait marqué	il, elle eût marqué
nous mar**quions**	nous mar**quassions**	nous ayons marqué	nous eussions marqué
vous mar**quiez**	vous mar**quassiez**	vous ayez marqué	vous eussiez marqué
ils, elles mar**quent**	ils, elles mar**quassent**	ils, elles aient marqué	ils, elles eussent marqué

CONDITIONNEL

Présent	Passé 1ʳᵉ forme	Passé 2ᵉ forme
je mar**querais**	j' aurais marqué	j' eusse marqué
tu mar**querais**	tu aurais marqué	tu eusses marqué
il, elle mar**querait**	il, elle aurait marqué	il, elle eût marqué
nous mar**querions**	nous aurions marqué	nous eussions marqué
vous mar**queriez**	vous auriez marqué	vous eussiez marqué
ils, elles mar**queraient**	ils, elles auraient marqué	ils, elles eussent marqué

IMPÉRATIF

Présent	Passé
mar**que**	aie marqué
mar**quons**	ayons marqué
mar**quez**	ayez marqué

INFINITIF

Présent	Passé
mar**quer**	avoir marqué

PARTICIPE

Présent	Passé
mar**quant**	mar**qué(e)**
	ayant marqué

● Il devient **lli** aux 1res et 2es personnes du pluriel de l'imparfait de l'indicatif et du présent du subjonctif.

mouiller

INDICATIF

Présent		Imparfait		Passé composé			Plus-que-parfait		
je	mouille	je	mouillais	j'	ai	mouillé	j'	avais	mouillé
tu	mouilles	tu	mouillais	tu	as	mouillé	tu	avais	mouillé
il, elle	mouille	il, elle	mouillait	il, elle	a	mouillé	il, elle	avait	mouillé
nous	mouillons	nous	mouillions	nous	avons	mouillé	nous	avions	mouillé
vous	mouillez	vous	mouilliez	vous	avez	mouillé	vous	aviez	mouillé
ils, elles	mouillent	ils, elles	mouillaient	ils, elles	ont	mouillé	ils, elles	avaient	mouillé

Passé simple		Futur simple		Passé antérieur			Futur antérieur		
je	mouillai	je	mouillerai	j'	eus	mouillé	j'	aurai	mouillé
tu	mouillas	tu	mouilleras	tu	eus	mouillé	tu	auras	mouillé
il, elle	mouilla	il, elle	mouillera	il, elle	eut	mouillé	il, elle	aura	mouillé
nous	mouillâmes	nous	mouillerons	nous	eûmes	mouillé	nous	aurons	mouillé
vous	mouillâtes	vous	mouillerez	vous	eûtes	mouillé	vous	aurez	mouillé
ils, elles	mouillèrent	ils, elles	mouilleront	ils, elles	eurent	mouillé	ils, elles	auront	mouillé

SUBJONCTIF

Présent		Imparfait		Passé			Plus-que-parfait		
Il faut que...		*Il fallait que...*		*Il faut que...*			*Il fallait que...*		
je	mouille	je	mouillasse	j'	aie	mouillé	j'	eusse	mouillé
tu	mouilles	tu	mouillasses	tu	aies	mouillé	tu	eusses	mouillé
il, elle	mouille	il, elle	mouillât	il, elle	ait	mouillé	il, elle	eût	mouillé
nous	mouillions	nous	mouillassions	nous	ayons	mouillé	nous	eussions	mouillé
vous	mouilliez	vous	mouillassiez	vous	ayez	mouillé	vous	eussiez	mouillé
ils, elles	mouillent	ils, elles	mouillassent	ils, elles	aient	mouillé	ils, elles	eussent	mouillé

CONDITIONNEL

Présent		Passé 1re forme			Passé 2e forme		
je	mouillerais	j'	aurais	mouillé	j'	eusse	mouillé
tu	mouillerais	tu	aurais	mouillé	tu	eusses	mouillé
il, elle	mouillerait	il, elle	aurait	mouillé	il, elle	eût	mouillé
nous	mouillerions	nous	aurions	mouillé	nous	eussions	mouillé
vous	mouilleriez	vous	auriez	mouillé	vous	eussiez	mouillé
ils, elles	mouilleraient	ils, elles	auraient	mouillé	ils, elles	eussent	mouillé

IMPÉRATIF

Présent	Passé
mouille	aie mouillé
mouillons	ayons mouillé
mouillez	ayez mouillé

INFINITIF

Présent	Passé
mouiller	avoir mouillé

PARTICIPE

Présent	Passé
mouillant	mouillé(e)
	ayant mouillé

1er groupe

VERBES EN -llier

- i devient **ii** aux 1res et 2es personnes du pluriel de l'imparfait de l'indicatif et du présent du subjonctif.
- i est suivi d'un **e** à toutes les personnes du futur simple de l'indicatif et du présent du conditionnel. Pour ne pas l'oublier, il faut se rappeler que le futur simple de l'indicatif et le présent du conditionnel ajoutent leurs terminaisons à l'infinitif du verbe.

pallier

INDICATIF

Présent		Imparfait		Passé composé			Plus-que-parfait		
je	pallie	je	palliais	j'	ai	pallié	j'	avais	pallié
tu	pallies	tu	palliais	tu	as	pallié	tu	avais	pallié
il, elle	pallie	il, elle	palliait	il, elle	a	pallié	il, elle	avait	pallié
nous	pallions	nous	palliions	nous	avons	pallié	nous	avions	pallié
vous	palliez	vous	palliiez	vous	avez	pallié	vous	aviez	pallié
ils, elles	pallient	ils, elles	palliaient	ils, elles	ont	pallié	ils, elles	avaient	pallié

Passé simple		Futur simple		Passé antérieur			Futur antérieur		
je	palliai	je	pallierai	j'	eus	pallié	j'	aurai	pallié
tu	pallias	tu	pallieras	tu	eus	pallié	tu	auras	pallié
il, elle	pallia	il, elle	palliera	il, elle	eut	pallié	il, elle	aura	pallié
nous	palliâmes	nous	pallierons	nous	eûmes	pallié	nous	aurons	pallié
vous	palliâtes	vous	pallierez	vous	eûtes	pallié	vous	aurez	pallié
ils, elles	pallièrent	ils, elles	pallieront	ils, elles	eurent	pallié	ils, elles	auront	pallié

SUBJONCTIF

Présent		Imparfait		Passé			Plus-que-parfait		
Il faut **que**...		Il fallait **que**...		Il faut **que**...			Il fallait **que**...		
je	pallie	je	palliasse	j'	aie	pallié	j'	eusse	pallié
tu	pallies	tu	palliasses	tu	aies	pallié	tu	eusses	pallié
il, elle	pallie	il, elle	palliât	il, elle	ait	pallié	il, elle	eût	pallié
nous	palliions	nous	palliassions	nous	ayons	pallié	nous	eussions	pallié
vous	palliiez	vous	palliassiez	vous	ayez	pallié	vous	eussiez	pallié
ils, elles	pallient	ils, elles	palliassent	ils, elles	aient	pallié	ils, elles	eussent	pallié

CONDITIONNEL

Présent		Passé 1re forme			Passé 2e forme		
je	pallierais	j'	aurais	pallié	j'	eusse	pallié
tu	pallierais	tu	aurais	pallié	tu	eusses	pallié
il, elle	pallierait	il, elle	aurait	pallié	il, elle	eût	pallié
nous	pallierions	nous	aurions	pallié	nous	eussions	pallié
vous	pallieriez	vous	auriez	pallié	vous	eussiez	pallié
ils, elles	pallieraient	ils, elles	auraient	pallié	ils, elles	eussent	pallié

IMPÉRATIF

Présent	Passé
pallie	aie pallié
pallions	ayons pallié
palliez	ayez pallié

INFINITIF

Présent	Passé
pallier	avoir pallié

PARTICIPE

Présent	Passé
palliant	pallié(e)
	ayant pallié

parler

INDICATIF

Présent		Imparfait		Passé composé			Plus-que-parfait		
je	parle	je	parlais	j'	ai	parlé	j'	avais	parlé
tu	parles	tu	parlais	tu	as	parlé	tu	avais	parlé
il, elle	parle	il, elle	parlait	il, elle	a	parlé	il, elle	avait	parlé
nous	parlons	nous	parlions	nous	avons	parlé	nous	avions	parlé
vous	parlez	vous	parliez	vous	avez	parlé	vous	aviez	parlé
ils, elles	parlent	ils, elles	parlaient	ils, elles	ont	parlé	ils, elles	avaient	parlé

Passé simple		Futur simple		Passé antérieur			Futur antérieur		
je	parlai	je	parlerai	j'	eus	parlé	j'	aurai	parlé
tu	parlas	tu	parleras	tu	eus	parlé	tu	auras	parlé
il, elle	parla	il, elle	parlera	il, elle	eut	parlé	il, elle	aura	parlé
nous	parlâmes	nous	parlerons	nous	eûmes	parlé	nous	aurons	parlé
vous	parlâtes	vous	parlerez	vous	eûtes	parlé	vous	aurez	parlé
ils, elles	parlèrent	ils, elles	parleront	ils, elles	eurent	parlé	ils, elles	auront	parlé

SUBJONCTIF

Présent		Imparfait		Passé			Plus-que-parfait		
Il faut que...		Il fallait que...		Il faut que...			Il fallait que...		
je	parle	je	parlasse	j'	aie	parlé	j'	eusse	parlé
tu	parles	tu	parlasses	tu	aies	parlé	tu	eusses	parlé
il, elle	parle	il, elle	parlât	il, elle	ait	parlé	il, elle	eût	parlé
nous	parlions	nous	parlassions	nous	ayons	parlé	nous	eussions	parlé
vous	parliez	vous	parlassiez	vous	ayez	parlé	vous	eussiez	parlé
ils, elles	parlent	ils, elles	parlassent	ils, elles	aient	parlé	ils, elles	eussent	parlé

CONDITIONNEL

Présent		Passé 1re forme			Passé 2e forme		
je	parlerais	j'	aurais	parlé	j'	eusse	parlé
tu	parlerais	tu	aurais	parlé	tu	eusses	parlé
il, elle	parlerait	il, elle	aurait	parlé	il, elle	eût	parlé
nous	parlerions	nous	aurions	parlé	nous	eussions	parlé
vous	parleriez	vous	auriez	parlé	vous	eussiez	parlé
ils, elles	parleraient	ils, elles	auraient	parlé	ils, elles	eussent	parlé

IMPÉRATIF

Présent	Passé
parle	aie parlé
parlons	ayons parlé
parlez	ayez parlé

INFINITIF

Présent	Passé
parler	avoir parlé

PARTICIPE

Présent	Passé
parlant	parlé(e)
	ayant parlé

1er groupe

VERBES EN -ayer

● **y** peut être remplacé par **i** :
- aux trois personnes du singulier et à la 3e personne du pluriel du présent de l'indicatif et du subjonctif ;
- à la 2e personne du singulier du présent de l'impératif ;
- à toutes les personnes du futur simple de l'indicatif et du présent du conditionnel.
● **y** devient **yi** aux 1res et 2es personnes du pluriel de l'imparfait de l'indicatif et du présent du subjonctif.
● **y** ou **i** sont suivis d'un **e** à toutes les personnes du futur simple de l'indicatif et du présent du conditionnel.

payer

INDICATIF

Présent		Imparfait		Passé composé			Plus-que-parfait		
je	paye/paie	je	payais	j'	ai	payé	j'	avais	payé
tu	payes/paies	tu	payais	tu	as	payé	tu	avais	payé
il, elle	paye/paie	il, elle	payait	il, elle	a	payé	il, elle	avait	payé
nous	payons	nous	payions	nous	avons	payé	nous	avions	payé
vous	payez	vous	payiez	vous	avez	payé	vous	aviez	payé
ils, elles	payent/paient	ils, elles	payaient	ils, elles	ont	payé	ils, elles	avaient	payé

Passé simple		Futur simple		Passé antérieur			Futur antérieur		
je	payai	je	payerai/paierai	j'	eus	payé	j'	aurai	payé
tu	payas	tu	payeras/paieras	tu	eus	payé	tu	auras	payé
il, elle	paya	il, elle	payera/paiera	il, elle	eut	payé	il, elle	aura	payé
nous	payâmes	nous	payerons/paierons	nous	eûmes	payé	nous	aurons	payé
vous	payâtes	vous	payerez/paierez	vous	eûtes	payé	vous	aurez	payé
ils, elles	payèrent	ils, elles	payeront/paieront	ils, elles	eurent	payé	ils, elles	auront	payé

SUBJONCTIF

Présent		Imparfait		Passé			Plus-que-parfait		
Il faut que...		Il fallait que...		Il faut que...			Il fallait que...		
je	paye/paie	je	payasse	j'	aie	payé	j'	eusse	payé
tu	payes/paies	tu	payasses	tu	aies	payé	tu	eusses	payé
il, elle	paye/paie	il, elle	payât	il, elle	ait	payé	il, elle	eût	payé
nous	payions	nous	payassions	nous	ayons	payé	nous	eussions	payé
vous	payiez	vous	payassiez	vous	ayez	payé	vous	eussiez	payé
ils, elles	payent/paient	ils, elles	payassent	ils, elles	aient	payé	ils, elles	eussent	payé

CONDITIONNEL

Présent		Passé 1re forme			Passé 2e forme		
je	payerais/paierais	j'	aurais	payé	j'	eusse	payé
tu	payerais/paierais	tu	aurais	payé	tu	eusses	payé
il, elle	payerait/paierait	il, elle	aurait	payé	il, elle	eût	payé
nous	payerions/paierions	nous	aurions	payé	nous	eussions	payé
vous	payeriez/paieriez	vous	auriez	payé	vous	eussiez	payé
ils, elles	payeraient/paieraient	ils, elles	auraient	payé	ils, elles	eussent	payé

IMPÉRATIF

Présent	Passé
paye/paie	aie payé
payons	ayons payé
payez	ayez payé

INFINITIF

Présent	Passé
payer	avoir payé

PARTICIPE

Présent	Passé
payant	payé(e)
	ayant payé

i devient ii aux 1res et 2es personnes du pluriel de l'imparfait de l'indicatif et du présent du subjonctif.
● i est suivi d'un e à toutes les personnes du futur simple de l'indicatif et du présent du conditionnel.
Pour ne pas l'oublier, il faut se rappeler que le futur simple de l'indicatif et le présent du conditionnel ajoutent leurs terminaisons à l'infinitif du verbe.

prier

INDICATIF

Présent		Imparfait		Passé composé			Plus-que-parfait		
je	prie	je	priais	j'	ai	prié	j'	avais	prié
tu	pries	tu	priais	tu	as	prié	tu	avais	prié
il, elle	prie	il, elle	priait	il, elle	a	prié	il, elle	avait	prié
nous	prions	nous	priions	nous	avons	prié	nous	avions	prié
vous	priez	vous	priiez	vous	avez	prié	vous	aviez	prié
ils, elles	prient	ils, elles	priaient	ils, elles	ont	prié	ils, elles	avaient	prié

Passé simple		Futur simple		Passé antérieur			Futur antérieur		
je	priai	je	prierai	j'	eus	prié	j'	aurai	prié
tu	prias	tu	prieras	tu	eus	prié	tu	auras	prié
il, elle	pria	il, elle	priera	il, elle	eut	prié	il, elle	aura	prié
nous	priâmes	nous	prierons	nous	eûmes	prié	nous	aurons	prié
vous	priâtes	vous	prierez	vous	eûtes	prié	vous	aurez	prié
ils, elles	prièrent	ils, elles	prieront	ils, elles	eurent	prié	ils, elles	auront	prié

SUBJONCTIF

Présent		Imparfait		Passé			Plus-que-parfait		
Il faut que...		Il fallait que...		Il faut que...			Il fallait que...		
je	prie	je	priasse	j'	aie	prié	j'	eusse	prié
tu	pries	tu	priasses	tu	aies	prié	tu	eusses	prié
il, elle	prie	il, elle	priât	il, elle	ait	prié	il, elle	eût	prié
nous	priions	nous	priassions	nous	ayons	prié	nous	eussions	prié
vous	priiez	vous	priassiez	vous	ayez	prié	vous	eussiez	prié
ils, elles	prient	ils, elles	priassent	ils, elles	aient	prié	ils, elles	eussent	prié

CONDITIONNEL

Présent		Passé 1re forme			Passé 2e forme		
je	prierais	j'	aurais	prié	j'	eusse	prié
tu	prierais	tu	aurais	prié	tu	eusses	prié
il, elle	prierait	il, elle	aurait	prié	il, elle	eût	prié
nous	prierions	nous	aurions	prié	nous	eussions	prié
vous	prieriez	vous	auriez	prié	vous	eussiez	prié
ils, elles	prieraient	ils, elles	auraient	prié	ils, elles	eussent	prié

IMPÉRATIF

Présent	Passé
prie	aie prié
prions	ayons prié
priez	ayez prié

INFINITIF

Présent	Passé
prier	avoir prié

PARTICIPE

Présent	Passé
priant	prié(e)
	ayant prié

1er groupe

é devient è :
- aux trois personnes du singulier et à la 3e personne du pluriel du présent de l'indicatif et du subjonctif ;
- à la 2e personne du singulier du présent de l'impératif.
▶ Au futur simple de l'indicatif et au présent du conditionnel, le é est généralement prononcé [ɛ], d'où la tolérance d'écriture maintenant admise qui consiste à remplacer le é par un è à toutes les personnes de ces temps.
● c devient ç devant a et o pour garder le son [s].

rapiécer

INDICATIF

Présent		Imparfait		Passé composé			Plus-que-parfait		
je	rapièce	je	rapiéçais	j'	ai	rapiécé	j'	avais	rapiécé
tu	rapièces	tu	rapiéçais	tu	as	rapiécé	tu	avais	rapiécé
il, elle	rapièce	il, elle	rapiéçait	il, elle	a	rapiécé	il, elle	avait	rapiécé
nous	rapiéçons	nous	rapiécions	nous	avons	rapiécé	nous	avions	rapiécé
vous	rapiécez	vous	rapiéciez	vous	avez	rapiécé	vous	aviez	rapiécé
ils, elles	rapiècent	ils, elles	rapiéçaient	ils, elles	ont	rapiécé	ils, elles	avaient	rapiécé

Passé simple		Futur simple		Passé antérieur			Futur antérieur		
je	rapiéçai	je	rapiécerai	j'	eus	rapiécé	j'	aurai	rapiécé
tu	rapiéças	tu	rapiéceras	tu	eus	rapiécé	tu	auras	rapiécé
il, elle	rapiéça	il, elle	rapiécera	il, elle	eut	rapiécé	il, elle	aura	rapiécé
nous	rapiéçâmes	nous	rapiécerons	nous	eûmes	rapiécé	nous	aurons	rapiécé
vous	rapiéçâtes	vous	rapiécerez	vous	eûtes	rapiécé	vous	aurez	rapiécé
ils, elles	rapiécèrent	ils, elles	rapiéceront	ils, elles	eurent	rapiécé	ils, elles	auront	rapiécé

SUBJONCTIF

Présent		Imparfait		Passé			Plus-que-parfait		
Il faut que...		Il fallait que...		Il faut que...			Il fallait que...		
je	rapièce	je	rapiéçasse	j'	aie	rapiécé	j'	eusse	rapiécé
tu	rapièces	tu	rapiéçasses	tu	aies	rapiécé	tu	eusses	rapiécé
il, elle	rapièce	il, elle	rapiéçât	il, elle	ait	rapiécé	il, elle	eût	rapiécé
nous	rapiécions	nous	rapiéçassions	nous	ayons	rapiécé	nous	eussions	rapiécé
vous	rapiéciez	vous	rapiéçassiez	vous	ayez	rapiécé	vous	eussiez	rapiécé
ils, elles	rapiècent	ils, elles	rapiéçassent	ils, elles	aient	rapiécé	ils, elles	eussent	rapiécé

CONDITIONNEL

Présent		Passé 1re forme			Passé 2e forme		
je	rapiécerais	j'	aurais	rapiécé	j'	eusse	rapiécé
tu	rapiécerais	tu	aurais	rapiécé	tu	eusses	rapiécé
il, elle	rapiécerait	il, elle	aurait	rapiécé	il, elle	eût	rapiécé
nous	rapiécerions	nous	aurions	rapiécé	nous	eussions	rapiécé
vous	rapiéceriez	vous	auriez	rapiécé	vous	eussiez	rapiécé
ils, elles	rapiéceraient	ils, elles	auraient	rapiécé	ils, elles	eussent	rapiécé

IMPÉRATIF

Présent	Passé
rapièce	aie rapiécé
rapiéçons	ayons rapiécé
rapiécez	ayez rapiécé

INFINITIF

Présent	Passé
rapiécer	avoir rapiécé

PARTICIPE

Présent	Passé
rapiéçant	rapiécé(e)
	ayant rapiécé

● é devient è :
- aux trois personnes du singulier et à la 3e personne du pluriel du présent de l'indicatif et du subjonctif ;
- à la 2e personne du singulier du présent de l'impératif.
▶ Au futur simple de l'indicatif et au présent du conditionnel, le é est généralement prononcé [ɛ], d'où la tolérance d'écriture maintenant admise qui consiste à remplacer le é par un è à toutes les personnes de ces temps.
● gn devient gni aux 1res et 2es personnes du pluriel de l'imparfait de l'indicatif et du présent du subjonctif.

régner

INDICATIF

Présent		Imparfait		Passé composé			Plus-que-parfait		
je	règne	je	régnais	j'	ai	régné	j'	avais	régné
tu	règnes	tu	régnais	tu	as	régné	tu	avais	régné
il, elle	règne	il, elle	régnait	il, elle	a	régné	il, elle	avait	régné
nous	régnons	nous	régnions	nous	avons	régné	nous	avions	régné
vous	régnez	vous	régniez	vous	avez	régné	vous	aviez	régné
ils, elles	règnent	ils, elles	régnaient	ils, elles	ont	régné	ils, elles	avaient	régné

Passé simple		Futur simple		Passé antérieur			Futur antérieur		
je	régnai	je	régnerai	j'	eus	régné	j'	aurai	régné
tu	régnas	tu	régneras	tu	eus	régné	tu	auras	régné
il, elle	régna	il, elle	régnera	il, elle	eut	régné	il, elle	aura	régné
nous	régnâmes	nous	régnerons	nous	eûmes	régné	nous	aurons	régné
vous	régnâtes	vous	régnerez	vous	eûtes	régné	vous	aurez	régné
ils, elles	régnèrent	ils, elles	régneront	ils, elles	eurent	régné	ils, elles	auront	régné

SUBJONCTIF

Présent		Imparfait		Passé			Plus-que-parfait		
Il faut que...		Il fallait que...		Il faut que...			Il fallait que...		
je	règne	je	régnasse	j'	aie	régné	j'	eusse	régné
tu	règnes	tu	régnasses	tu	aies	régné	tu	eusses	régné
il, elle	règne	il, elle	régnât	il, elle	ait	régné	il, elle	eût	régné
nous	régnions	nous	régnassions	nous	ayons	régné	nous	eussions	régné
vous	régniez	vous	régnassiez	vous	ayez	régné	vous	eussiez	régné
ils, elles	règnent	ils, elles	régnassent	ils, elles	aient	régné	ils, elles	eussent	régné

CONDITIONNEL

Présent		Passé 1re forme			Passé 2e forme		
je	régnerais	j'	aurais	régné	j'	eusse	régné
tu	régnerais	tu	aurais	régné	tu	eusses	régné
il, elle	régnerait	il, elle	aurait	régné	il, elle	eût	régné
nous	régnerions	nous	aurions	régné	nous	eussions	régné
vous	régneriez	vous	auriez	régné	vous	eussiez	régné
ils, elles	régneraient	ils, elles	auraient	régné	ils, elles	eussent	régné

IMPÉRATIF

Présent	Passé
règne	aie régné
régnons	ayons régné
régnez	ayez régné

INFINITIF

Présent	Passé
régner	avoir régné

PARTICIPE

Présent	Passé
régnant	régné
	ayant régné

1er groupe

u est suivi d'un **e** à toutes les personnes du futur simple de l'indicatif et du présent du conditionnel. Pour ne pas l'oublier, il faut se rappeler que le futur simple de l'indicatif et le présent du conditionnel ajoutent leurs terminaisons à l'infinitif du verbe.

remuer

INDICATIF

Présent		Imparfait		Passé composé			Plus-que-parfait		
je	remue	je	remuais	j'	ai	remué	j'	avais	remué
tu	remues	tu	remuais	tu	as	remué	tu	avais	remué
il, elle	remue	il, elle	remuait	il, elle	a	remué	il, elle	avait	remué
nous	remuons	nous	remuions	nous	avons	remué	nous	avions	remué
vous	remuez	vous	remuiez	vous	avez	remué	vous	aviez	remué
ils, elles	remuent	ils, elles	remuaient	ils, elles	ont	remué	ils, elles	avaient	remué

Passé simple		Futur simple		Passé antérieur			Futur antérieur		
je	remuai	je	remuerai	j'	eus	remué	j'	aurai	remué
tu	remuas	tu	remueras	tu	eus	remué	tu	auras	remué
il, elle	remua	il, elle	remuera	il, elle	eut	remué	il, elle	aura	remué
nous	remuâmes	nous	remuerons	nous	eûmes	remué	nous	aurons	remué
vous	remuâtes	vous	remuerez	vous	eûtes	remué	vous	aurez	remué
ils, elles	remuèrent	ils, elles	remueront	ils, elles	eurent	remué	ils, elles	auront	remué

SUBJONCTIF

Présent		Imparfait		Passé			Plus-que-parfait		
Il faut **que**...		Il fallait **que**...		Il faut **que**...			Il fallait **que**...		
je	remue	je	remuasse	j'	aie	remué	j'	eusse	remué
tu	remues	tu	remuasses	tu	aies	remué	tu	eusses	remué
il, elle	remue	il, elle	remuât	il, elle	ait	remué	il, elle	eût	remué
nous	remuions	nous	remuassions	nous	ayons	remué	nous	eussions	remué
vous	remuiez	vous	remuassiez	vous	ayez	remué	vous	eussiez	remué
ils, elles	remuent	ils, elles	remuassent	ils, elles	aient	remué	ils, elles	eussent	remué

CONDITIONNEL

Présent		Passé 1re forme			Passé 2e forme		
je	remuerais	j'	aurais	remué	j'	eusse	remué
tu	remuerais	tu	aurais	remué	tu	eusses	remué
il, elle	remuerait	il, elle	aurait	remué	il, elle	eût	remué
nous	remuerions	nous	aurions	remué	nous	eussions	remué
vous	remueriez	vous	auriez	remué	vous	eussiez	remué
ils, elles	remueraient	ils, elles	auraient	remué	ils, elles	eussent	remué

IMPÉRATIF

Présent	Passé
remue	aie remué
remuons	ayons remué
remuez	ayez remué

INFINITIF

Présent	Passé
remuer	avoir remué

PARTICIPE

Présent	Passé
remuant	remué(e)
	ayant remué

● Il devient **lli** aux 1res et 2es personnes du pluriel de l'imparfait de l'indicatif et du présent du subjonctif.

réveiller

INDICATIF

Présent		**Imparfait**		**Passé composé**			**Plus-que-parfait**		
je	réveille	je	réveillais	j'	ai	réveillé	j'	avais	réveillé
tu	réveilles	tu	réveillais	tu	as	réveillé	tu	avais	réveillé
il, elle	réveille	il, elle	réveillait	il, elle	a	réveillé	il, elle	avait	réveillé
nous	réveillons	nous	réveillions	nous	avons	réveillé	nous	avions	réveillé
vous	réveillez	vous	réveilliez	vous	avez	réveillé	vous	aviez	réveillé
ils, elles	réveillent	ils, elles	réveillaient	ils, elles	ont	réveillé	ils, elles	avaient	réveillé

Passé simple		**Futur simple**		**Passé antérieur**			**Futur antérieur**		
je	réveillai	je	réveillerai	j'	eus	réveillé	j'	aurai	réveillé
tu	réveillas	tu	réveilleras	tu	eus	réveillé	tu	auras	réveillé
il, elle	réveilla	il, elle	réveillera	il, elle	eut	réveillé	il, elle	aura	réveillé
nous	réveillâmes	nous	réveillerons	nous	eûmes	réveillé	nous	aurons	réveillé
vous	réveillâtes	vous	réveillerez	vous	eûtes	réveillé	vous	aurez	réveillé
ils, elles	réveillèrent	ils, elles	réveilleront	ils, elles	eurent	réveillé	ils, elles	auront	réveillé

SUBJONCTIF

Présent		**Imparfait**		**Passé**			**Plus-que-parfait**		
Il faut que...		*Il fallait que...*		*Il faut que...*			*Il fallait que...*		
je	réveille	je	réveillasse	j'	aie	réveillé	j'	eusse	réveillé
tu	réveilles	tu	réveillasses	tu	aies	réveillé	tu	eusses	réveillé
il, elle	réveille	il, elle	réveillât	il, elle	ait	réveillé	il, elle	eût	réveillé
nous	réveillions	nous	réveillassions	nous	ayons	réveillé	nous	eussions	réveillé
vous	réveilliez	vous	réveillassiez	vous	ayez	réveillé	vous	eussiez	réveillé
ils, elles	réveillent	ils, elles	réveillassent	ils, elles	aient	réveillé	ils, elles	eussent	réveillé

CONDITIONNEL

Présent		**Passé 1re forme**			**Passé 2e forme**		
je	réveillerais	j'	aurais	réveillé	j'	eusse	réveillé
tu	réveillerais	tu	aurais	réveillé	tu	eusses	réveillé
il, elle	réveillerait	il, elle	aurait	réveillé	il, elle	eût	réveillé
nous	réveillerions	nous	aurions	réveillé	nous	eussions	réveillé
vous	réveilleriez	vous	auriez	réveillé	vous	eussiez	réveillé
ils, elles	réveilleraient	ils, elles	auraient	réveillé	ils, elles	eussent	réveillé

IMPÉRATIF

Présent	**Passé**
réveille	aie réveillé
réveillons	ayons réveillé
réveillez	ayez réveillé

INFINITIF

Présent	**Passé**
réveiller	avoir réveillé

PARTICIPE

Présent	**Passé**
réveillant	réveillé(e)
	ayant réveillé

1er groupe

VERBES EN -e(consonnes)er

● e devient **è** :
- aux trois personnes du singulier et à la 3e personne du pluriel du présent de l'indicatif et du subjonctif;
- à la 2e personne du singulier du présent de l'impératif;
- à toutes les personnes du futur simple de l'indicatif et du présent du conditionnel.
▶ Les verbes en **-e(consonnes)er** correspondent à : **-e(m, n, p, s, v, vr)er**.

semer

INDICATIF

Présent		Imparfait		Passé composé			Plus-que-parfait		
je	sème	je	semais	j'	ai	semé	j'	avais	semé
tu	sèmes	tu	semais	tu	as	semé	tu	avais	semé
il, elle	sème	il, elle	semait	il, elle	a	semé	il, elle	avait	semé
nous	semons	nous	semions	nous	avons	semé	nous	avions	semé
vous	semez	vous	semiez	vous	avez	semé	vous	aviez	semé
ils, elles	sèment	ils, elles	semaient	ils, elles	ont	semé	ils, elles	avaient	semé

Passé simple		Futur simple		Passé antérieur			Futur antérieur		
je	semai	je	sèmerai	j'	eus	semé	j'	aurai	semé
tu	semas	tu	sèmeras	tu	eus	semé	tu	auras	semé
il, elle	sema	il, elle	sèmera	il, elle	eut	semé	il, elle	aura	semé
nous	semâmes	nous	sèmerons	nous	eûmes	semé	nous	aurons	semé
vous	semâtes	vous	sèmerez	vous	eûtes	semé	vous	aurez	semé
ils, elles	semèrent	ils, elles	sèmeront	ils, elles	eurent	semé	ils, elles	auront	semé

SUBJONCTIF

Présent		Imparfait		Passé			Plus-que-parfait		
Il faut que...		Il fallait que...		Il faut que...			Il fallait que...		
je	sème	je	semasse	j'	aie	semé	j'	eusse	semé
tu	sèmes	tu	semasses	tu	aies	semé	tu	eusses	semé
il, elle	sème	il, elle	semât	il, elle	ait	semé	il, elle	eût	semé
nous	semions	nous	semassions	nous	ayons	semé	nous	eussions	semé
vous	semiez	vous	semassiez	vous	ayez	semé	vous	eussiez	semé
ils, elles	sèment	ils, elles	semassent	ils, elles	aient	semé	ils, elles	eussent	semé

CONDITIONNEL

Présent		Passé 1re forme			Passé 2e forme		
je	sèmerais	j'	aurais	semé	j'	eusse	semé
tu	sèmerais	tu	aurais	semé	tu	eusses	semé
il, elle	sèmerait	il, elle	aurait	semé	il, elle	eût	semé
nous	sèmerions	nous	aurions	semé	nous	eussions	semé
vous	sèmeriez	vous	auriez	semé	vous	eussiez	semé
ils, elles	sèmeraient	ils, elles	auraient	semé	ils, elles	eussent	semé

IMPÉRATIF

Présent	Passé
sème	aie semé
semons	ayons semé
semez	ayez semé

INFINITIF

Présent	Passé
semer	avoir semé

PARTICIPE

Présent	Passé
semant	semé(e)
	ayant semé

gn devient **gni** aux 1res et 2es personnes du pluriel de l'imparfait de l'indicatif et du présent du subjonctif.

signer

INDICATIF

Présent	**Imparfait**	**Passé composé**	**Plus-que-parfait**
je signe	je signais	j' ai signé	j' avais signé
tu signes	tu signais	tu as signé	tu avais signé
il, elle signe	il, elle signait	il, elle a signé	il, elle avait signé
nous signons	nous signions	nous avons signé	nous avions signé
vous signez	vous signiez	vous avez signé	vous aviez signé
ils, elles signent	ils, elles signaient	ils, elles ont signé	ils, elles avaient signé

Passé simple	**Futur simple**	**Passé antérieur**	**Futur antérieur**
je signai	je signerai	j' eus signé	j' aurai signé
tu signas	tu signeras	tu eus signé	tu auras signé
il, elle signa	il, elle signera	il, elle eut signé	il, elle aura signé
nous signâmes	nous signerons	nous eûmes signé	nous aurons signé
vous signâtes	vous signerez	vous eûtes signé	vous aurez signé
ils, elles signèrent	ils, elles signeront	ils, elles eurent signé	ils, elles auront signé

SUBJONCTIF

Présent	**Imparfait**	**Passé**	**Plus-que-parfait**
Il faut **que**...	Il fallait **que**...	Il faut **que**...	Il fallait **que**...
je signe	je signasse	j' aie signé	j' eusse signé
tu signes	tu signasses	tu aies signé	tu eusses signé
il, elle signe	il, elle signât	il, elle ait signé	il, elle eût signé
nous signions	nous signassions	nous ayons signé	nous eussions signé
vous signiez	vous signassiez	vous ayez signé	vous eussiez signé
ils, elles signent	ils, elles signassent	ils, elles aient signé	ils, elles eussent signé

CONDITIONNEL

Présent	**Passé 1re forme**	**Passé 2e forme**
je signerais	j' aurais signé	j' eusse signé
tu signerais	tu aurais signé	tu eusses signé
il, elle signerait	il, elle aurait signé	il, elle eût signé
nous signerions	nous aurions signé	nous eussions signé
vous signeriez	vous auriez signé	vous eussiez signé
ils, elles signeraient	ils, elles auraient signé	ils, elles eussent signé

IMPÉRATIF

Présent	**Passé**
signe	aie signé
signons	ayons signé
signez	ayez signé

INFINITIF

Présent	**Passé**
signer	avoir signé

PARTICIPE

Présent	**Passé**
signant	signé(e)
	ayant signé

1er groupe

VERBES EN -er

▶ Le verbe tomber se conjugue avec l'auxiliaire être aux temps composés.
Se conjuguent sur le modèle de tomber les verbes pronominaux comme *s'absenter*, *s'affairer* ... et les verbes en -er comme *arriver, entrer*...

tomber

INDICATIF

Présent		Imparfait		Passé composé			Plus-que-parfait		
je	tombe	je	tombais	je	suis	tombé(e)	j'	étais	tombé(e)
tu	tombes	tu	tombais	tu	es	tombé(e)	tu	étais	tombé(e)
il, elle	tombe	il, elle	tombait	il, elle	est	tombé(e)	il, elle	était	tombé(e)
nous	tombons	nous	tombions	nous	sommes	tombé(e)s	nous	étions	tombé(e)s
vous	tombez	vous	tombiez	vous	êtes	tombé(e)s	vous	étiez	tombé(e)s
ils, elles	tombent	ils, elles	tombaient	ils, elles	sont	tombé(e)s	ils, elles	étaient	tombé(e)s

Passé simple		Futur simple		Passé antérieur			Futur antérieur		
je	tombai	je	tomberai	je	fus	tombé(e)	je	serai	tombé(e)
tu	tombas	tu	tomberas	tu	fus	tombé(e)	tu	seras	tombé(e)
il, elle	tomba	il, elle	tombera	il, elle	fut	tombé(e)	il, elle	sera	tombé(e)
nous	tombâmes	nous	tomberons	nous	fûmes	tombé(e)s	nous	serons	tombé(e)s
vous	tombâtes	vous	tomberez	vous	fûtes	tombé(e)s	vous	serez	tombé(e)s
ils, elles	tombèrent	ils, elles	tomberont	ils, elles	furent	tombé(e)s	ils, elles	seront	tombé(e)s

SUBJONCTIF

Présent		Imparfait		Passé			Plus-que-parfait		
Il faut que...		*Il fallait que...*		*Il faut que...*			*Il fallait que...*		
je	tombe	je	tombasse	je	sois	tombé(e)	je	fusse	tombé(e)
tu	tombes	tu	tombasses	tu	sois	tombé(e)	tu	fusses	tombé(e)
il, elle	tombe	il, elle	tombât	il, elle	soit	tombé(e)	il, elle	fût	tombé(e)
nous	tombions	nous	tombassions	nous	soyons	tombé(e)s	nous	fussions	tombé(e)s
vous	tombiez	vous	tombassiez	vous	soyez	tombé(e)s	vous	fussiez	tombé(e)s
ils, elles	tombent	ils, elles	tombassent	ils, elles	soient	tombé(e)s	ils, elles	fussent	tombé(e)s

CONDITIONNEL

Présent		Passé 1re forme			Passé 2e forme		
je	tomberais	je	serais	tombé(e)	je	fusse	tombé(e)
tu	tomberais	tu	serais	tombé(e)	tu	fusses	tombé(e)
il, elle	tomberait	il, elle	serait	tombé(e)	il, elle	fût	tombé(e)
nous	tomberions	nous	serions	tombé(e)s	nous	fussions	tombé(e)s
vous	tomberiez	vous	seriez	tombé(e)s	vous	fussiez	tombé(e)s
ils, elles	tomberaient	ils, elles	seraient	tombé(e)s	ils, elles	fussent	tombé(e)s

IMPÉRATIF

Présent	Passé
tombe	sois tombé(e)
tombons	soyons tombé(e)s
tombez	soyez tombé(e)s

INFINITIF

Présent	Passé
tomber	être tombé(e)

PARTICIPE

Présent	Passé
tombant	tombé(e)
	étant tombé

Il devient **lli** aux 1res et 2es personnes du pluriel de l'imparfait de l'indicatif et du présent du subjonctif.

▶ â reste â dans les verbes *bâiller* et *entrebâiller*.

travailler

INDICATIF

Présent		**Imparfait**		**Passé composé**			**Plus-que-parfait**		
je	travaille	je	travaillais	j'	ai	travaillé	j'	avais	travaillé
tu	travailles	tu	travaillais	tu	as	travaillé	tu	avais	travaillé
il, elle	travaille	il, elle	travaillait	il, elle	a	travaillé	il, elle	avait	travaillé
nous	travaillons	nous	travaillions	nous	avons	travaillé	nous	avions	travaillé
vous	travaillez	vous	travailliez	vous	avez	travaillé	vous	aviez	travaillé
ils, elles	travaillent	ils, elles	travaillaient	ils, elles	ont	travaillé	ils, elles	avaient	travaillé

Passé simple		**Futur simple**		**Passé antérieur**			**Futur antérieur**		
je	travaillai	je	travaillerai	j'	eus	travaillé	j'	aurai	travaillé
tu	travaillas	tu	travailleras	tu	eus	travaillé	tu	auras	travaillé
il, elle	travailla	il, elle	travaillera	il, elle	eut	travaillé	il, elle	aura	travaillé
nous	travaillâmes	nous	travaillerons	nous	eûmes	travaillé	nous	aurons	travaillé
vous	travaillâtes	vous	travaillerez	vous	eûtes	travaillé	vous	aurez	travaillé
ils, elles	travaillèrent	ils, elles	travailleront	ils, elles	eurent	travaillé	ils, elles	auront	travaillé

SUBJONCTIF

Présent		**Imparfait**		**Passé**			**Plus-que-parfait**		
Il faut *que...*		Il fallait *que...*		Il faut *que...*			Il fallait *que...*		
je	travaille	je	travaillasse	j'	aie	travaillé	j'	eusse	travaillé
tu	travailles	tu	travaillasses	tu	aies	travaillé	tu	eusses	travaillé
il, elle	travaille	il, elle	travaillât	il, elle	ait	travaillé	il, elle	eût	travaillé
nous	travaillions	nous	travaillassions	nous	ayons	travaillé	nous	eussions	travaillé
vous	travailliez	vous	travaillassiez	vous	ayez	travaillé	vous	eussiez	travaillé
ils, elles	travaillent	ils, elles	travaillassent	ils, elles	aient	travaillé	ils, elles	eussent	travaillé

CONDITIONNEL

Présent		**Passé 1re forme**			**Passé 2e forme**		
je	travaillerais	j'	aurais	travaillé	j'	eusse	travaillé
tu	travaillerais	tu	aurais	travaillé	tu	eusses	travaillé
il, elle	travaillerait	il, elle	aurait	travaillé	il, elle	eût	travaillé
nous	travaillerions	nous	aurions	travaillé	nous	eussions	travaillé
vous	travailleriez	vous	auriez	travaillé	vous	eussiez	travaillé
ils, elles	travailleraient	ils, elles	auraient	travaillé	ils, elles	eussent	travaillé

IMPÉRATIF

Présent	**Passé**
travaille	aie travaillé
travaillons	ayons travaillé
travaillez	ayez travaillé

INFINITIF

Présent	**Passé**
travailler	avoir travaillé

PARTICIPE

Présent	**Passé**
travaillant	travaillé(e)
	ayant travaillé

1er groupe

VERBES EN -ir

finir

INDICATIF

Présent		Imparfait		Passé composé			Plus-que-parfait		
je	finis	je	finissais	j'	ai	fini	j'	avais	fini
tu	finis	tu	finissais	tu	as	fini	tu	avais	fini
il, elle	finit	il, elle	finissait	il, elle	a	fini	il, elle	avait	fini
nous	finissons	nous	finissions	nous	avons	fini	nous	avions	fini
vous	finissez	vous	finissiez	vous	avez	fini	vous	aviez	fini
ils, elles	finissent	ils, elles	finissaient	ils, elles	ont	fini	ils, elles	avaient	fini

Passé simple		Futur simple		Passé antérieur			Futur antérieur		
je	finis	je	finirai	j'	eus	fini	j'	aurai	fini
tu	finis	tu	finiras	tu	eus	fini	tu	auras	fini
il, elle	finit	il, elle	finira	il, elle	eut	fini	il, elle	aura	fini
nous	finîmes	nous	finirons	nous	eûmes	fini	nous	aurons	fini
vous	finîtes	vous	finirez	vous	eûtes	fini	vous	aurez	fini
ils, elles	finirent	ils, elles	finiront	ils, elles	eurent	fini	ils, elles	auront	fini

SUBJONCTIF

Présent		Imparfait		Passé			Plus-que-parfait		
Il faut que...		*Il fallait que...*		*Il faut que...*			*Il fallait que...*		
je	finisse	je	finisse	j'	aie	fini	j'	eusse	fini
tu	finisses	tu	finisses	tu	aies	fini	tu	eusses	fini
il, elle	finisse	il, elle	finît	il, elle	ait	fini	il, elle	eût	fini
nous	finissions	nous	finissions	nous	ayons	fini	nous	eussions	fini
vous	finissiez	vous	finissiez	vous	ayez	fini	vous	eussiez	fini
ils, elles	finissent	ils, elles	finissent	ils, elles	aient	fini	ils, elles	eussent	fini

CONDITIONNEL

Présent		Passé 1ʳᵉ forme			Passé 2ᵉ forme		
je	finirais	j'	aurais	fini	j'	eusse	fini
tu	finirais	tu	aurais	fini	tu	eusses	fini
il, elle	finirait	il, elle	aurait	fini	il, elle	eût	fini
nous	finirions	nous	aurions	fini	nous	eussions	fini
vous	finiriez	vous	auriez	fini	vous	eussiez	fini
ils, elles	finiraient	ils, elles	auraient	fini	ils, elles	eussent	fini

IMPÉRATIF

Présent	Passé
finis	aie fini
finissons	ayons fini
finissez	ayez fini

INFINITIF

Présent	Passé
finir	avoir fini

PARTICIPE

Présent	Passé
finissant	fini(e)
	ayant fini

● ï devient i :
- aux trois personnes du singulier du présent de l'indicatif ;
- à la 2e personne du singulier du présent de l'impératif.
● ï reste ï :
- à la 1re et à la 2e personne du pluriel du passé simple de l'indicatif ;
- à la 3e personne du singulier de l'imparfait du subjonctif.

haïr

INDICATIF

Présent		Imparfait		Passé composé			Plus-que-parfait		
je	hais	je	haïssais	j'	ai	haï	j'	avais	haï
tu	hais	tu	haïssais	tu	as	haï	tu	avais	haï
il, elle	hait	il, elle	haïssait	il, elle	a	haï	il, elle	avait	haï
nous	haïssons	nous	haïssions	nous	avons	haï	nous	avions	haï
vous	haïssez	vous	haïssiez	vous	avez	haï	vous	aviez	haï
ils, elles	haïssent	ils, elles	haïssaient	ils, elles	ont	haï	ils, elles	avaient	haï

Passé simple		Futur simple		Passé antérieur			Futur antérieur		
je	haïs	je	haïrai	j'	eus	haï	j'	aurai	haï
tu	haïs	tu	haïras	tu	eus	haï	tu	auras	haï
il, elle	haït	il, elle	haïra	il, elle	eut	haï	il, elle	aura	haï
nous	haïmes	nous	haïrons	nous	eûmes	haï	nous	aurons	haï
vous	haïtes	vous	haïrez	vous	eûtes	haï	vous	aurez	haï
ils, elles	haïrent	ils, elles	haïront	ils, elles	eurent	haï	ils, elles	auront	haï

SUBJONCTIF

Présent		Imparfait		Passé			Plus-que-parfait		
Il faut que...		Il fallait que...		Il faut que...			Il fallait que...		
je	haïsse	je	haïsse	j'	aie	haï	j'	eusse	haï
tu	haïsses	tu	haïsses	tu	aies	haï	tu	eusses	haï
il, elle	haïsse	il, elle	haït	il, elle	ait	haï	il, elle	eût	haï
nous	haïssions	nous	haïssions	nous	ayons	haï	nous	eussions	haï
vous	haïssiez	vous	haïssiez	vous	ayez	haï	vous	eussiez	haï
ils, elles	haïssent	ils, elles	haïssent	ils, elles	aient	haï	ils, elles	eussent	haï

CONDITIONNEL

Présent		Passé 1re forme			Passé 2e forme		
je	haïrais	j'	aurais	haï	j'	eusse	haï
tu	haïrais	tu	aurais	haï	tu	eusses	haï
il, elle	haïrait	il, elle	aurait	haï	il, elle	eût	haï
nous	haïrions	nous	aurions	haï	nous	eussions	haï
vous	haïriez	vous	auriez	haï	vous	eussiez	haï
ils, elles	haïraient	ils, elles	auraient	haï	ils, elles	eussent	haï

IMPÉRATIF

Présent	Passé
hais	aie haï
haïssons	ayons haï
haïssez	ayez haï

INFINITIF

Présent	Passé
haïr	avoir haï

PARTICIPE

Présent	Passé
haïssant	haï(e)
	ayant haï

2e groupe

verbes en	n°	modèle	autres verbes	particularités orthographiques
-IR				présent en **-s, -s, -t** ; p. simple en **-is**
-bouillir	113	**bouillir**	débouillir, rebouillir	présent en **-s, -s, -t** ; alternance **-bou-/-bouill-** ; p. simple en **-bouillis** ; p. passé en **-bouilli(e)** ; p. pst en **-bouillant**
-dormir	130	**dormir**	endormir, redormir, rendormir	présent en **-s, -s, -t** ; alternance **-dor-/-dorm-** ; p. simple en **-dormis** ; p. passé en **-dormi(e)** ; p. pst en **-dormant**
-entir	138	**mentir**	assentir, consentir, démentir, pressentir, se repentir, ressentir, sentir	présent en **-s, -s, -t** ; p. simple en **-entis** ; p. passé en **-enti(e)** ; p. pst en **-entant**
-fuir	133	**fuir**	s'enfuir	présent en **-s, -s, -t** ; alternance **-fui-/-fuy-** ; p. simple en **-fuis** ; p. passé en **-fui(e)** ; p. pst en **-fuyant**
-partir	147	**partir**	départir (avoir), repartir (être), repartir (avoir)	présent en **-s, -s, -t** ; p. simple en **-partis** ; p. passé en **-parti(e)** ; p. pst en **-partant**
-quérir	107	**acquérir**	conquérir, s'enquérir, reconquérir, requérir	présent en **-s, -s, -t** ; alternance **-quier-/-quér-/-quièr-/-querr-** ; p. simple en **-quis** ; p. passé en **-quis(e)** ; p. pst en **-quérant**
-servir	162	**servir**	desservir, resservir	présent en **-s, -s, -t** ; alternance **-ser-/-serv-** ; p. simple en **-servis** ; p. passé en **-servi(e)** ; p. pst en **-servant**
-sortir	163	**sortir**	ressortir	présent en **-s, -s, -t** ; p. simple en **-sortis** ; p. passé en **-sorti(e)** ; p. pst en **-sortant**

3e groupe

-IR				présent en **-s, -s, -t** ; p. simple en **-us**
-courir	122	**courir**	accourir, concourir, discourir, encourir, parcourir, recourir, secourir	présent en **-s, -s, -t** ; alternance **-cour-/-courr-** ; p. simple en **-courus** ; p. passé en **-couru(e)** ; p. pst en **-courant**
mourir	142			présent en **-s, -s, -t** ; alternance **mour-/meur-/mourr-** ; p. simple **mourus** ; p. passé **mort(e)** ; p. pst **mourant**

-IR				présent en **-s, -s, -t** ; p. simple en **-ins**
-tenir	169	**tenir**	s'abstenir, appartenir, contenir, détenir, entretenir, maintenir, obtenir, retenir, soutenir	présent en **-s, -s, -t** ; alternance **-tien-/-ten-** ; p. simple en **-tins** ; p. passé en **-tenu(e)** ; p. pst en **-tenant**
-venir	176	**venir**	circonvenir, contrevenir, convenir, devenir, disconvenir, intervenir, obvenir, parvenir, prévenir, provenir, redevenir, se ressouvenir, revenir, souvenir, subvenir, survenir	présent en **-s, -s, -t** ; alternance **-vien-/-ven-** ; p. simple en **-vins** ; p. passé en **-venu(e)** ; p. pst en **-venant**

-IR				présent en **-ts, -ts, -t** ; p. simple en **-is**
-vêtir	177	**vêtir**	dévêtir, revêtir	présent en **-ts, -ts, -t** ; p. simple en **-vêtis** ; p. passé en **-vêtu(e)** ; p. pst en **-vêtant**

-IR				présent en **-e, -es, -e** ; p. simple en **-is**
-cueillir	126	**cueillir**	accueillir, recueillir	présent en **-e, -es, -e** ; p. simple en **-cueillis** ; p. passé en **-cueilli(e)** ; p. pst en **-cueillant**
défaillir	127			présent en **-e, -es, -e** ; p. simple **défaillis** ; p. passé **défailli** ; p. pst **défaillant**

3ᵉ groupe

offrir	**145**			présent en **-e, -es, -e** ; p. simple **offris** ; p. passé **offert(e)** ; p. pst **offrant**
-ouvrir	**146**	**ouvrir**	cou**vrir**, décou**vrir**, entr**ouvrir**, rec**ouvrir**, redéc**ouvrir**, r**ouvrir**	présent en **-e, -es, -e** ; p. simple en **-ouvris** ; p. passé en **-ouvert(e)** ; p. pst en **-ouvrant**
-saillir	**172**	**tressaillir**	assaillir	présent en **-e, -es, -e** ; p. simple en **-saillis** ; p. passé en **-sailli(e)** ; p. pst en **-saillant**
souffrir	**164**			présent en **-e, -es, -e** ; p. simple **souffris** ; p. passé **souffert(e)** ; p. pst **souffrant**

● VERBES MODÈLES DU 3e GROUPE EN *-OIR*

verbes en	n°	modèle	autres verbes	particularités orthographiques
-OIR			présent en **-s, -s, -t** ; p. simple en **-is**	
-asseoir	**109**	**asseoir**	rasseoir	présent en **-s, -s, -t** / **-ds, -ds, -d** ; alternance **-assoi-/-assoy-/ -assie-/-assey-/-ass-** ; p. simple en **-assis** ; p. passé en **-assis(e)** ; p. pst en **-asseyant/assoyant**
prévoir	**154**			présent en **-s, -s, -t** ; alternance **prévoi-/prévoy-** ; p. simple **prévis** ; p. passé **prévu(e)** ; p. pst **prévoyant**
surseoir	**167**			présent en **-s, -s, -t** ; alternance **sursoi-/sursoy-/ surseoir-** ; p. simple **sursis** ; p. passé **sursis(e)** ; p. pst **sursoyant**

3e groupe

-voir	179	**voir**	entrevoir, revoir	présent en **-s, -s, -t** ; alternance **-voi-/-voy-/-verr-** ; p. simple en **-vis** ; p. passé en **-vu(e)** ; p. pst en **-voyant**
-OIR			présent en **-s, -s, -t** ; p. simple en **-us**	
-cevoir	156	**recevoir**	aper**cevoir**, con**cevoir**, dé**cevoir**, entraper**cevoir**, per**cevoir**	présent en **-s, -s, -t** ; alternance **-çoi-/-cev-** ; p. simple en **-çus** ; p. passé en **-çu(e)** ; p. pst en **-cevant**
-devoir	128	**devoir**	redevoir	présent en **-s, -s, -t** ; alternance **-doi-/-dev-** ; p. simple en **-dus** ; p. passé en **-dû/-due** ; p. pst en **-devant**
-mouvoir	155	pro**mouvoir**	émouvoir, mouvoir	présent en **-s, -s, -t** ; alternance **-meu-/-mouv-** ; p. simple en **-mus** ; p. passé en **-mu(e)**, sauf **mû/mue** (de **mouvoir**) ; p. pst en **-mouvant**
-pourvoir	151	**pourvoir**	dépourvoir	présent en **-s, -s, -t** ; alternance **-pourvoi-/** **-pourvoy-** ; p. simple en **-pourvus** ; p. passé en **-pourvu(e)** ; p. pst en **-pourvoyant**
savoir	161			présent en **-s, -s, -t** ; alternance **sai-/sav-/sach-/** **saur-** ; p. simple **sus** ; p. passé **su(e)** ; p. pst **sachant**
-OIR			présent en **-x, -x, -t** ; p. simple en **-us**	
pouvoir	152			présent en **-x, -x, -t** ; alternance **peu-/pouv-/** **puiss-/pourr-** ; p. simple **pus** ; p. passé **pu** ; p. pst **pouvant**

3ᵉ groupe

97

-valoir	174	**valoir**	équivaloir, prévaloir revaloir	présent en **-x, -x, -t** ; alternance **-vau-/-val-/ -vaill-/-vaudr-** ; p. simple en **-valus** ; p. passé en **-valu(e)** ; p. pst en **-valant**
-vouloir	180	**vouloir**	revouloir	présent en **-x, -x, -t** ; alternance **-veu-/-voul-/ -veuill-/-voudr-** ; p. simple en **-voulus** ; p. passé en **-voulu(e)** ; p. pst en **voulant**

● VERBES MODÈLES DU 3e GROUPE EN -RE

verbes en	n°	modèle	autres verbes	particularités orthographiques
-DRE				présent en **-ds, -ds, -d** ; p. simple en **-is**
-coudre	121	**coudre**	découdre, recoudre	présent en **-ds, -ds, -d** ; alternance **-coud-/-cous-** ; p. simple en **-cousis** ; p. passé en **-cousu(e)** ; p. pst en **-cousant**
-endre	175	**vendre**	appendre, attendre, condescendre, défendre, dépendre, descendre, détendre, distendre, entendre, étendre, fendre, mévendre, pendre, pourfendre, prétendre, redescendre, réentendre, refendre, rendre, rependre, retendre, revendre, sous-entendre, sous-tendre, suspendre, tendre	présent en **-ds, -ds, -d** ; p. simple en **-endis** ; p. passé en **-endu(e)** ; p. présent en **-endant**
-épandre	157	**répandre**	épandre	présent en **-ds, -ds, -d** ; p. simple en **-épandis** ; p. passé en **-épandu(e)** ; p. pst en **-épandant**

-ondre	170	**tondre**	con**fondre**, corres**pondre**, **fondre**, mor**fondre**, par**fondre**, **pondre**, re**fondre**, ré**pondre**, re**tondre**, sur**tondre**	présent en **-ds, -ds, -d** ; p. simple en **-ondis** ; p. passé en **-ondu(e)** ; p. pst en **-ondant**
-ordre	140	**mordre**	dé**mordre**, dé**tordre**, dis**tordre**, re**mordre**, re**tordre**, **tordre**	présent en **-ds, -ds, -d** ; p. simple en **-ordis** ; p. passé en **-ordu(e)** ; p. pst en **-ordant**
-perdre	149	**perdre**	é**perdre**, re**perdre**	présent en **-ds, -ds, -d** ; p. simple en **-perdis** ; p. passé en **-perdu(e)** ; p. pst en **-perdant**
-prendre	153	**prendre**	ap**prendre**, com**prendre**, dé**prendre**, désap**prendre**, entre**prendre**, é**prendre**, se mé**prendre**, rap**prendre**, réap**prendre**, re**prendre**, sur**prendre**	présent en **-ds, -ds, -d** ; alternance **-prend-/-pren-** ; p. simple en **-pris** ; p. passé en **-pris(e)** ; p. pst en **-prenant**

-DRE				présent en **-ds, -ds, -d** ; p. simple en **-us**
-moudre	141	**moudre**	é**moudre**, re**moudre**	présent en **-ds, -ds, -d,** **-moulons, -moulez,** **-moulent** ; alternance **-moud-/-moul-** ; p. simple en **-moulus** ; p. passé en **-moulu(e)** ; p. pst en **-moulant**

-INDRE				présent en **-s, -s, -t** ; p. simple en **-is**
-aindre	123	**craindre**	contr**aindre**, pl**aindre**	présent en **-s, -s, -t** ; alternance **-ain-/-aign-** ; p. simple en **-aignis** ; p. passé en **-aint(e)** ; p. pst en **-aignant**
-eindre	148	**peindre**	att**eindre**, av**eindre**, c**eindre**, dép**eindre**, dét**eindre**, enc**eindre**, ét**eindre**, f**eindre**, g**eindre**, rep**eindre**, ret**eindre**, t**eindre**	présent en **-s, -s, -t** ; alternance **-ein-/-eign-** ; p. simple en **-eignis** ; p. passé en **-eint(e)** ; p. pst en **-eignant**

3e groupe

-oindre	134	**joindre**	adjoindre, conjoindre, disjoindre, enjoindre, oindre, poindre, rejoindre	présent en **-s, -s, -t**; alternance **-oin-/-oign-**; p. simple en **-oignis**; p. passé en **-oint(e)**; p. pst en **-oignant**
-reindre	110	as**treindre**	empreindre, enfreindre, étreindre, restreindre, rétreindre	présent en **-s, -s, -t**; alternance **-rein-/-reign-**; p. simple en **-reignis**; p. passé en **-reint(e)**; p. pst en **-reignant**

-SOUDRE				présent en **-s, -s, -t**; p. simple en **-us**
-soudre	105	ab**soudre**	dissoudre	présent en **-s, -s, -t**; alternance **-sou-/-sol-/-solv-**; p. simple en **-solus** (rare); p. passé en **-sous/-soute**; p. pst en **-solvant**
résoudre	158			présent en **-s, -s, -t**; alternance **résou-/résolv-**; p. simple **résolus**; p. passé **résolu(e)**; p. pst **résolvant**

-TTRE				perdent un **t** du radical au présent: **-ts, -ts, -t**; p. simple en **-is**
-battre	111	**battre**	abattre, combattre, contrebattre, débattre, s'ébattre, embattre, s'entrebattre, rabattre, rebattre, soubattre	présent en **-ts, -ts, -t**; alternance **-bat-/-batt-**; p. simple en **-battis**; p. passé en **-battu(e)**; p. pst en **-battant**
-mettre	139	**mettre**	admettre, commettre, compromettre, décommettre, démettre, émettre, s'entremettre, mainmettre, omettre, permettre, promettre, réadmettre, remettre, retransmettre, soumettre, transmettre	présent en **-ts, -ts, -t**; alternance **-met-/-mett-**; p. simple en **-mis**; p. passé en **-mis(e)**; p. pst en **-mettant**

3e groupe

-TRE	perdent le **t** du radical au présent : **-s, -s, -t** ; p. simple en **-us** sauf **naître**			
-aître	**118**	**connaître**	apparaître, comparaître, entr'apparaître, disparaître, méconnaître, paraître, réapparaître, recomparaître, reconnaître, repaître, reparaître, transparaître	présent en **-s, -s, -t** ; alternance **-ai-/-aî-/-aiss-** ; p. simple en **-us** ; p. passé en **-u(e)** ; p. pst en **-aissant** ; accent circonflexe
croître	**125**			présent en **-s, -s, -t** ; alternance **croî-/croiss-** ; p. simple **crûs** ; p. passé **crû, crue** ; p. pst **croissant**
-croître	**106**	**accroître**	décroître, recroître	présent en **-s, -s, -t** ; alternance **-crois-/-croî-/-croiss-** ; p. simple en **-crus** ; p. passé en **-cru(e)**, sauf **recrû/recrue** (de recroître) ; p. pst en **-croissant**
naître	**143**			présent en **-s, -s, -t, naissons, naissez, naissent** ; alternance **nai-/naiss-/naqu-** ; p. simple **naquis** ; p. passé **né(e)** ; p. pst **naissant** ; accent circonflexe

-IRE	présent en **-s, -s, -t** ; p. simple en **-is** sauf **lire** et ses composés			
circoncire	**114**			présent en **-s, -s, -t** ; p. simple **circoncis** ; p. passé **circoncis(e)** ; p. pst **circoncisant**
-confire	**117**	**confire**	déconfire	présent en **-s, -s, -t** ; p. simple en **-confis** ; p. passé en **-confit(e)** ; p. pst en **-confisant**
-crire	**131**	**écrire**	circonscrire, décrire, inscrire, prescrire, proscrire, récrire, réécrire, réinscrire, retranscrire, souscrire, transcrire	présent en **-s, -s, -t** ; alternance **-cri-/-criv-** ; p. simple en **-crivis** ; p. passé en **-crit(e)** ; p. pst en **-crivant**

3e groupe

-dire	129	**dire**	redire	présent en **-s, -s, -t,** **-disons, -dites, -disent;** alternance **-di-/-dis-** ; p. simple en **-dis** ; p. passé en **-dit(e)** ; p. pst en **-disant**
	120	**contredire**	dédire, interdire, médire, prédire	présent en **-s, -s, -t,** **-disons, -disez, -disent** ; alternance **-di-/-dis-** ; p. simple en **-dis** ; p. passé en **-dit(e)** ; p. pst en **-disant**
-lire	135	**lire**	élire, réélire, relire	présent en **-s, -s, -t** ; alternance **-li-/-lis-** ; p. simple en **-lus** ; p. passé en **-lu(e)** ; p. pst en **-lisant**
maudire	137			présent en **-s, -s, -t,** **-issons, -issez, -issent** ; alternance **maudi-/** **maudiss-** ; p. simple **maudis** ; p. passé **maudit(e)** ; p. pst **maudissant**
-rire	159	**rire**	sourire	présent en **-s, -s, -t** ; p. simple en **-ris** ; p. passé en **-ri** ; p. pst en **-riant**
suffire	165			présent en **-s, -s, -t** ; p. simple **suffis** ; p. passé **suffi** ; p. pst **suffisant**

-AIRE			présent en **-s, -s, -t** ; p. simple en **-is** ou **-us**	
-faire	132	**faire**	contrefaire, défaire, redéfaire, refaire, satisfaire, surfaire	présent en **-s, -s, -t,** **-faisons, -faites, -font** ; alternance **-fai-/-fer-** ; p. simple en **-fis** ; p. passé en **-fait(e)** ; p. pst en **-faisant**
-plaire	150	**plaire**	complaire, déplaire	présent en **-s, -s, -t** ; alternance **-plai-/-plais-** ; p. simple en **-plus** ; p. passé en **-plu** ; p. pst en **-plaisant**

3e groupe

-raire	171	traire	abstraire, distraire, extraire, portraire, raire, rentraire, retraire, soustraire	présent en **-s, -s, -t** ; alternance **-rai-/-ray-** ; p. passé en **-rait(e)** ; p. pst en **-rayant**
taire	168			présent en **-s, -s, -t** ; p. simple **tus** ; p. passé **tu(e)** ; p. pst **taisant**

-OIRE — présent en **-s, -s, -t** ; p. simple en **-us**

-boire	112	boire	emboire	présent en **-s, -s, -t** ; alternance **-boi-/-bu-/-buv-/-boiv-** ; p. simple en **-bus** ; p. passé en **-bu(e)** ; p. pst en **-buvant**
croire	124			présent en **-s, -s, -t** ; alternance **croi-/croy-** ; p. simple **crus** ; p. passé **cru(e)** ; p. pst **croyant**

-UIRE — présent en **-s, -s, -t** ; p. simple en **-is**

-uire	116	conduire	coproduire, cuire, décuire, déduire, éconduire, enduire, induire, introduire, se méconduire, produire, reconduire, recuire, réduire, réintroduire, reproduire, retraduire, séduire, surproduire, traduire	présent en **-s, -s, -t** ; alternance **-ui-/-uis-** ; p. simple en **-uis** ; p. passé en **-uit(e)** ; p. pst en **-uisant**
-luire	136	luire	reluire	présent en **-s, -s, -t** ; alternance **-lui-/-luis-** ; p. simple en **-luisis** ; p. passé en **-lui** ; p. pst en **-luisant**
-nuire	144	nuire	s'entrenuire, s'entre-nuire	présent en **-s, -s, -t** ; p. simple en **-nuisis** ; p. passé en **-nui** ; p. pst en **-nuisant**
-truire	119	construire	s'autodétruire, déconstruire, détruire, s'entre-détruire, instruire, reconstruire	présent en **-s, -s, -t** ; p. simple en **-truisis** ; p. passé en **-truit(e)** ; p. pst en **-truisant**

3ᵉ groupe

-clure, -rompre, -suivre, -vaincre, -vivre				
-clure	115	conclure	exclure, inclure, occlure	présent en **-s, -s, -t** ; p. simple en **-clus** ; p. passé en **-clu(e)**, sauf in**clus(e)**, oc**clus(e)** ; p. pst en **-cluant**
-rompre	160	rompre	corrompre, interrompre	présent en **-s, -s, -t** ; p. simple en **-rompis** ; p. passé en **-rompu(e)** ; p. pst en **-rompant**
-suivre	166	suivre	poursuivre	présent en **-s, -s, -t** ; alternance **-sui-/-suiv-** ; p. simple en **-suivis** ; p. passé en **-suivi(e)** ; p. pst en **-suivant**
-vaincre	173	vaincre	convaincre	présent en **-cs, -cs, -c** ; alternance **-vainc-/-vainqu-** ; p. simple en **-vainquis** ; p. passé en **-vaincu(e)** ; p. pst en **-vainquant**
-vivre	178	vivre	revivre, survivre	présent en **-s, -s, -t** ; alternance **-vi-/-viv-/-véc-** ; p. simple en **-vécus** ; p. passé en **-vécu(e)** ; p. pst en **-vivant**

● *VERBE MODÈLE DU 3e GROUPE EN -ER*

verbe en	n°	modèle	autres verbes	particularités orthographiques
aller	108			présent en **vais, vas, va, allons, allez, vont** ; alternance **va(i)-/-all-/-ir-/-aill-** ; p. simple **allai** ; p. passé **allé(e)** ; p. pst **allant**

▶ Se conjugue sur le modèle d'*absoudre* : *dissoudre*.
▶ Les anciennes formes du participe passé *absolu(e)* et *dissolu(e)* ne subsistent plus que sous la forme d'adjectifs qualificatifs, respectivement au sens de « sans restriction, sans réserve » et « débauché, corrompu ».

absoudre

INDICATIF

Présent		Imparfait		Passé composé			Plus-que-parfait		
j'	absous	j'	absolvais	j'	ai	absous	j'	avais	absous
tu	absous	tu	absolvais	tu	as	absous	tu	avais	absous
il, elle	absout	il, elle	absolvait	il, elle	a	absous	il, elle	avait	absous
nous	absolvons	nous	absolvions	nous	avons	absous	nous	avions	absous
vous	absolvez	vous	absolviez	vous	avez	absous	vous	aviez	absous
ils, elles	absolvent	ils, elles	absolvaient	ils, elles	ont	absous	ils, elles	avaient	absous

Passé simple (rare)		Futur simple		Passé antérieur			Futur antérieur		
j'	absolus	j'	absoudrai	j'	eus	absous	j'	aurai	absous
tu	absolus	tu	absoudras	tu	eus	absous	tu	auras	absous
il, elle	absolut	il, elle	absoudra	il, elle	eut	absous	il, elle	aura	absous
nous	absolûmes	nous	absoudrons	nous	eûmes	absous	nous	aurons	absous
vous	absolûtes	vous	absoudrez	vous	eûtes	absous	vous	aurez	absous
ils, elles	absolurent	ils, elles	absoudront	ils, elles	eurent	absous	ils, elles	auront	absous

SUBJONCTIF

Présent		Imparfait (rare)		Passé			Plus-que-parfait		
Il faut *que...*		Il fallait *que...*		Il faut *que...*			Il fallait *que...*		
j'	absolve	j'	absolusse	j'	aie	absous	j'	eusse	absous
tu	absolves	tu	absolusses	tu	aies	absous	tu	eusses	absous
il, elle	absolve	il, elle	absolût	il, elle	ait	absous	il, elle	eût	absous
nous	absolvions	nous	absolussions	nous	ayons	absous	nous	eussions	absous
vous	absolviez	vous	absolussiez	vous	ayez	absous	vous	eussiez	absous
ils, elles	absolvent	ils, elles	absolussent	ils, elles	aient	absous	ils, elles	eussent	absous

CONDITIONNEL

Présent		Passé 1re forme			Passé 2e forme		
j'	absoudrais	j'	aurais	absous	j'	eusse	absous
tu	absoudrais	tu	aurais	absous	tu	eusses	absous
il, elle	absoudrait	il, elle	aurait	absous	il, elle	eût	absous
nous	absoudrions	nous	aurions	absous	nous	eussions	absous
vous	absoudriez	vous	auriez	absous	vous	eussiez	absous
ils, elles	absoudraient	ils, elles	auraient	absous	ils, elles	eussent	absous

IMPÉRATIF

Présent	Passé
absous	aie absous
absolvons	ayons absous
absolvez	ayez absous

INFINITIF

Présent	Passé
absoudre	avoir absous

PARTICIPE

Présent	Passé
absolvant	absous, absoute
	ayant absous

3e groupe

î reste î, lorsqu'il est suivi d'un **t**, c'est-à-dire :
- à l'infinitif ;
- à la 3e personne du singulier du présent de l'indicatif ;
- à toutes les personnes du futur simple de l'indicatif et du présent du conditionnel.
▶ Se conjuguent sur le modèle d'*accroître* : *décroître* (*être* ou *avoir*), *recroître*.
▶ Le participe passé du verbe *recroître* prend un accent circonflexe sur le **u** au masculin singulier : *recrû*.

accroître

INDICATIF

Présent		Imparfait		Passé composé			Plus-que-parfait		
j'	accrois	j'	accroissais	j'	ai	accru	j'	avais	accru
tu	accrois	tu	accroissais	tu	as	accru	tu	avais	accru
il, elle	accroît	il, elle	accroissait	il, elle	a	accru	il, elle	avait	accru
nous	accroissons	nous	accroissions	nous	avons	accru	nous	avions	accru
vous	accroissez	vous	accroissiez	vous	avez	accru	vous	aviez	accru
ils, elles	accroissent	ils, elles	accroissaient	ils, elles	ont	accru	ils, elles	avaient	accru

Passé simple		Futur simple		Passé antérieur			Futur antérieur		
j'	accrus	j'	accroîtrai	j'	eus	accru	j'	aurai	accru
tu	accrus	tu	accroîtras	tu	eus	accru	tu	auras	accru
il, elle	accrut	il, elle	accroîtra	il, elle	eut	accru	il, elle	aura	accru
nous	accrûmes	nous	accroîtrons	nous	eûmes	accru	nous	aurons	accru
vous	accrûtes	vous	accroîtrez	vous	eûtes	accru	vous	aurez	accru
ils, elles	accrurent	ils, elles	accroîtront	ils, elles	eurent	accru	ils, elles	auront	accru

SUBJONCTIF

Présent		Imparfait		Passé			Plus-que-parfait		
Il faut *que...*		Il fallait *que...*		Il faut *que...*			Il fallait *que...*		
j'	accroisse	j'	accrusse	j'	aie	accru	j'	eusse	accru
tu	accroisses	tu	accrusses	tu	aies	accru	tu	eusses	accru
il, elle	accroisse	il, elle	accrût	il, elle	ait	accru	il, elle	eût	accru
nous	accroissions	nous	accrussions	nous	ayons	accru	nous	eussions	accru
vous	accroissiez	vous	accrussiez	vous	ayez	accru	vous	eussiez	accru
ils, elles	accroissent	ils, elles	accrussent	ils, elles	aient	accru	ils, elles	eussent	accru

CONDITIONNEL

Présent		Passé 1re forme			Passé 2e forme		
j'	accroîtrais	j'	aurais	accru	j'	eusse	accru
tu	accroîtrais	tu	aurais	accru	tu	eusses	accru
il, elle	accroîtrait	il, elle	aurait	accru	il, elle	eût	accru
nous	accroîtrions	nous	aurions	accru	nous	eussions	accru
vous	accroîtriez	vous	auriez	accru	vous	eussiez	accru
ils, elles	accroîtraient	ils, elles	auraient	accru	ils, elles	eussent	accru

IMPÉRATIF

Présent	Passé
accrois	aie accru
accroissons	ayons accru
accroissez	ayez accru

INFINITIF

Présent	Passé
accroître	avoir accru

PARTICIPE

Présent	Passé
accroissant	accru(e)
	ayant accru

3e groupe

▶ Se conjuguent sur le modèle d'*acquérir* : con**quérir**, s'en**quérir** (pronominal avec l'auxiliaire *être*), recon**quérir**, re**quérir**.

acquérir

INDICATIF

Présent		Imparfait		Passé composé			Plus-que-parfait		
j'	acquiers	j'	acquérais	j'	ai	acquis	j'	avais	acquis
tu	acquiers	tu	acquérais	tu	as	acquis	tu	avais	acquis
il, elle	acquiert	il, elle	acquérait	il, elle	a	acquis	il, elle	avait	acquis
nous	acquérons	nous	acquérions	nous	avons	acquis	nous	avions	acquis
vous	acquérez	vous	acquériez	vous	avez	acquis	vous	aviez	acquis
ils, elles	acquièrent	ils, elles	acquéraient	ils, elles	ont	acquis	ils, elles	avaient	acquis

Passé simple		Futur simple		Passé antérieur			Futur antérieur		
j'	acquis	j'	acquerrai	j'	eus	acquis	j'	aurai	acquis
tu	acquis	tu	acquerras	tu	eus	acquis	tu	auras	acquis
il, elle	acquit	il, elle	acquerra	il, elle	eut	acquis	il, elle	aura	acquis
nous	acquîmes	nous	acquerrons	nous	eûmes	acquis	nous	aurons	acquis
vous	acquîtes	vous	acquerrez	vous	eûtes	acquis	vous	aurez	acquis
ils, elles	acquirent	ils, elles	acquerront	ils, elles	eurent	acquis	ils, elles	auront	acquis

SUBJONCTIF

Présent		Imparfait		Passé			Plus-que-parfait		
Il faut que...		*Il fallait que...*		*Il faut que...*			*Il fallait que...*		
j'	acquière	j'	acquisse	j'	aie	acquis	j'	eusse	acquis
tu	acquières	tu	acquisses	tu	aies	acquis	tu	eusses	acquis
il, elle	acquière	il, elle	acquît	il, elle	ait	acquis	il, elle	eût	acquis
nous	acquérions	nous	acquissions	nous	ayons	acquis	nous	eussions	acquis
vous	acquériez	vous	acquissiez	vous	ayez	acquis	vous	eussiez	acquis
ils, elles	acquièrent	ils, elles	acquissent	ils, elles	aient	acquis	ils, elles	eussent	acquis

CONDITIONNEL

Présent		Passé 1re forme			Passé 2e forme		
j'	acquerrais	j'	aurais	acquis	j'	eusse	acquis
tu	acquerrais	tu	aurais	acquis	tu	eusses	acquis
il, elle	acquerrait	il, elle	aurait	acquis	il, elle	eût	acquis
nous	acquerrions	nous	aurions	acquis	nous	eussions	acquis
vous	acquerriez	vous	auriez	acquis	vous	eussiez	acquis
ils, elles	acquerraient	ils, elles	auraient	acquis	ils, elles	eussent	acquis

IMPÉRATIF

Présent	Passé
acquiers	aie acquis
acquérons	ayons acquis
acquérez	ayez acquis

INFINITIF

Présent	Passé
acquérir	avoir acquis

PARTICIPE

Présent	Passé
acquérant	acquis(e)
	ayant acquis

3e groupe

▶ Malgré son infinitif en **-er**, le verbe *aller* appartient au 3e groupe.

aller

Présent		Imparfait		Passé composé			Plus-que-parfait		
je	vais	j'	allais	je	suis	allé(e)	j'	étais	allé(e)
tu	vas	tu	allais	tu	es	allé(e)	tu	étais	allé(e)
il, elle	va	il, elle	allait	il, elle	est	allé(e)	il, elle	était	allé(e)
nous	allons	nous	allions	nous	sommes	allé(e)s	nous	étions	allé(e)s
vous	allez	vous	alliez	vous	êtes	allé(e)s	vous	étiez	allé(e)s
ils, elles	vont	ils, elles	allaient	ils, elles	sont	allé(e)s	ils, elles	étaient	allé(e)s

Passé simple		Futur simple		Passé antérieur			Futur antérieur		
j'	allai	j'	irai	je	fus	allé(e)	je	serai	allé(e)
tu	allas	tu	iras	tu	fus	allé(e)	tu	seras	allé(e)
il, elle	alla	il, elle	ira	il, elle	fut	allé(e)	il, elle	sera	allé(e)
nous	allâmes	nous	irons	nous	fûmes	allé(e)s	nous	serons	allé(e)s
vous	allâtes	vous	irez	vous	fûtes	allé(e)s	vous	serez	allé(e)s
ils, elles	allèrent	ils, elles	iront	ils, elles	furent	allé(e)s	ils, elles	seront	allé(e)s

Présent		Imparfait		Passé			Plus-que-parfait		
*Il faut **que**...*		*Il fallait **que**...*		*Il faut **que**...*			*Il fallait **que**...*		
j'	aille	j'	allasse	je	sois	allé(e)	je	fusse	allé(e)
tu	ailles	tu	allasses	tu	sois	allé(e)	tu	fusses	allé(e)
il, elle	aille	il, elle	allât	il, elle	soit	allé(e)	il, elle	fût	allé(e)
nous	allions	nous	allassions	nous	soyons	allé(e)s	nous	fussions	allé(e)s
vous	alliez	vous	allassiez	vous	soyez	allé(e)s	vous	fussiez	allé(e)s
ils, elles	aillent	ils, elles	allassent	ils, elles	soient	allé(e)s	ils, elles	fussent	allé(e)s

Présent		Passé 1re forme			Passé 2e forme		
j'	irais	je	serais	allé(e)	je	fusse	allé(e)
tu	irais	tu	serais	allé(e)	tu	fusses	allé(e)
il, elle	irait	il, elle	serait	allé(e)	il, elle	fût	allé(e)
nous	irions	nous	serions	allé(e)s	nous	fussions	allé(e)s
vous	iriez	vous	seriez	allé(e)s	vous	fussiez	allé(e)s
ils, elles	iraient	ils, elles	seraient	allé(e)s	ils, elles	fussent	allé(e)s

Présent	Passé	Présent	Passé	Présent	Passé
va	sois allé(e)	aller	être allé(e)	allant	allé(e)
allons	soyons allé(e)s				étant allé(e)
allez	soyez allé(e)s				

- y devient **yi** aux 1res et 2es personnes du pluriel de l'imparfait de l'indicatif et du présent du subjonctif.
- ▶ Se conjugue sur le modèle d'*asseoir* : *rasseoir*.

asseoir

INDICATIF

Présent		**Imparfait**		**Passé composé**			**Plus-que-parfait**		
j'	assois/assieds	j'	assoyais/asseyais	j'	ai	assis	j'	avais	assis
tu	assois/assieds	tu	assoyais/asseyais	tu	as	assis	tu	avais	assis
il, elle	assoit/assied	il, elle	assoyait/asseyait	il, elle	a	assis	il, elle	avait	assis
nous	assoyons/asseyons	nous	assoyions/asseyions	nous	avons	assis	nous	avions	assis
vous	assoyez/asseyez	vous	assoyiez/asseyiez	vous	avez	assis	vous	aviez	assis
ils, elles	assoient/asseyent	ils, elles	assoyaient/asseyaient	ils, elles	ont	assis	ils, elles	avaient	assis

Passé simple		**Futur simple**		**Passé antérieur**			**Futur antérieur**		
j'	assis	j'	assoirai/assiérai	j'	eus	assis	j'	aurai	assis
tu	assis	tu	assoiras/assiéras	tu	eus	assis	tu	auras	assis
il, elle	assit	il, elle	assoira/assiéra	il, elle	eut	assis	il, elle	aura	assis
nous	assîmes	nous	assoirons/assiérons	nous	eûmes	assis	nous	aurons	assis
vous	assîtes	vous	assoirez/assiérez	vous	eûtes	assis	vous	aurez	assis
ils, elles	assirent	ils, elles	assoiront/assiéront	ils, elles	eurent	assis	ils, elles	auront	assis

SUBJONCTIF

Présent		**Imparfait**		**Passé**			**Plus-que-parfait**		
Il faut que...		*Il fallait que...*		*Il faut que...*			*Il fallait que...*		
j'	assoie/asseye	j'	assisse	j'	aie	assis	j'	eusse	assis
tu	assoies/asseyes	tu	assisses	tu	aies	assis	tu	eusses	assis
il, elle	assoie/asseye	il, elle	assît	il, elle	ait	assis	il, elle	eût	assis
nous	assoyions/asseyions	nous	assissions	nous	ayons	assis	nous	eussions	assis
vous	assoyiez/asseyiez	vous	assissiez	vous	ayez	assis	vous	eussiez	assis
ils, elles	assoient/asseyent	ils, elles	assissent	ils, elles	aient	assis	ils, elles	eussent	assis

CONDITIONNEL

Présent		**Passé 1re forme**			**Passé 2e forme**		
j'	assoirais/assiérais	j'	aurais	assis	j'	eusse	assis
tu	assoirais/assiérais	tu	aurais	assis	tu	eusses	assis
il, elle	assoirait/assiérait	il, elle	aurait	assis	il, elle	eût	assis
nous	assoirions/assiérions	nous	aurions	assis	nous	eussions	assis
vous	assoiriez/assiériez	vous	auriez	assis	vous	eussiez	assis
ils, elles	assoiraient/assiéraient	ils, elles	auraient	assis	ils, elles	eussent	assis

IMPÉRATIF

Présent	**Passé**
assois/assieds	aie assis
assoyons/asseyons	ayons assis
assoyez/asseyez	ayez assis

INFINITIF

Présent	**Passé**
asseoir	avoir assis

PARTICIPE

Présent	**Passé**
assoyant/asseyant	assis(e)
	ayant assis

3e groupe

VERBES EN -reindre

- **gn** devient **gni** aux 1res et 2es personnes du pluriel de l'imparfait de l'indicatif et du présent du subjonctif.
▶ Se conjuguent sur le modèle d'*astreindre* : *empreindre, enfreindre, étreindre, restreindre, rétreindre*.

astreindre

INDICATIF

Présent		Imparfait		Passé composé			Plus-que-parfait		
j'	astreins	j'	astreignais	j'	ai	astreint	j'	avais	astreint
tu	astreins	tu	astreignais	tu	as	astreint	tu	avais	astreint
il, elle	astreint	il, elle	astreignait	il, elle	a	astreint	il, elle	avait	astreint
nous	astreignons	nous	astreignions	nous	avons	astreint	nous	avions	astreint
vous	astreignez	vous	astreigniez	vous	avez	astreint	vous	aviez	astreint
ils, elles	astreignent	ils, elles	astreignaient	ils, elles	ont	astreint	ils, elles	avaient	astreint

Passé simple		Futur simple		Passé antérieur			Futur antérieur		
j'	astreignis	j'	astreindrai	j'	eus	astreint	j'	aurai	astreint
tu	astreignis	tu	astreindras	tu	eus	astreint	tu	auras	astreint
il, elle	astreignit	il, elle	astreindra	il, elle	eut	astreint	il, elle	aura	astreint
nous	astreignîmes	nous	astreindrons	nous	eûmes	astreint	nous	aurons	astreint
vous	astreignîtes	vous	astreindrez	vous	eûtes	astreint	vous	aurez	astreint
ils, elles	astreignirent	ils, elles	astreindront	ils, elles	eurent	astreint	ils, elles	auront	astreint

SUBJONCTIF

Présent		Imparfait		Passé			Plus-que-parfait		
Il faut que...		Il fallait que...		Il faut que...			Il fallait que...		
j'	astreigne	j'	astreignisse	j'	aie	astreint	j'	eusse	astreint
tu	astreignes	tu	astreignisses	tu	aies	astreint	tu	eusses	astreint
il, elle	astreigne	il, elle	astreignît	il, elle	ait	astreint	il, elle	eût	astreint
nous	astreignions	nous	astreignissions	nous	ayons	astreint	nous	eussions	astreint
vous	astreigniez	vous	astreignissiez	vous	ayez	astreint	vous	eussiez	astreint
ils, elles	astreignent	ils, elles	astreignissent	ils, elles	aient	astreint	ils, elles	eussent	astreint

CONDITIONNEL

Présent		Passé 1re forme			Passé 2e forme		
j'	astreindrais	j'	aurais	astreint	j'	eusse	astreint
tu	astreindrais	tu	aurais	astreint	tu	eusses	astreint
il, elle	astreindrait	il, elle	aurait	astreint	il, elle	eût	astreint
nous	astreindrions	nous	aurions	astreint	nous	eussions	astreint
vous	astreindriez	vous	auriez	astreint	vous	eussiez	astreint
ils, elles	astreindraient	ils, elles	auraient	astreint	ils, elles	eussent	astreint

IMPÉRATIF

Présent	Passé
astreins	aie astreint
astreignons	ayons astreint
astreignez	ayez astreint

INFINITIF

Présent	Passé
astreindre	avoir astreint

PARTICIPE

Présent	Passé
astreignant	astreint(e)
	ayant astreint

3e groupe

▶ Se conjuguent sur le modèle de *battre* : *abattre*, *combattre*, *contrebattre*, *débattre*, *s'ébattre* (pronominal avec l'auxiliaire *être*), *embattre*, *s'entrebattre* (pronominal avec l'auxiliaire *être*), *rabattre*, *rebattre*, *soubattre*.

battre

INDICATIF

Présent		Imparfait		Passé composé			Plus-que-parfait		
je	bats	je	battais	j'	ai	battu	j'	avais	battu
tu	bats	tu	battais	tu	as	battu	tu	avais	battu
il, elle	bat	il, elle	battait	il, elle	a	battu	il, elle	avait	battu
nous	battons	nous	battions	nous	avons	battu	nous	avions	battu
vous	battez	vous	battiez	vous	avez	battu	vous	aviez	battu
ils, elles	battent	ils, elles	battaient	ils, elles	ont	battu	ils, elles	avaient	battu

Passé simple		Futur simple		Passé antérieur			Futur antérieur		
je	battis	je	battrai	j'	eus	battu	j'	aurai	battu
tu	battis	tu	battras	tu	eus	battu	tu	auras	battu
il, elle	battit	il, elle	battra	il, elle	eut	battu	il, elle	aura	battu
nous	battîmes	nous	battrons	nous	eûmes	battu	nous	aurons	battu
vous	battîtes	vous	battrez	vous	eûtes	battu	vous	aurez	battu
ils, elles	battirent	ils, elles	battront	ils, elles	eurent	battu	ils, elles	auront	battu

SUBJONCTIF

Présent		Imparfait		Passé			Plus-que-parfait		
Il faut que...		*Il fallait que...*		*Il faut que...*			*Il fallait que...*		
je	batte	je	battisse	j'	aie	battu	j'	eusse	battu
tu	battes	tu	battisses	tu	aies	battu	tu	eusses	battu
il, elle	batte	il, elle	battît	il, elle	ait	battu	il, elle	eût	battu
nous	battions	nous	battissions	nous	ayons	battu	nous	eussions	battu
vous	battiez	vous	battissiez	vous	ayez	battu	vous	eussiez	battu
ils, elles	battent	ils, elles	battissent	ils, elles	aient	battu	ils, elles	eussent	battu

CONDITIONNEL

Présent		Passé 1re forme			Passé 2e forme		
je	battrais	j'	aurais	battu	j'	eusse	battu
tu	battrais	tu	aurais	battu	tu	eusses	battu
il, elle	battrait	il, elle	aurait	battu	il, elle	eût	battu
nous	battrions	nous	aurions	battu	nous	eussions	battu
vous	battriez	vous	auriez	battu	vous	eussiez	battu
ils, elles	battraient	ils, elles	auraient	battu	ils, elles	eussent	battu

IMPÉRATIF

Présent	Passé
bats	aie battu
battons	ayons battu
battez	ayez battu

INFINITIF

Présent	Passé
battre	avoir battu

PARTICIPE

Présent	Passé
battant	battu(e)
	ayant battu

3e groupe

▶ Se conjugue sur le modèle de boire : *emboire*.

boire

INDICATIF

Présent		Imparfait		Passé composé			Plus-que-parfait		
je	bois	je	buvais	j'	ai	bu	j'	avais	bu
tu	bois	tu	buvais	tu	as	bu	tu	avais	bu
il, elle	boit	il, elle	buvait	il, elle	a	bu	il, elle	avait	bu
nous	buvons	nous	buvions	nous	avons	bu	nous	avions	bu
vous	buvez	vous	buviez	vous	avez	bu	vous	aviez	bu
ils, elles	boivent	ils, elles	buvaient	ils, elles	ont	bu	ils, elles	avaient	bu

Passé simple		Futur simple		Passé antérieur			Futur antérieur		
je	bus	je	boirai	j'	eus	bu	j'	aurai	bu
tu	bus	tu	boiras	tu	eus	bu	tu	auras	bu
il, elle	but	il, elle	boira	il, elle	eut	bu	il, elle	aura	bu
nous	bûmes	nous	boirons	nous	eûmes	bu	nous	aurons	bu
vous	bûtes	vous	boirez	vous	eûtes	bu	vous	aurez	bu
ils, elles	burent	ils, elles	boiront	ils, elles	eurent	bu	ils, elles	auront	bu

SUBJONCTIF

Présent		Imparfait		Passé			Plus-que-parfait		
Il faut que...		*Il fallait que...*		*Il faut que...*			*Il fallait que...*		
je	boive	je	busse	j'	aie	bu	j'	eusse	bu
tu	boives	tu	busses	tu	aies	bu	tu	eusses	bu
il, elle	boive	il, elle	bût	il, elle	ait	bu	il, elle	eût	bu
nous	buvions	nous	bussions	nous	ayons	bu	nous	eussions	bu
vous	buviez	vous	bussiez	vous	ayez	bu	vous	eussiez	bu
ils, elles	boivent	ils, elles	bussent	ils, elles	aient	bu	ils, elles	eussent	bu

CONDITIONNEL

Présent		Passé 1re forme			Passé 2e forme		
je	boirais	j'	aurais	bu	j'	eusse	bu
tu	boirais	tu	aurais	bu	tu	eusses	bu
il, elle	boirait	il, elle	aurait	bu	il, elle	eût	bu
nous	boirions	nous	aurions	bu	nous	eussions	bu
vous	boiriez	vous	auriez	bu	vous	eussiez	bu
ils, elles	boiraient	ils, elles	auraient	bu	ils, elles	eussent	bu

IMPÉRATIF

Présent	Passé
bois	aie bu
buvons	ayons bu
buvez	ayez bu

INFINITIF

Présent	Passé
boire	avoir bu

PARTICIPE

Présent	Passé
buvant	bu(e)
	ayant bu

3e groupe

Il devient **lli** aux 1ʳᵉˢ et 2ᵉˢ personnes du pluriel de l'imparfait de l'indicatif et du présent du subjonctif.
► Se conjuguent sur le modèle de *bouillir* : dé**bouillir**, re**bouillir**.

bouillir

INDICATIF

Présent		Imparfait		Passé composé			Plus-que-parfait		
je	**bous**	je	**bouillais**	j'	ai	bouilli	j'	avais	bouilli
tu	**bous**	tu	**bouillais**	tu	as	bouilli	tu	avais	bouilli
il, elle	**bout**	il, elle	**bouillait**	il, elle	a	bouilli	il, elle	avait	bouilli
nous	**bouillons**	nous	**bouillions**	nous	avons	bouilli	nous	avions	bouilli
vous	**bouillez**	vous	**bouilliez**	vous	avez	bouilli	vous	aviez	bouilli
ils, elles	**bouillent**	ils, elles	**bouillaient**	ils, elles	ont	bouilli	ils, elles	avaient	bouilli

Passé simple		Futur simple		Passé antérieur			Futur antérieur		
je	**bouillis**	je	**bouillirai**	j'	eus	bouilli	j'	aurai	bouilli
tu	**bouillis**	tu	**bouilliras**	tu	eus	bouilli	tu	auras	bouilli
il, elle	**bouillit**	il, elle	**bouillira**	il, elle	eut	bouilli	il, elle	aura	bouilli
nous	**bouillîmes**	nous	**bouillirons**	nous	eûmes	bouilli	nous	aurons	bouilli
vous	**bouillîtes**	vous	**bouillirez**	vous	eûtes	bouilli	vous	aurez	bouilli
ils, elles	**bouillirent**	ils, elles	**bouilliront**	ils, elles	eurent	bouilli	ils, elles	auront	bouilli

SUBJONCTIF

Présent		Imparfait		Passé			Plus-que-parfait		
Il faut que...		*Il fallait que...*		*Il faut que...*			*Il fallait que...*		
je	**bouille**	je	**bouillisse**	j'	aie	bouilli	j'	eusse	bouilli
tu	**bouilles**	tu	**bouillisses**	tu	aies	bouilli	tu	eusses	bouilli
il, elle	**bouille**	il, elle	**bouillît**	il, elle	ait	bouilli	il, elle	eût	bouilli
nous	**bouillions**	nous	**bouillissions**	nous	ayons	bouilli	nous	eussions	bouilli
vous	**bouilliez**	vous	**bouillissiez**	vous	ayez	bouilli	vous	eussiez	bouilli
ils, elles	**bouillent**	ils, elles	**bouillissent**	ils, elles	aient	bouilli	ils, elles	eussent	bouilli

CONDITIONNEL

Présent		Passé 1ʳᵉ forme			Passé 2ᵉ forme		
je	**bouillirais**	j'	aurais	bouilli	j'	eusse	bouilli
tu	**bouillirais**	tu	aurais	bouilli	tu	eusses	bouilli
il, elle	**bouillirait**	il, elle	aurait	bouilli	il, elle	eût	bouilli
nous	**bouillirions**	nous	aurions	bouilli	nous	eussions	bouilli
vous	**bouilliriez**	vous	auriez	bouilli	vous	eussiez	bouilli
ils, elles	**bouilliraient**	ils, elles	auraient	bouilli	ils, elles	eussent	bouilli

IMPÉRATIF

Présent	Passé
bous	aie bouilli
bouillons	ayons bouilli
bouillez	ayez bouilli

INFINITIF

Présent	Passé
bouillir	avoir bouilli

PARTICIPE

Présent	Passé
bouillant	**bouilli(e)**
	ayant bouilli

3ᵉ groupe

circoncire

INDICATIF

Présent		Imparfait		Passé composé			Plus-que-parfait		
je	circoncis	je	circoncisais	j'	ai	circoncis	j'	avais	circoncis
tu	circoncis	tu	circoncisais	tu	as	circoncis	tu	avais	circoncis
il, elle	circoncit	il, elle	circoncisait	il, elle	a	circoncis	il, elle	avait	circoncis
nous	circoncisons	nous	circoncisions	nous	avons	circoncis	nous	avions	circoncis
vous	circoncisez	vous	circoncisiez	vous	avez	circoncis	vous	aviez	circoncis
ils, elles	circoncisent	ils, elles	circoncisaient	ils, elles	ont	circoncis	ils, elles	avaient	circoncis

Passé simple		Futur simple		Passé antérieur			Futur antérieur		
je	circoncis	je	circoncirai	j'	eus	circoncis	j'	aurai	circoncis
tu	circoncis	tu	circonciras	tu	eus	circoncis	tu	auras	circoncis
il, elle	circoncit	il, elle	circoncira	il, elle	eut	circoncis	il, elle	aura	circoncis
nous	circoncîmes	nous	circoncirons	nous	eûmes	circoncis	nous	aurons	circoncis
vous	circoncîtes	vous	circoncirez	vous	eûtes	circoncis	vous	aurez	circoncis
ils, elles	circoncirent	ils, elles	circonciront	ils, elles	eurent	circoncis	ils, elles	auront	circoncis

SUBJONCTIF

Présent		Imparfait		Passé			Plus-que-parfait		
Il faut que...		Il fallait que...		Il faut que...			Il fallait que...		
je	circoncise	je	circoncisse	j'	aie	circoncis	j'	eusse	circoncis
tu	circoncises	tu	circoncisses	tu	aies	circoncis	tu	eusses	circoncis
il, elle	circoncise	il, elle	circoncît	il, elle	ait	circoncis	il, elle	eût	circoncis
nous	circoncisions	nous	circoncissions	nous	ayons	circoncis	nous	eussions	circoncis
vous	circoncisiez	vous	circoncissiez	vous	ayez	circoncis	vous	eussiez	circoncis
ils, elles	circoncisent	ils, elles	circoncissent	ils, elles	aient	circoncis	ils, elles	eussent	circoncis

CONDITIONNEL

Présent		Passé 1re forme			Passé 2e forme		
je	circoncirais	j'	aurais	circoncis	j'	eusse	circoncis
tu	circoncirais	tu	aurais	circoncis	tu	eusses	circoncis
il, elle	circoncirait	il, elle	aurait	circoncis	il, elle	eût	circoncis
nous	circoncirions	nous	aurions	circoncis	nous	eussions	circoncis
vous	circonciriez	vous	auriez	circoncis	vous	eussiez	circoncis
ils, elles	circonciraient	ils, elles	auraient	circoncis	ils, elles	eussent	circoncis

IMPÉRATIF

Présent	Passé
circoncis	aie circoncis
circoncisons	ayons circoncis
circoncisez	ayez circoncis

INFINITIF

Présent	Passé
circoncire	avoir circoncis

PARTICIPE

Présent	Passé
circoncisant	circoncis(e)
	ayant circoncis

▶ Se conjuguent sur le modèle de *conclure* : *exclure, inclure, occlure.*
▶ Les participes passés des verbes inclure et occlure sont, respectivement, *inclus(e)* et oc*clus(e)*.

conclure

INDICATIF

Présent		Imparfait		Passé composé			Plus-que-parfait		
je	conclus	je	concluais	j'	ai	conclu	j'	avais	conclu
tu	conclus	tu	concluais	tu	as	conclu	tu	avais	conclu
il, elle	conclut	il, elle	concluait	il, elle	a	conclu	il, elle	avait	conclu
nous	concluons	nous	concluions	nous	avons	conclu	nous	avions	conclu
vous	concluez	vous	concluiez	vous	avez	conclu	vous	aviez	conclu
ils, elles	concluent	ils, elles	concluaient	ils, elles	ont	conclu	ils, elles	avaient	conclu

Passé simple		Futur simple		Passé antérieur			Futur antérieur		
je	conclus	je	conclurai	j'	eus	conclu	j'	aurai	conclu
tu	conclus	tu	concluras	tu	eus	conclu	tu	auras	conclu
il, elle	conclut	il, elle	conclura	il, elle	eut	conclu	il, elle	aura	conclu
nous	conclûmes	nous	conclurons	nous	eûmes	conclu	nous	aurons	conclu
vous	conclûtes	vous	conclurez	vous	eûtes	conclu	vous	aurez	conclu
ils, elles	conclurent	ils, elles	concluront	ils, elles	eurent	conclu	ils, elles	auront	conclu

SUBJONCTIF

Présent *Il faut que...*		Imparfait *Il fallait que...*		Passé *Il faut que...*			Plus-que-parfait *Il fallait que...*		
je	conclue	je	conclusse	j'	aie	conclu	j'	eusse	conclu
tu	conclues	tu	conclusses	tu	aies	conclu	tu	eusses	conclu
il, elle	conclue	il, elle	conclût	il, elle	ait	conclu	il, elle	eût	conclu
nous	concluions	nous	conclussions	nous	ayons	conclu	nous	eussions	conclu
vous	concluiez	vous	conclussiez	vous	ayez	conclu	vous	eussiez	conclu
ils, elles	concluent	ils, elles	conclussent	ils, elles	aient	conclu	ils, elles	eussent	conclu

CONDITIONNEL

Présent		Passé 1re forme			Passé 2e forme		
je	conclurais	j'	aurais	conclu	j'	eusse	conclu
tu	conclurais	tu	aurais	conclu	tu	eusses	conclu
il, elle	conclurait	il, elle	aurait	conclu	il, elle	eût	conclu
nous	conclurions	nous	aurions	conclu	nous	eussions	conclu
vous	concluriez	vous	auriez	conclu	vous	eussiez	conclu
ils, elles	concluraient	ils, elles	auraient	conclu	ils, elles	eussent	conclu

IMPÉRATIF

Présent	Passé
conclus	aie conclu
concluons	ayons conclu
concluez	ayez conclu

INFINITIF

Présent	Passé
conclure	avoir conclu

PARTICIPE

Présent	Passé
concluant	conclu(e)
	ayant conclu

3e groupe

▶ Se conjuguent sur le modèle de *conduire* : *coproduire, cuire, décuire, déduire, éconduire, enduire, induire, introduire, se méconduire* (pronominal avec l'auxiliaire *être*), *produire, reconduire, recuire, réduire, réintroduire, reproduire, retraduire, séduire, surproduire, traduire.*

conduire

INDICATIF

Présent		Imparfait		Passé composé			Plus-que-parfait		
je	conduis	je	conduisais	j'	ai	conduit	j'	avais	conduit
tu	conduis	tu	conduisais	tu	as	conduit	tu	avais	conduit
il, elle	conduit	il, elle	conduisait	il, elle	a	conduit	il, elle	avait	conduit
nous	conduisons	nous	conduisions	nous	avons	conduit	nous	avions	conduit
vous	conduisez	vous	conduisiez	vous	avez	conduit	vous	aviez	conduit
ils, elles	conduisent	ils, elles	conduisaient	ils, elles	ont	conduit	ils, elles	avaient	conduit

Passé simple		Futur simple		Passé antérieur			Futur antérieur		
je	conduisis	je	conduirai	j'	eus	conduit	j'	aurai	conduit
tu	conduisis	tu	conduiras	tu	eus	conduit	tu	auras	conduit
il, elle	conduisit	il, elle	conduira	il, elle	eut	conduit	il, elle	aura	conduit
nous	conduisîmes	nous	conduirons	nous	eûmes	conduit	nous	aurons	conduit
vous	conduisîtes	vous	conduirez	vous	eûtes	conduit	vous	aurez	conduit
ils, elles	conduisirent	ils, elles	conduiront	ils, elles	eurent	conduit	ils, elles	auront	conduit

SUBJONCTIF

Présent *Il faut que...*		Imparfait *Il fallait que...*		Passé *Il faut que...*			Plus-que-parfait *Il fallait que...*		
je	conduise	je	conduisisse	j'	aie	conduit	j'	eusse	conduit
tu	conduises	tu	conduisisses	tu	aies	conduit	tu	eusses	conduit
il, elle	conduise	il, elle	conduisît	il, elle	ait	conduit	il, elle	eût	conduit
nous	conduisions	nous	conduisissions	nous	ayons	conduit	nous	eussions	conduit
vous	conduisiez	vous	conduisissiez	vous	ayez	conduit	vous	eussiez	conduit
ils, elles	conduisent	ils, elles	conduisissent	ils, elles	aient	conduit	ils, elles	eussent	conduit

CONDITIONNEL

Présent		Passé 1re forme			Passé 2e forme		
je	conduirais	j'	aurais	conduit	j'	eusse	conduit
tu	conduirais	tu	aurais	conduit	tu	eusses	conduit
il, elle	conduirait	il, elle	aurait	conduit	il, elle	eût	conduit
nous	conduirions	nous	aurions	conduit	nous	eussions	conduit
vous	conduiriez	vous	auriez	conduit	vous	eussiez	conduit
ils, elles	conduiraient	ils, elles	auraient	conduit	ils, elles	eussent	conduit

IMPÉRATIF

Présent	Passé
conduis	aie conduit
conduisons	ayons conduit
conduisez	ayez conduit

INFINITIF

Présent	Passé
conduire	avoir conduit

PARTICIPE

Présent	Passé
conduisant	conduit(e)
	ayant conduit

3e groupe

▶ Se conjugue sur le modèle de *confire* : dé**confire**.

confire

INDICATIF

Présent		Imparfait		Passé composé			Plus-que-parfait		
je	confis	je	confisais	j'	ai	confit	j'	avais	confit
tu	confis	tu	confisais	tu	as	confit	tu	avais	confit
il, elle	confit	il, elle	confisait	il, elle	a	confit	il, elle	avait	confit
nous	confisons	nous	confisions	nous	avons	confit	nous	avions	confit
vous	confisez	vous	confisiez	vous	avez	confit	vous	aviez	confit
ils, elles	confisent	ils, elles	confisaient	ils, elles	ont	confit	ils, elles	avaient	confit

Passé simple		Futur simple		Passé antérieur			Futur antérieur		
je	confis	je	confirai	j'	eus	confit	j'	aurai	confit
tu	confis	tu	confiras	tu	eus	confit	tu	auras	confit
il, elle	confit	il, elle	confira	il, elle	eut	confit	il, elle	aura	confit
nous	confîmes	nous	confirons	nous	eûmes	confit	nous	aurons	confit
vous	confîtes	vous	confirez	vous	eûtes	confit	vous	aurez	confit
ils, elles	confirent	ils, elles	confiront	ils, elles	eurent	confit	ils, elles	auront	confit

SUBJONCTIF

Présent		Imparfait		Passé			Plus-que-parfait		
Il faut que...		*Il fallait que...*		*Il faut que...*			*Il fallait que...*		
je	confise	je	confisse	j'	aie	confit	j'	eusse	confit
tu	confises	tu	confisses	tu	aies	confit	tu	eusses	confit
il, elle	confise	il, elle	confît	il, elle	ait	confit	il, elle	eût	confit
nous	confisions	nous	confissions	nous	ayons	confit	nous	eussions	confit
vous	confisiez	vous	confissiez	vous	ayez	confit	vous	eussiez	confit
ils, elles	confisent	ils, elles	confissent	ils, elles	aient	confit	ils, elles	eussent	confit

CONDITIONNEL

Présent		Passé 1re forme			Passé 2e forme		
je	confirais	j'	aurais	confit	j'	eusse	confit
tu	confirais	tu	aurais	confit	tu	eusses	confit
il, elle	confirait	il, elle	aurait	confit	il, elle	eût	confit
nous	confirions	nous	aurions	confit	nous	eussions	confit
vous	confiriez	vous	auriez	confit	vous	eussiez	confit
ils, elles	confiraient	ils, elles	auraient	confit	ils, elles	eussent	confit

IMPÉRATIF

Présent	Passé
confis	aie confit
confisons	ayons confit
confisez	ayez confit

INFINITIF

Présent	Passé
confire	avoir confit

PARTICIPE

Présent	Passé
confisant	confit(e)
	ayant confit

3e groupe

VERBES EN -aître

i devient î lorsqu'il est suivi d'un **t**, c'est-à-dire :
- à l'infinitif ;
- à la 3e personne du singulier du présent de l'indicatif ;
- à toutes les personnes du futur simple de l'indicatif et du présent du conditionnel.
▶ Se conjuguent sur le modèle de *connaître* : *apparaître* (*être* ou *avoir*), *comparaître*, *disparaître* (*être* ou *avoir*), *méconnaître*, *paraître* (*être* ou *avoir*), *réapparaître* (*être* ou *avoir*), *recomparaître*, *reconnaître*, *repaître*, *reparaître* (*être* ou *avoir*), *transparaître* (*être* ou *avoir*).

connaître

INDICATIF

Présent		**Imparfait**		**Passé composé**			**Plus-que-parfait**		
je	connais	je	connaissais	j'	ai	connu	j'	avais	connu
tu	connais	tu	connaissais	tu	as	connu	tu	avais	connu
il, elle	connaît	il, elle	connaissait	il, elle	a	connu	il, elle	avait	connu
nous	connaissons	nous	connaissions	nous	avons	connu	nous	avions	connu
vous	connaissez	vous	connaissiez	vous	avez	connu	vous	aviez	connu
ils, elles	connaissent	ils, elles	connaissaient	ils, elles	ont	connu	ils, elles	avaient	connu

Passé simple		**Futur simple**		**Passé antérieur**			**Futur antérieur**		
je	connus	je	connaîtrai	j'	eus	connu	j'	aurai	connu
tu	connus	tu	connaîtras	tu	eus	connu	tu	auras	connu
il, elle	connut	il, elle	connaîtra	il, elle	eut	connu	il, elle	aura	connu
nous	connûmes	nous	connaîtrons	nous	eûmes	connu	nous	aurons	connu
vous	connûtes	vous	connaîtrez	vous	eûtes	connu	vous	aurez	connu
ils, elles	connurent	ils, elles	connaîtront	ils, elles	eurent	connu	ils, elles	auront	connu

SUBJONCTIF

Présent		**Imparfait**		**Passé**			**Plus-que-parfait**		
Il faut que...		*Il fallait que...*		*Il faut que...*			*Il fallait que...*		
je	connaisse	je	connusse	j'	aie	connu	j'	eusse	connu
tu	connaisses	tu	connusses	tu	aies	connu	tu	eusses	connu
il, elle	connaisse	il, elle	connût	il, elle	ait	connu	il, elle	eût	connu
nous	connaissions	nous	connussions	nous	ayons	connu	nous	eussions	connu
vous	connaissiez	vous	connussiez	vous	ayez	connu	vous	eussiez	connu
ils, elles	connaissent	ils, elles	connussent	ils, elles	aient	connu	ils, elles	eussent	connu

CONDITIONNEL

Présent		**Passé 1re forme**			**Passé 2e forme**		
je	connaîtrais	j'	aurais	connu	j'	eusse	connu
tu	connaîtrais	tu	aurais	connu	tu	eusses	connu
il, elle	connaîtrait	il, elle	aurait	connu	il, elle	eût	connu
nous	connaîtrions	nous	aurions	connu	nous	eussions	connu
vous	connaîtriez	vous	auriez	connu	vous	eussiez	connu
ils, elles	connaîtraient	ils, elles	auraient	connu	ils, elles	eussent	connu

IMPÉRATIF

Présent	**Passé**
connais	aie connu
connaissons	ayons connu
connaissez	ayez connu

INFINITIF

Présent	**Passé**
connaître	avoir connu

PARTICIPE

Présent	**Passé**
connaissant	connu(e)
	ayant connu

3e groupe

▶ Se conjuguent sur le modèle de *construire* : *s'autodétruire*, *déconstruire*, *détruire*, *s'entre-détruire* (pronominal avec l'auxiliaire *être*), *instruire*, *reconstruire*.

construire

INDICATIF

Présent		Imparfait		Passé composé			Plus-que-parfait		
je	construis	je	construisais	j'	ai	construit	j'	avais	construit
tu	construis	tu	construisais	tu	as	construit	tu	avais	construit
il, elle	construit	il, elle	construisait	il, elle	a	construit	il, elle	avait	construit
nous	construisons	nous	construisions	nous	avons	construit	nous	avions	construit
vous	construisez	vous	construisiez	vous	avez	construit	vous	aviez	construit
ils, elles	construisent	ils, elles	construisaient	ils, elles	ont	construit	ils, elles	avaient	construit

Passé simple		Futur simple		Passé antérieur			Futur antérieur		
je	construisis	je	construirai	j'	eus	construit	j'	aurai	construit
tu	construisis	tu	construiras	tu	eus	construit	tu	auras	construit
il, elle	construisit	il, elle	construira	il, elle	eut	construit	il, elle	aura	construit
nous	construisîmes	nous	construirons	nous	eûmes	construit	nous	aurons	construit
vous	construisîtes	vous	construirez	vous	eûtes	construit	vous	aurez	construit
ils, elles	construisirent	ils, elles	construiront	ils, elles	eurent	construit	ils, elles	auront	construit

SUBJONCTIF

Présent		Imparfait		Passé			Plus-que-parfait		
Il faut que...		*Il fallait que...*		*Il faut que...*			*Il fallait que...*		
je	construise	je	construisisse	j'	aie	construit	j'	eusse	construit
tu	construises	tu	construisisses	tu	aies	construit	tu	eusses	construit
il, elle	construise	il, elle	construisît	il, elle	ait	construit	il, elle	eût	construit
nous	construisions	nous	construisissions	nous	ayons	construit	nous	eussions	construit
vous	construisiez	vous	construisissiez	vous	ayez	construit	vous	eussiez	construit
ils, elles	construisent	ils, elles	construisissent	ils, elles	aient	construit	ils, elles	eussent	construit

CONDITIONNEL

Présent		Passé 1re forme			Passé 2e forme		
je	construirais	j'	aurais	construit	j'	eusse	construit
tu	construirais	tu	aurais	construit	tu	eusses	construit
il, elle	construirait	il, elle	aurait	construit	il, elle	eût	construit
nous	construirions	nous	aurions	construit	nous	eussions	construit
vous	construiriez	vous	auriez	construit	vous	eussiez	construit
ils, elles	construiraient	ils, elles	auraient	construit	ils, elles	eussent	construit

IMPÉRATIF

Présent	Passé
construis	aie construit
construisons	ayons construit
construisez	ayez construit

INFINITIF

Présent	Passé
construire	avoir construit

PARTICIPE

Présent	Passé
construisant	construit(e)
	ayant construit

3e groupe

3e groupe

● *Contredire* ne se conjugue pas sur le modèle de *dire* : la 2e personne du pluriel du présent de l'indicatif et de l'impératif est contre**disez**.
▶ Se conjuguent sur le modèle de *contredire* : *dédire, interdire, médire, prédire*.

contredire

INDICATIF

Présent
je	contre**dis**
tu	contre**dis**
il, elle	contre**dit**
nous	contre**disons**
vous	contre**disez**
ils, elles	contre**disent**

Imparfait
je	contre**disais**
tu	contre**disais**
il, elle	contre**disait**
nous	contre**disions**
vous	contre**disiez**
ils, elles	contre**disaient**

Passé composé
j'	ai	contredit
tu	as	contredit
il, elle	a	contredit
nous	avons	contredit
vous	avez	contredit
ils, elles	ont	contredit

Plus-que-parfait
j'	avais	contredit
tu	avais	contredit
il, elle	avait	contredit
nous	avions	contredit
vous	aviez	contredit
ils, elles	avaient	contredit

Passé simple
je	contre**dis**
tu	contre**dis**
il, elle	contre**dit**
nous	contre**dîmes**
vous	contre**dîtes**
ils, elles	contre**dirent**

Futur simple
je	contre**dirai**
tu	contre**diras**
il, elle	contre**dira**
nous	contre**dirons**
vous	contre**direz**
ils, elles	contre**diront**

Passé antérieur
j'	eus	contredit
tu	eus	contredit
il, elle	eut	contredit
nous	eûmes	contredit
vous	eûtes	contredit
ils, elles	eurent	contredit

Futur antérieur
j'	aurai	contredit
tu	auras	contredit
il, elle	aura	contredit
nous	aurons	contredit
vous	aurez	contredit
ils, elles	auront	contredit

SUBJONCTIF

Présent
Il faut que...
je	contre**dise**
tu	contre**dises**
il, elle	contre**dise**
nous	contre**disions**
vous	contre**disiez**
ils, elles	contre**disent**

Imparfait
Il fallait que...
je	contre**disse**
tu	contre**disses**
il, elle	contre**dît**
nous	contre**dissions**
vous	contre**dissiez**
ils, elles	contre**dissent**

Passé
Il faut que...
j'	aie	contredit
tu	aies	contredit
il, elle	ait	contredit
nous	ayons	contredit
vous	ayez	contredit
ils, elles	aient	contredit

Plus-que-parfait
Il fallait que...
j'	eusse	contredit
tu	eusses	contredit
il, elle	eût	contredit
nous	eussions	contredit
vous	eussiez	contredit
ils, elles	eussent	contredit

CONDITIONNEL

Présent
je	contre**dirais**
tu	contre**dirais**
il, elle	contre**dirait**
nous	contre**dirions**
vous	contre**diriez**
ils, elles	contre**diraient**

Passé 1re forme
j'	aurais	contredit
tu	aurais	contredit
il, elle	aurait	contredit
nous	aurions	contredit
vous	auriez	contredit
ils, elles	auraient	contredit

Passé 2e forme
j'	eusse	contredit
tu	eusses	contredit
il, elle	eût	contredit
nous	eussions	contredit
vous	eussiez	contredit
ils, elles	eussent	contredit

IMPÉRATIF

Présent
contre**dis**
contre**disons**
contre**disez**

Passé
aie contredit
ayons contredit
ayez contredit

INFINITIF

Présent
contre**dire**

Passé
avoir contredit

PARTICIPE

Présent
contre**disant**

Passé
contre**dit(e)**
ayant contredit

▶ Se conjuguent sur le modèle de *coudre* : **découdre**, **recoudre**.

coudre

INDICATIF

Présent		**Imparfait**		**Passé composé**			**Plus-que-parfait**		
je	**couds**	je	**cousais**	j'	ai	cousu	j'	avais	cousu
tu	**couds**	tu	**cousais**	tu	as	cousu	tu	avais	cousu
il, elle	**coud**	il, elle	**cousait**	il, elle	a	cousu	il, elle	avait	cousu
nous	**cousons**	nous	**cousions**	nous	avons	cousu	nous	avions	cousu
vous	**cousez**	vous	**cousiez**	vous	avez	cousu	vous	aviez	cousu
ils, elles	**cousent**	ils, elles	**cousaient**	ils, elles	ont	cousu	ils, elles	avaient	cousu

Passé simple		**Futur simple**		**Passé antérieur**			**Futur antérieur**		
je	**cousis**	je	**coudrai**	j'	eus	cousu	j'	aurai	cousu
tu	**cousis**	tu	**coudras**	tu	eus	cousu	tu	auras	cousu
il, elle	**cousit**	il, elle	**coudra**	il, elle	eut	cousu	il, elle	aura	cousu
nous	**cousîmes**	nous	**coudrons**	nous	eûmes	cousu	nous	aurons	cousu
vous	**cousîtes**	vous	**coudrez**	vous	eûtes	cousu	vous	aurez	cousu
ils, elles	**cousirent**	ils, elles	**coudront**	ils, elles	eurent	cousu	ils, elles	auront	cousu

SUBJONCTIF

Présent		**Imparfait**		**Passé**			**Plus-que-parfait**		
Il faut que...		*Il fallait que...*		*Il faut que...*			*Il fallait que...*		
je	**couse**	je	**cousisse**	j'	aie	cousu	j'	eusse	cousu
tu	**couses**	tu	**cousisses**	tu	aies	cousu	tu	eusses	cousu
il, elle	**couse**	il, elle	**cousît**	il, elle	ait	cousu	il, elle	eût	cousu
nous	**cousions**	nous	**cousissions**	nous	ayons	cousu	nous	eussions	cousu
vous	**cousiez**	vous	**cousissiez**	vous	ayez	cousu	vous	eussiez	cousu
ils, elles	**cousent**	ils, elles	**cousissent**	ils, elles	aient	cousu	ils, elles	eussent	cousu

CONDITIONNEL

Présent		**Passé 1re forme**			**Passé 2e forme**		
je	**coudrais**	j'	aurais	cousu	j'	eusse	cousu
tu	**coudrais**	tu	aurais	cousu	tu	eusses	cousu
il, elle	**coudrait**	il, elle	aurait	cousu	il, elle	eût	cousu
nous	**coudrions**	nous	aurions	cousu	nous	eussions	cousu
vous	**coudriez**	vous	auriez	cousu	vous	eussiez	cousu
ils, elles	**coudraient**	ils, elles	auraient	cousu	ils, elles	eussent	cousu

IMPÉRATIF

Présent	**Passé**
couds	aie cousu
cousons	ayons cousu
cousez	ayez cousu

INFINITIF

Présent	**Passé**
coudre	avoir cousu

PARTICIPE

Présent	**Passé**
cousant	**cousu(e)**
	ayant cousu

3e groupe

● **r** devient **rr** à toutes les personnes du futur simple de l'indicatif et du présent du conditionnel.
▶ Se conjuguent sur le modèle de *courir* : *accourir* (*être* ou *avoir*), *concourir*, *discourir*, *encourir*, *parcourir*, *recourir*, *secourir*.
▶ Le participe passé *discouru* est invariable.

courir

INDICATIF

Présent		Imparfait		Passé composé			Plus-que-parfait		
je	cours	je	courais	j'	ai	couru	j'	avais	couru
tu	cours	tu	courais	tu	as	couru	tu	avais	couru
il, elle	court	il, elle	courait	il, elle	a	couru	il, elle	avait	couru
nous	courons	nous	courions	nous	avons	couru	nous	avions	couru
vous	courez	vous	couriez	vous	avez	couru	vous	aviez	couru
ils, elles	courent	ils, elles	couraient	ils, elles	ont	couru	ils, elles	avaient	couru

Passé simple		Futur simple		Passé antérieur			Futur antérieur		
je	courus	je	courrai	j'	eus	couru	j'	aurai	couru
tu	courus	tu	courras	tu	eus	couru	tu	auras	couru
il, elle	courut	il, elle	courra	il, elle	eut	couru	il, elle	aura	couru
nous	courûmes	nous	courrons	nous	eûmes	couru	nous	aurons	couru
vous	courûtes	vous	courrez	vous	eûtes	couru	vous	aurez	couru
ils, elles	coururent	ils, elles	courront	ils, elles	eurent	couru	ils, elles	auront	couru

SUBJONCTIF

Présent		Imparfait		Passé			Plus-que-parfait		
Il faut que...		*Il fallait que...*		*Il faut que...*			*Il fallait que...*		
je	coure	je	courusse	j'	aie	couru	j'	eusse	couru
tu	coures	tu	courusses	tu	aies	couru	tu	eusses	couru
il, elle	coure	il, elle	courût	il, elle	ait	couru	il, elle	eût	couru
nous	courions	nous	courussions	nous	ayons	couru	nous	eussions	couru
vous	couriez	vous	courussiez	vous	ayez	couru	vous	eussiez	couru
ils, elles	courent	ils, elles	courussent	ils, elles	aient	couru	ils, elles	eussent	couru

CONDITIONNEL

Présent		Passé 1ʳᵉ forme			Passé 2ᵉ forme		
je	courrais	j'	aurais	couru	j'	eusse	couru
tu	courrais	tu	aurais	couru	tu	eusses	couru
il, elle	courrait	il, elle	aurait	couru	il, elle	eût	couru
nous	courrions	nous	aurions	couru	nous	eussions	couru
vous	courriez	vous	auriez	couru	vous	eussiez	couru
ils, elles	courraient	ils, elles	auraient	couru	ils, elles	eussent	couru

IMPÉRATIF

Présent	Passé
cours	aie couru
courons	ayons couru
courez	ayez couru

INFINITIF

Présent	Passé
courir	avoir couru

PARTICIPE

Présent	Passé
courant	couru(e)
	ayant couru

3ᵉ groupe

gn devient **gni** aux 1res et 2es personnes du pluriel de l'imparfait de l'indicatif et du présent du subjonctif.
▶ Se conjuguent sur le modèle de *craindre* : *contraindre, plaindre.*

craindre

INDICATIF

Présent		Imparfait		Passé composé			Plus-que-parfait		
je	crains	je	craignais	j'	ai	craint	j'	avais	craint
tu	crains	tu	craignais	tu	as	craint	tu	avais	craint
il, elle	craint	il, elle	craignait	il, elle	a	craint	il, elle	avait	craint
nous	craignons	nous	craignions	nous	avons	craint	nous	avions	craint
vous	craignez	vous	craigniez	vous	avez	craint	vous	aviez	craint
ils, elles	craignent	ils, elles	craignaient	ils, elles	ont	craint	ils, elles	avaient	craint

Passé simple		Futur simple		Passé antérieur			Futur antérieur		
je	craignis	je	craindrai	j'	eus	craint	j'	aurai	craint
tu	craignis	tu	craindras	tu	eus	craint	tu	auras	craint
il, elle	craignit	il, elle	craindra	il, elle	eut	craint	il, elle	aura	craint
nous	craignîmes	nous	craindrons	nous	eûmes	craint	nous	aurons	craint
vous	craignîtes	vous	craindrez	vous	eûtes	craint	vous	aurez	craint
ils, elles	craignirent	ils, elles	craindront	ils, elles	eurent	craint	ils, elles	auront	craint

SUBJONCTIF

Présent		Imparfait		Passé			Plus-que-parfait		
Il faut que...		*Il fallait que...*		*Il faut que...*			*Il fallait que...*		
je	craigne	je	craignisse	j'	aie	craint	j'	eusse	craint
tu	craignes	tu	craignisses	tu	aies	craint	tu	eusses	craint
il, elle	craigne	il, elle	craignît	il, elle	ait	craint	il, elle	eût	craint
nous	craignions	nous	craignissions	nous	ayons	craint	nous	eussions	craint
vous	craigniez	vous	craignissiez	vous	ayez	craint	vous	eussiez	craint
ils, elles	craignent	ils, elles	craignissent	ils, elles	aient	craint	ils, elles	eussent	craint

CONDITIONNEL

Présent		Passé 1re forme			Passé 2e forme		
je	craindrais	j'	aurais	craint	j'	eusse	craint
tu	craindrais	tu	aurais	craint	tu	eusses	craint
il, elle	craindrait	il, elle	aurait	craint	il, elle	eût	craint
nous	craindrions	nous	aurions	craint	nous	eussions	craint
vous	craindriez	vous	auriez	craint	vous	eussiez	craint
ils, elles	craindraient	ils, elles	auraient	craint	ils, elles	eussent	craint

IMPÉRATIF

Présent	Passé
crains	aie craint
craignons	ayons craint
craignez	ayez craint

INFINITIF

Présent	Passé
craindre	avoir craint

PARTICIPE

Présent	Passé
craignant	craint(e)
	ayant craint

3e groupe

● **y** devient **yi** aux 1res et 2es personnes du pluriel de l'imparfait de l'indicatif et du présent du subjonctif.

croire

INDICATIF

Présent		**Imparfait**		**Passé composé**			**Plus-que-parfait**		
je	crois	je	croyais	j'	ai	cru	j'	avais	cru
tu	crois	tu	croyais	tu	as	cru	tu	avais	cru
il, elle	croit	il, elle	croyait	il, elle	a	cru	il, elle	avait	cru
nous	croyons	nous	croyions	nous	avons	cru	nous	avions	cru
vous	croyez	vous	croyiez	vous	avez	cru	vous	aviez	cru
ils, elles	croient	ils, elles	croyaient	ils, elles	ont	cru	ils, elles	avaient	cru

Passé simple		**Futur simple**		**Passé antérieur**			**Futur antérieur**		
je	crus	je	croirai	j'	eus	cru	j'	aurai	cru
tu	crus	tu	croiras	tu	eus	cru	tu	auras	cru
il, elle	crut	il, elle	croira	il, elle	eut	cru	il, elle	aura	cru
nous	crûmes	nous	croirons	nous	eûmes	cru	nous	aurons	cru
vous	crûtes	vous	croirez	vous	eûtes	cru	vous	aurez	cru
ils, elles	crurent	ils, elles	croiront	ils, elles	eurent	cru	ils, elles	auront	cru

SUBJONCTIF

Présent		**Imparfait**		**Passé**			**Plus-que-parfait**		
Il faut que...		*Il fallait que...*		*Il faut que...*			*Il fallait que...*		
je	croie	je	crusse	j'	aie	cru	j'	eusse	cru
tu	croies	tu	crusses	tu	aies	cru	tu	eusses	cru
il, elle	croie	il, elle	crût	il, elle	ait	cru	il, elle	eût	cru
nous	croyions	nous	crussions	nous	ayons	cru	nous	eussions	cru
vous	croyiez	vous	crussiez	vous	ayez	cru	vous	eussiez	cru
ils, elles	croient	ils, elles	crussent	ils, elles	aient	cru	ils, elles	eussent	cru

CONDITIONNEL

Présent		**Passé 1re forme**			**Passé 2e forme**		
je	croirais	j'	aurais	cru	j'	eusse	cru
tu	croirais	tu	aurais	cru	tu	eusses	cru
il, elle	croirait	il, elle	aurait	cru	il, elle	eût	cru
nous	croirions	nous	aurions	cru	nous	eussions	cru
vous	croiriez	vous	auriez	cru	vous	eussiez	cru
ils, elles	croiraient	ils, elles	auraient	cru	ils, elles	eussent	cru

IMPÉRATIF

Présent	**Passé**
crois	aie cru
croyons	ayons cru
croyez	ayez cru

INFINITIF

Présent	**Passé**
croire	avoir cru

PARTICIPE

Présent	**Passé**
croyant	cru(e)
	ayant cru

À chaque fois que les formes de *croître* peuvent être confondues avec celles de *croire* :
- î reste î,
- **u** devient **û**.

▶ Le **î** est normalement présent à toutes les personnes du futur simple de l'indicatif et du présent du conditionnel.

▶ Le **û** est normalement présent aux 1ʳᵉ et 2ᵉ personnes du pluriel du passé simple de l'indicatif et à la 3ᵉ personne du singulier de l'imparfait du subjonctif.

croître

INDICATIF

Présent		**Imparfait**		**Passé composé**			**Plus-que-parfait**		
je	croîs	je	croissais	j'	ai	crû	j'	avais	crû
tu	croîs	tu	croissais	tu	as	crû	tu	avais	crû
il, elle	croît	il, elle	croissait	il, elle	a	crû	il, elle	avait	crû
nous	croissons	nous	croissions	nous	avons	crû	nous	avions	crû
vous	croissez	vous	croissiez	vous	avez	crû	vous	aviez	crû
ils, elles	croissent	ils, elles	croissaient	ils, elles	ont	crû	ils, elles	avaient	crû

Passé simple		**Futur simple**		**Passé antérieur**			**Futur antérieur**		
je	crûs	je	croîtrai	j'	eus	crû	j'	aurai	crû
tu	crûs	tu	croîtras	tu	eus	crû	tu	auras	crû
il, elle	crût	il, elle	croîtra	il, elle	eut	crû	il, elle	aura	crû
nous	crûmes	nous	croîtrons	nous	eûmes	crû	nous	aurons	crû
vous	crûtes	vous	croîtrez	vous	eûtes	crû	vous	aurez	crû
ils, elles	crûrent	ils, elles	croîtront	ils, elles	eurent	crû	ils, elles	auront	crû

SUBJONCTIF

Présent		**Imparfait**		**Passé**			**Plus-que-parfait**		
*Il faut **que**...*		*Il fallait **que**...*		*Il faut **que**...*			*Il fallait **que**...*		
je	croisse	je	crûsse	j'	aie	crû	j'	eusse	crû
tu	croisses	tu	crûsses	tu	aies	crû	tu	eusses	crû
il, elle	croisse	il, elle	crût	il, elle	ait	crû	il, elle	eût	crû
nous	croissions	nous	crûssions	nous	ayons	crû	nous	eussions	crû
vous	croissiez	vous	crûssiez	vous	ayez	crû	vous	eussiez	crû
ils, elles	croissent	ils, elles	crûssent	ils, elles	aient	crû	ils, elles	eussent	crû

CONDITIONNEL

Présent		**Passé 1ʳᵉ forme**			**Passé 2ᵉ forme**		
je	croîtrais	j'	aurais	crû	j'	eusse	crû
tu	croîtrais	tu	aurais	crû	tu	eusses	crû
il, elle	croîtrait	il, elle	aurait	crû	il, elle	eût	crû
nous	croîtrions	nous	aurions	crû	nous	eussions	crû
vous	croîtriez	vous	auriez	crû	vous	eussiez	crû
ils, elles	croîtraient	ils, elles	auraient	crû	ils, elles	eussent	crû

IMPÉRATIF

Présent	**Passé**
croîs	aie crû
croissons	ayons crû
croissez	ayez crû

INFINITIF

Présent	**Passé**
croître	avoir crû

PARTICIPE

Présent	**Passé**
croissant	crû
	ayant crû

3ᵉ groupe

VERBES EN -cueillir

○ Il devient **Ili** aux 1res et 2es personnes du pluriel de l'imparfait de l'indicatif et du présent du subjonctif.
▶ Se conjuguent sur le modèle de *cueillir* : ac**cueillir**, re**cueillir**.

cueillir

INDICATIF

Présent	Imparfait	Passé composé	Plus-que-parfait
je **cueille**	je **cueillais**	j' ai cueilli	j' avais cueilli
tu **cueilles**	tu **cueillais**	tu as cueilli	tu avais cueilli
il, elle **cueille**	il, elle **cueillait**	il, elle a cueilli	il, elle avait cueilli
nous **cueillons**	nous **cueillions**	nous avons cueilli	nous avions cueilli
vous **cueillez**	vous **cueilliez**	vous avez cueilli	vous aviez cueilli
ils, elles **cueillent**	ils, elles **cueillaient**	ils, elles ont cueilli	ils, elles avaient cueilli

Passé simple	Futur simple	Passé antérieur	Futur antérieur
je **cueillis**	je **cueillerai**	j' eus cueilli	j' aurai cueilli
tu **cueillis**	tu **cueilleras**	tu eus cueilli	tu auras cueilli
il, elle **cueillit**	il, elle **cueillera**	il, elle eut cueilli	il, elle aura cueilli
nous **cueillîmes**	nous **cueillerons**	nous eûmes cueilli	nous aurons cueilli
vous **cueillîtes**	vous **cueillerez**	vous eûtes cueilli	vous aurez cueilli
ils, elles **cueillirent**	ils, elles **cueilleront**	ils, elles eurent cueilli	ils, elles auront cueilli

SUBJONCTIF

Présent	Imparfait	Passé	Plus-que-parfait
Il faut que...	*Il fallait que...*	*Il faut que...*	*Il fallait que...*
je **cueille**	je **cueillisse**	j' aie cueilli	j' eusse cueilli
tu **cueilles**	tu **cueillisses**	tu aies cueilli	tu eusses cueilli
il, elle **cueille**	il, elle **cueillît**	il, elle ait cueilli	il, elle eût cueilli
nous **cueillions**	nous **cueillissions**	nous ayons cueilli	nous eussions cueilli
vous **cueilliez**	vous **cueillissiez**	vous ayez cueilli	vous eussiez cueilli
ils, elles **cueillent**	ils, elles **cueillissent**	ils, elles aient cueilli	ils, elles eussent cueilli

CONDITIONNEL

Présent	Passé 1re forme	Passé 2e forme
je **cueillerais**	j' aurais cueilli	j' eusse cueilli
tu **cueillerais**	tu aurais cueilli	tu eusses cueilli
il, elle **cueillerait**	il, elle aurait cueilli	il, elle eût cueilli
nous **cueillerions**	nous aurions cueilli	nous eussions cueilli
vous **cueilleriez**	vous auriez cueilli	vous eussiez cueilli
ils, elles **cueilleraient**	ils, elles auraient cueilli	ils, elles eussent cueilli

IMPÉRATIF

Présent	Passé
cueille	aie cueilli
cueillons	ayons cueilli
cueillez	ayez cueilli

INFINITIF

Présent	Passé
cueillir	avoir cueilli

PARTICIPE

Présent	Passé
cueillant	**cueilli(e)**
	ayant cueilli

Il devient lli aux 1ʳᵉˢ et 2ᵉˢ personnes du pluriel de l'imparfait de l'indicatif et du présent du subjonctif.

défaillir

INDICATIF

Présent
je	défaille
tu	défailles
il, elle	défaille
nous	défaillons
vous	défaillez
ils, elles	défaillent

Imparfait
je	défaillais
tu	défaillais
il, elle	défaillait
nous	défaillions
vous	défailliez
ils, elles	défaillaient

Passé composé
j'	ai	défailli
tu	as	défailli
il, elle	a	défailli
nous	avons	défailli
vous	avez	défailli
ils, elles	ont	défailli

Plus-que-parfait
j'	avais	défailli
tu	avais	défailli
il, elle	avait	défailli
nous	avions	défailli
vous	aviez	défailli
ils, elles	avaient	défailli

Passé simple
je	défaillis
tu	défaillis
il, elle	défaillit
nous	défaillîmes
vous	défaillîtes
ils, elles	défaillirent

Futur simple
je	défaillirai
tu	défailliras
il, elle	défaillira
nous	défaillirons
vous	défaillirez
ils, elles	défailliront

Passé antérieur
j'	eus	défailli
tu	eus	défailli
il, elle	eut	défailli
nous	eûmes	défailli
vous	eûtes	défailli
ils, elles	eurent	défailli

Futur antérieur
j'	aurai	défailli
tu	auras	défailli
il, elle	aura	défailli
nous	aurons	défailli
vous	aurez	défailli
ils, elles	auront	défailli

SUBJONCTIF

Présent
Il faut que...
je	défaille
tu	défailles
il, elle	défaille
nous	défaillions
vous	défailliez
ils, elles	défaillent

Imparfait
Il fallait que...
je	défaillisse
tu	défaillisses
il, elle	défaillît
nous	défaillissions
vous	défaillissiez
ils, elles	défaillissent

Passé
Il faut que...
j'	aie	défailli
tu	aies	défailli
il, elle	ait	défailli
nous	ayons	défailli
vous	ayez	défailli
ils, elles	aient	défailli

Plus-que-parfait
Il fallait que...
j'	eusse	défailli
tu	eusses	défailli
il, elle	eût	défailli
nous	eussions	défailli
vous	eussiez	défailli
ils, elles	eussent	défailli

CONDITIONNEL

Présent
je	défaillirais
tu	défaillirais
il, elle	défaillirait
nous	défaillirions
vous	défailliriez
ils, elles	défailliraient

Passé 1ʳᵉ forme
j'	aurais	défailli
tu	aurais	défailli
il, elle	aurait	défailli
nous	aurions	défailli
vous	auriez	défailli
ils, elles	auraient	défailli

Passé 2ᵉ forme
j'	eusse	défailli
tu	eusses	défailli
il, elle	eût	défailli
nous	eussions	défailli
vous	eussiez	défailli
ils, elles	eussent	défailli

IMPÉRATIF

Présent
défaille
défaillons
défaillez

Passé
aie défailli
ayons défailli
ayez défailli

INFINITIF

Présent
défaillir

Passé
avoir défailli

PARTICIPE

Présent
défaillant

Passé
défailli
ayant défailli

3ᵉ groupe

VERBES EN -devoir

u devient **û** au participe passé masculin singulier.
▶ Se conjugue sur le modèle de *devoir* : re**devoir**.

devoir

INDICATIF

Présent		Imparfait		Passé composé			Plus-que-parfait		
je	**dois**	je	**devais**	j'	ai	dû	j'	avais	dû
tu	**dois**	tu	**devais**	tu	as	dû	tu	avais	dû
il, elle	**doit**	il, elle	**devait**	il, elle	a	dû	il, elle	avait	dû
nous	**devons**	nous	**devions**	nous	avons	dû	nous	avions	dû
vous	**devez**	vous	**deviez**	vous	avez	dû	vous	aviez	dû
ils, elles	**doivent**	ils, elles	**devaient**	ils, elles	ont	dû	ils, elles	avaient	dû

Passé simple		Futur simple		Passé antérieur			Futur antérieur		
je	**dus**	je	**devrai**	j'	eus	dû	j'	aurai	dû
tu	**dus**	tu	**devras**	tu	eus	dû	tu	auras	dû
il, elle	**dut**	il, elle	**devra**	il, elle	eut	dû	il, elle	aura	dû
nous	**dûmes**	nous	**devrons**	nous	eûmes	dû	nous	aurons	dû
vous	**dûtes**	vous	**devrez**	vous	eûtes	dû	vous	aurez	dû
ils, elles	**durent**	ils, elles	**devront**	ils, elles	eurent	dû	ils, elles	auront	dû

SUBJONCTIF

Présent		Imparfait		Passé			Plus-que-parfait		
Il faut que...		*Il fallait que...*		*Il faut que...*			*Il fallait que...*		
je	**doive**	je	**dusse**	j'	aie	dû	j'	eusse	dû
tu	**doives**	tu	**dusses**	tu	aies	dû	tu	eusses	dû
il, elle	**doive**	il, elle	**dût**	il, elle	ait	dû	il, elle	eût	dû
nous	**devions**	nous	**dussions**	nous	ayons	dû	nous	eussions	dû
vous	**deviez**	vous	**dussiez**	vous	ayez	dû	vous	eussiez	dû
ils, elles	**doivent**	ils, elles	**dussent**	ils, elles	aient	dû	ils, elles	eussent	dû

CONDITIONNEL

Présent		Passé 1re forme			Passé 2e forme		
je	**devrais**	j'	aurais	dû	j'	eusse	dû
tu	**devrais**	tu	aurais	dû	tu	eusses	dû
il, elle	**devrait**	il, elle	aurait	dû	il, elle	eût	dû
nous	**devrions**	nous	aurions	dû	nous	eussions	dû
vous	**devriez**	vous	auriez	dû	vous	eussiez	dû
ils, elles	**devraient**	ils, elles	auraient	dû	ils, elles	eussent	dû

IMPÉRATIF

Présent	Passé
dois	aie dû
devons	ayons dû
devez	ayez dû

INFINITIF

Présent	Passé
devoir	avoir dû

PARTICIPE

Présent	Passé
devant	**dû, due**
	ayant dû

La 2e personne du pluriel du présent de l'indicatif et de l'impératif est **dites**.
▶ Se conjugue sur le modèle de *dire* : *redire*.
Les autres verbes en *-dire* : *dédire*, *interdire*, *médire*, *prédire* se conjuguent sur le modèle de *contredire* (cf. *contredire*, 120).

dire

INDICATIF

Présent		Imparfait		Passé composé			Plus-que-parfait		
je	**dis**	je	**disais**	j'	ai	dit	j'	avais	dit
tu	**dis**	tu	**disais**	tu	as	dit	tu	avais	dit
il, elle	**dit**	il, elle	**disait**	il, elle	a	dit	il, elle	avait	dit
nous	**disons**	nous	**disions**	nous	avons	dit	nous	avions	dit
vous	**dites**	vous	**disiez**	vous	avez	dit	vous	aviez	dit
ils, elles	**disent**	ils, elles	**disaient**	ils, elles	ont	dit	ils, elles	avaient	dit

Passé simple		Futur simple		Passé antérieur			Futur antérieur		
je	**dis**	je	**dirai**	j'	eus	dit	j'	aurai	dit
tu	**dis**	tu	**diras**	tu	eus	dit	tu	auras	dit
il, elle	**dit**	il, elle	**dira**	il, elle	eut	dit	il, elle	aura	dit
nous	**dîmes**	nous	**dirons**	nous	eûmes	dit	nous	aurons	dit
vous	**dîtes**	vous	**direz**	vous	eûtes	dit	vous	aurez	dit
ils, elles	**dirent**	ils, elles	**diront**	ils, elles	eurent	dit	ils, elles	auront	dit

SUBJONCTIF

Présent		Imparfait		Passé			Plus-que-parfait		
Il faut **que**...		Il fallait **que**...		Il faut **que**...			Il fallait **que**...		
je	**dise**	je	**disse**	j'	aie	dit	j'	eusse	dit
tu	**dises**	tu	**disses**	tu	aies	dit	tu	eusses	dit
il, elle	**dise**	il, elle	**dît**	il, elle	ait	dit	il, elle	eût	dit
nous	**disions**	nous	**dissions**	nous	ayons	dit	nous	eussions	dit
vous	**disiez**	vous	**dissiez**	vous	ayez	dit	vous	eussiez	dit
ils, elles	**disent**	ils, elles	**dissent**	ils, elles	aient	dit	ils, elles	eussent	dit

CONDITIONNEL

Présent		Passé 1re forme			Passé 2e forme		
je	**dirais**	j'	aurais	dit	j'	eusse	dit
tu	**dirais**	tu	aurais	dit	tu	eusses	dit
il, elle	**dirait**	il, elle	aurait	dit	il, elle	eût	dit
nous	**dirions**	nous	aurions	dit	nous	eussions	dit
vous	**diriez**	vous	auriez	dit	vous	eussiez	dit
ils, elles	**diraient**	ils, elles	auraient	dit	ils, elles	eussent	dit

IMPÉRATIF

Présent	Passé
dis	aie dit
disons	ayons dit
dites	ayez dit

INFINITIF

Présent	Passé
dire	avoir dit

PARTICIPE

Présent	Passé
disant	dit(e)
	ayant dit

3e groupe

▶ Se conjuguent sur le modèle de *dormir* : en**dormir**, re**dormir**, ren**dormir**.
▶ Les participes passés en**dormi**, re**dormi** et ren**dormi** sont variables.

dormir

INDICATIF

Présent		Imparfait		Passé composé			Plus-que-parfait		
je	**dors**	je	**dormais**	j'	ai	dormi	j'	avais	dormi
tu	**dors**	tu	**dormais**	tu	as	dormi	tu	avais	dormi
il, elle	**dort**	il, elle	**dormait**	il, elle	a	dormi	il, elle	avait	dormi
nous	**dormons**	nous	**dormions**	nous	avons	dormi	nous	avions	dormi
vous	**dormez**	vous	**dormiez**	vous	avez	dormi	vous	aviez	dormi
ils, elles	**dorment**	ils, elles	**dormaient**	ils, elles	ont	dormi	ils, elles	avaient	dormi

Passé simple		Futur simple		Passé antérieur			Futur antérieur		
je	**dormis**	je	**dormirai**	j'	eus	dormi	j'	aurai	dormi
tu	**dormis**	tu	**dormiras**	tu	eus	dormi	tu	auras	dormi
il, elle	**dormit**	il, elle	**dormira**	il, elle	eut	dormi	il, elle	aura	dormi
nous	**dormîmes**	nous	**dormirons**	nous	eûmes	dormi	nous	aurons	dormi
vous	**dormîtes**	vous	**dormirez**	vous	eûtes	dormi	vous	aurez	dormi
ils, elles	**dormirent**	ils, elles	**dormiront**	ils, elles	eurent	dormi	ils, elles	auront	dormi

SUBJONCTIF

Présent		Imparfait		Passé			Plus-que-parfait		
Il faut que...		*Il fallait que...*		*Il faut que...*			*Il fallait que...*		
je	**dorme**	je	**dormisse**	j'	aie	dormi	j'	eusse	dormi
tu	**dormes**	tu	**dormisses**	tu	aies	dormi	tu	eusses	dormi
il, elle	**dorme**	il, elle	**dormît**	il, elle	ait	dormi	il, elle	eût	dormi
nous	**dormions**	nous	**dormissions**	nous	ayons	dormi	nous	eussions	dormi
vous	**dormiez**	vous	**dormissiez**	vous	ayez	dormi	vous	eussiez	dormi
ils, elles	**dorment**	ils, elles	**dormissent**	ils, elles	aient	dormi	ils, elles	eussent	dormi

CONDITIONNEL

Présent		Passé 1re forme			Passé 2e forme		
je	**dormirais**	j'	aurais	dormi	j'	eusse	dormi
tu	**dormirais**	tu	aurais	dormi	tu	eusses	dormi
il, elle	**dormirait**	il, elle	aurait	dormi	il, elle	eût	dormi
nous	**dormirions**	nous	aurions	dormi	nous	eussions	dormi
vous	**dormiriez**	vous	auriez	dormi	vous	eussiez	dormi
ils, elles	**dormiraient**	ils, elles	auraient	dormi	ils, elles	eussent	dormi

IMPÉRATIF

Présent	Passé
dors	aie dormi
dormons	ayons dormi
dormez	ayez dormi

INFINITIF

Présent	Passé
dormir	avoir dormi

PARTICIPE

Présent	Passé
dormant	**dormi**
	ayant dormi

▶ Se conjuguent sur le modèle d'*écrire* : *circonscrire, décrire, inscrire, prescrire, proscrire, récrire, réécrire, réinscrire, retranscrire, souscrire, transcrire.*

écrire

INDICATIF

Présent		Imparfait		Passé composé			Plus-que-parfait		
j'	écris	j'	écrivais	j'	ai	écrit	j'	avais	écrit
tu	écris	tu	écrivais	tu	as	écrit	tu	avais	écrit
il, elle	écrit	il, elle	écrivait	il, elle	a	écrit	il, elle	avait	écrit
nous	écrivons	nous	écrivions	nous	avons	écrit	nous	avions	écrit
vous	écrivez	vous	écriviez	vous	avez	écrit	vous	aviez	écrit
ils, elles	écrivent	ils, elles	écrivaient	ils, elles	ont	écrit	ils, elles	avaient	écrit

Passé simple		Futur simple		Passé antérieur			Futur antérieur		
j'	écrivis	j'	écrirai	j'	eus	écrit	j'	aurai	écrit
tu	écrivis	tu	écriras	tu	eus	écrit	tu	auras	écrit
il, elle	écrivit	il, elle	écrira	il, elle	eut	écrit	il, elle	aura	écrit
nous	écrivîmes	nous	écrirons	nous	eûmes	écrit	nous	aurons	écrit
vous	écrivîtes	vous	écrirez	vous	eûtes	écrit	vous	aurez	écrit
ils, elles	écrivirent	ils, elles	écriront	ils, elles	eurent	écrit	ils, elles	auront	écrit

SUBJONCTIF

Présent		Imparfait		Passé			Plus-que-parfait		
Il faut que...		*Il fallait que...*		*Il faut que...*			*Il fallait que...*		
j'	écrive	j'	écrivisse	j'	aie	écrit	j'	eusse	écrit
tu	écrives	tu	écrivisses	tu	aies	écrit	tu	eusses	écrit
il, elle	écrive	il, elle	écrivît	il, elle	ait	écrit	il, elle	eût	écrit
nous	écrivions	nous	écrivissions	nous	ayons	écrit	nous	eussions	écrit
vous	écriviez	vous	écrivissiez	vous	ayez	écrit	vous	eussiez	écrit
ils, elles	écrivent	ils, elles	écrivissent	ils, elles	aient	écrit	ils, elles	eussent	écrit

CONDITIONNEL

Présent		Passé 1re forme			Passé 2e forme		
j'	écrirais	j'	aurais	écrit	j'	eusse	écrit
tu	écrirais	tu	aurais	écrit	tu	eusses	écrit
il, elle	écrirait	il, elle	aurait	écrit	il, elle	eût	écrit
nous	écririons	nous	aurions	écrit	nous	eussions	écrit
vous	écririez	vous	auriez	écrit	vous	eussiez	écrit
ils, elles	écriraient	ils, elles	auraient	écrit	ils, elles	eussent	écrit

IMPÉRATIF

Présent	Passé
écris	aie écrit
écrivons	ayons écrit
écrivez	ayez écrit

INFINITIF

Présent	Passé
écrire	avoir écrit

PARTICIPE

Présent	Passé
écrivant	écrit(e)
	ayant écrit

3e groupe

La 2e personne du pluriel du présent de l'indicatif et de l'impératif est **faites**.

▶ Se conjuguent sur le modèle de *faire* : contre**faire**, dé**faire**, rede**faire**, re**faire**, satis**faire**, sur**faire**.

faire

INDICATIF

Présent		Imparfait		Passé composé			Plus-que-parfait		
je	**fais**	je	**faisais**	j'	ai	fait	j'	avais	fait
tu	**fais**	tu	**faisais**	tu	as	fait	tu	avais	fait
il, elle	**fait**	il, elle	**faisait**	il, elle	a	fait	il, elle	avait	fait
nous	**faisons**	nous	**faisions**	nous	avons	fait	nous	avions	fait
vous	**faites**	vous	**faisiez**	vous	avez	fait	vous	aviez	fait
ils, elles	**font**	ils, elles	**faisaient**	ils, elles	ont	fait	ils, elles	avaient	fait

Passé simple		Futur simple		Passé antérieur			Futur antérieur		
je	**fis**	je	**ferai**	j'	eus	fait	j'	aurai	fait
tu	**fis**	tu	**feras**	tu	eus	fait	tu	auras	fait
il, elle	**fit**	il, elle	**fera**	il, elle	eut	fait	il, elle	aura	fait
nous	**fîmes**	nous	**ferons**	nous	eûmes	fait	nous	aurons	fait
vous	**fîtes**	vous	**ferez**	vous	eûtes	fait	vous	aurez	fait
ils, elles	**firent**	ils, elles	**feront**	ils, elles	eurent	fait	ils, elles	auront	fait

SUBJONCTIF

Présent		Imparfait		Passé			Plus-que-parfait		
Il faut **que**...		Il fallait **que**...		Il faut **que**...			Il fallait **que**...		
je	**fasse**	je	**fisse**	j'	aie	fait	j'	eusse	fait
tu	**fasses**	tu	**fisses**	tu	aies	fait	tu	eusses	fait
il, elle	**fasse**	il, elle	**fît**	il, elle	ait	fait	il, elle	eût	fait
nous	**fassions**	nous	**fissions**	nous	ayons	fait	nous	eussions	fait
vous	**fassiez**	vous	**fissiez**	vous	ayez	fait	vous	eussiez	fait
ils, elles	**fassent**	ils, elles	**fissent**	ils, elles	aient	fait	ils, elles	eussent	fait

CONDITIONNEL

Présent		Passé 1re forme			Passé 2e forme		
je	**ferais**	j'	aurais	fait	j'	eusse	fait
tu	**ferais**	tu	aurais	fait	tu	eusses	fait
il, elle	**ferait**	il, elle	aurait	fait	il, elle	eût	fait
nous	**ferions**	nous	aurions	fait	nous	eussions	fait
vous	**feriez**	vous	auriez	fait	vous	eussiez	fait
ils, elles	**feraient**	ils, elles	auraient	fait	ils, elles	eussent	fait

IMPÉRATIF

Présent	Passé
fais	aie fait
faisons	ayons fait
faites	ayez fait

INFINITIF

Présent	Passé
faire	avoir fait

PARTICIPE

Présent	Passé
faisant	**fait(e)**
	ayant fait

y devient **yi** aux 1res et 2es personnes du pluriel de l'imparfait de l'indicatif et du présent du subjonctif.
► Se conjugue sur le modèle de *fuir* : *s'enfuir* (pronominal avec l'auxiliaire *être*).

fuir

INDICATIF

Présent		Imparfait		Passé composé			Plus-que-parfait		
je	**fuis**	je	**fuyais**	j'	ai	fui	j'	avais	fui
tu	**fuis**	tu	**fuyais**	tu	as	fui	tu	avais	fui
il, elle	**fuit**	il, elle	**fuyait**	il, elle	a	fui	il, elle	avait	fui
nous	**fuyons**	nous	**fuyions**	nous	avons	fui	nous	avions	fui
vous	**fuyez**	vous	**fuyiez**	vous	avez	fui	vous	aviez	fui
ils, elles	**fuient**	ils, elles	**fuyaient**	ils, elles	ont	fui	ils, elles	avaient	fui

Passé simple		Futur simple		Passé antérieur			Futur antérieur		
je	**fuis**	je	**fuirai**	j'	eus	fui	j'	aurai	fui
tu	**fuis**	tu	**fuiras**	tu	eus	fui	tu	auras	fui
il, elle	**fuit**	il, elle	**fuira**	il, elle	eut	fui	il, elle	aura	fui
nous	**fuîmes**	nous	**fuirons**	nous	eûmes	fui	nous	aurons	fui
vous	**fuîtes**	vous	**fuirez**	vous	eûtes	fui	vous	aurez	fui
ils, elles	**fuirent**	ils, elles	**fuiront**	ils, elles	eurent	fui	ils, elles	auront	fui

SUBJONCTIF

Présent		Imparfait		Passé			Plus-que-parfait		
Il faut que...		*Il fallait que...*		*Il faut que...*			*Il fallait que...*		
je	**fuie**	je	**fuisse**	j'	aie	fui	j'	eusse	fui
tu	**fuies**	tu	**fuisses**	tu	aies	fui	tu	eusses	fui
il, elle	**fuie**	il, elle	**fuît**	il, elle	ait	fui	il, elle	eût	fui
nous	**fuyions**	nous	**fuissions**	nous	ayons	fui	nous	eussions	fui
vous	**fuyiez**	vous	**fuissiez**	vous	ayez	fui	vous	eussiez	fui
ils, elles	**fuient**	ils, elles	**fuissent**	ils, elles	aient	fui	ils, elles	eussent	fui

CONDITIONNEL

Présent		Passé 1re forme			Passé 2e forme		
je	**fuirais**	j'	aurais	fui	j'	eusse	fui
tu	**fuirais**	tu	aurais	fui	tu	eusses	fui
il, elle	**fuirait**	il, elle	aurait	fui	il, elle	eût	fui
nous	**fuirions**	nous	aurions	fui	nous	eussions	fui
vous	**fuiriez**	vous	auriez	fui	vous	eussiez	fui
ils, elles	**fuiraient**	ils, elles	auraient	fui	ils, elles	eussent	fui

IMPÉRATIF

Présent	Passé
fuis	aie fui
fuyons	ayons fui
fuyez	ayez fui

INFINITIF

Présent	Passé
fuir	avoir fui

PARTICIPE

Présent	Passé
fuyant	**fui(e)**
	ayant fui

3e groupe

VERBES EN -oindre

● **gn** devient **gni** aux 1res et 2es personnes du pluriel de l'imparfait de l'indicatif et du présent du subjonctif.
▶ Se conjuguent sur le modèle de *joindre* : *adjoindre, conjoindre, disjoindre, enjoindre, oindre, poindre* (au sens de « percer, piquer »), *rejoindre*.

joindre

INDICATIF

Présent		Imparfait		Passé composé			Plus-que-parfait		
je	joins	je	joignais	j'	ai	joint	j'	avais	joint
tu	joins	tu	joignais	tu	as	joint	tu	avais	joint
il, elle	joint	il, elle	joignait	il, elle	a	joint	il, elle	avait	joint
nous	joignons	nous	joignions	nous	avons	joint	nous	avions	joint
vous	joignez	vous	joigniez	vous	avez	joint	vous	aviez	joint
ils, elles	joignent	ils, elles	joignaient	ils, elles	ont	joint	ils, elles	avaient	joint

Passé simple		Futur simple		Passé antérieur			Futur antérieur		
je	joignis	je	joindrai	j'	eus	joint	j'	aurai	joint
tu	joignis	tu	joindras	tu	eus	joint	tu	auras	joint
il, elle	joignit	il, elle	joindra	il, elle	eut	joint	il, elle	aura	joint
nous	joignîmes	nous	joindrons	nous	eûmes	joint	nous	aurons	joint
vous	joignîtes	vous	joindrez	vous	eûtes	joint	vous	aurez	joint
ils, elles	joignirent	ils, elles	joindront	ils, elles	eurent	joint	ils, elles	auront	joint

SUBJONCTIF

Présent		Imparfait		Passé			Plus-que-parfait		
Il faut que...		*Il fallait que...*		*Il faut que...*			*Il fallait que...*		
je	joigne	je	joignisse	j'	aie	joint	j'	eusse	joint
tu	joignes	tu	joignisses	tu	aies	joint	tu	eusses	joint
il, elle	joigne	il, elle	joignît	il, elle	ait	joint	il, elle	eût	joint
nous	joignions	nous	joignissions	nous	ayons	joint	nous	eussions	joint
vous	joigniez	vous	joignissiez	vous	ayez	joint	vous	eussiez	joint
ils, elles	joignent	ils, elles	joignissent	ils, elles	aient	joint	ils, elles	eussent	joint

CONDITIONNEL

Présent		Passé 1re forme			Passé 2e forme		
je	joindrais	j'	aurais	joint	j'	eusse	joint
tu	joindrais	tu	aurais	joint	tu	eusses	joint
il, elle	joindrait	il, elle	aurait	joint	il, elle	eût	joint
nous	joindrions	nous	aurions	joint	nous	eussions	joint
vous	joindriez	vous	auriez	joint	vous	eussiez	joint
ils, elles	joindraient	ils, elles	auraient	joint	ils, elles	eussent	joint

IMPÉRATIF | **INFINITIF** | **PARTICIPE**

Présent	Passé	Présent	Passé	Présent	Passé
joins	aie joint	joindre	avoir joint	joignant	joint(e)
joignons	ayons joint				ayant joint
joignez	ayez joint				

3e groupe

▶ Se conjuguent sur le modèle de *lire* : *élire*, *réélire*, *relire*.

lire

INDICATIF

Présent		**Imparfait**		**Passé composé**			**Plus-que-parfait**		
je	**lis**	je	**lisais**	j'	ai	lu	j'	avais	lu
tu	**lis**	tu	**lisais**	tu	as	lu	tu	avais	lu
il, elle	**lit**	il, elle	**lisait**	il, elle	a	lu	il, elle	avait	lu
nous	**lisons**	nous	**lisions**	nous	avons	lu	nous	avions	lu
vous	**lisez**	vous	**lisiez**	vous	avez	lu	vous	aviez	lu
ils, elles	**lisent**	ils, elles	**lisaient**	ils, elles	ont	lu	ils, elles	avaient	lu

Passé simple		**Futur simple**		**Passé antérieur**			**Futur antérieur**		
je	**lus**	je	**lirai**	j'	eus	lu	j'	aurai	lu
tu	**lus**	tu	**liras**	tu	eus	lu	tu	auras	lu
il, elle	**lut**	il, elle	**lira**	il, elle	eut	lu	il, elle	aura	lu
nous	**lûmes**	nous	**lirons**	nous	eûmes	lu	nous	aurons	lu
vous	**lûtes**	vous	**lirez**	vous	eûtes	lu	vous	aurez	lu
ils, elles	**lurent**	ils, elles	**liront**	ils, elles	eurent	lu	ils, elles	auront	lu

SUBJONCTIF

Présent		**Imparfait**		**Passé**			**Plus-que-parfait**		
Il faut que...		*Il fallait que...*		*Il faut que...*			*Il fallait que...*		
je	**lise**	je	**lusse**	j'	aie	lu	j'	eusse	lu
tu	**lises**	tu	**lusses**	tu	aies	lu	tu	eusses	lu
il, elle	**lise**	il, elle	**lût**	il, elle	ait	lu	il, elle	eût	lu
nous	**lisions**	nous	**lussions**	nous	ayons	lu	nous	eussions	lu
vous	**lisiez**	vous	**lussiez**	vous	ayez	lu	vous	eussiez	lu
ils, elles	**lisent**	ils, elles	**lussent**	ils, elles	aient	lu	ils, elles	eussent	lu

CONDITIONNEL

Présent		**Passé 1re forme**			**Passé 2e forme**		
je	**lirais**	j'	aurais	lu	j'	eusse	lu
tu	**lirais**	tu	aurais	lu	tu	eusses	lu
il, elle	**lirait**	il, elle	aurait	lu	il, elle	eût	lu
nous	**lirions**	nous	aurions	lu	nous	eussions	lu
vous	**liriez**	vous	auriez	lu	vous	eussiez	lu
ils, elles	**liraient**	ils, elles	auraient	lu	ils, elles	eussent	lu

IMPÉRATIF

Présent	**Passé**
lis	aie lu
lisons	ayons lu
lisez	ayez lu

INFINITIF

Présent	**Passé**
lire	avoir lu

PARTICIPE

Présent	**Passé**
lisant	**lu(e)**
	ayant lu

3e groupe

VERBES EN -luire

▶ Se conjugue sur le modèle de *luire* : *reluire*.

luire

INDICATIF

Présent		**Imparfait**		**Passé composé**			**Plus-que-parfait**		
je	luis	je	luisais	j'	ai	lui	j'	avais	lui
tu	luis	tu	luisais	tu	as	lui	tu	avais	lui
il, elle	luit	il, elle	luisait	il, elle	a	lui	il, elle	avait	lui
nous	luisons	nous	luisions	nous	avons	lui	nous	avions	lui
vous	luisez	vous	luisiez	vous	avez	lui	vous	aviez	lui
ils, elles	luisent	ils, elles	luisaient	ils, elles	ont	lui	ils, elles	avaient	lui

Passé simple (rare)		**Futur simple**		**Passé antérieur**			**Futur antérieur**		
je	luisis	je	luirai	j'	eus	lui	j'	aurai	lui
tu	luisis	tu	luiras	tu	eus	lui	tu	auras	lui
il, elle	luisit	il, elle	luira	il, elle	eut	lui	il, elle	aura	lui
nous	luisîmes	nous	luirons	nous	eûmes	lui	nous	aurons	lui
vous	luisîtes	vous	luirez	vous	eûtes	lui	vous	aurez	lui
ils, elles	luisirent	ils, elles	luiront	ils, elles	eurent	lui	ils, elles	auront	lui

SUBJONCTIF

Présent		**Imparfait** (rare)		**Passé**			**Plus-que-parfait**		
Il faut que...		*Il fallait que...*		*Il faut que...*			*Il fallait que...*		
je	luise	je	luisisse	j'	aie	lui	j'	eusse	lui
tu	luises	tu	luisisses	tu	aies	lui	tu	eusses	lui
il, elle	luise	il, elle	luisît	il, elle	ait	lui	il, elle	eût	lui
nous	luisions	nous	luisissions	nous	ayons	lui	nous	eussions	lui
vous	luisiez	vous	luisissiez	vous	ayez	lui	vous	eussiez	lui
ils, elles	luisent	ils, elles	luisissent	ils, elles	aient	lui	ils, elles	eussent	lui

CONDITIONNEL

Présent		**Passé 1re forme**			**Passé 2e forme**		
je	luirais	j'	aurais	lui	j'	eusse	lui
tu	luirais	tu	aurais	lui	tu	eusses	lui
il, elle	luirait	il, elle	aurait	lui	il, elle	eût	lui
nous	luirions	nous	aurions	lui	nous	eussions	lui
vous	luiriez	vous	auriez	lui	vous	eussiez	lui
ils, elles	luiraient	ils, elles	auraient	lui	ils, elles	eussent	lui

IMPÉRATIF

Présent	**Passé**
luis	aie lui
luisons	ayons lui
luisez	ayez lui

INFINITIF

Présent	**Passé**
luire	avoir lui

PARTICIPE

Présent	**Passé**
luisant	lui
	ayant lui

maudire

INDICATIF

Présent		Imparfait		Passé composé			Plus-que-parfait		
je	maudis	je	maudissais	j'	ai	maudit	j'	avais	maudit
tu	maudis	tu	maudissais	tu	as	maudit	tu	avais	maudit
il, elle	maudit	il, elle	maudissait	il, elle	a	maudit	il, elle	avait	maudit
nous	maudissons	nous	maudissions	nous	avons	maudit	nous	avions	maudit
vous	maudissez	vous	maudissiez	vous	avez	maudit	vous	aviez	maudit
ils, elles	maudissent	ils, elles	maudissaient	ils, elles	ont	maudit	ils, elles	avaient	maudit

Passé simple		Futur simple		Passé antérieur			Futur antérieur		
je	maudis	je	maudirai	j'	eus	maudit	j'	aurai	maudit
tu	maudis	tu	maudiras	tu	eus	maudit	tu	auras	maudit
il, elle	maudit	il, elle	maudira	il, elle	eut	maudit	il, elle	aura	maudit
nous	maudîmes	nous	maudirons	nous	eûmes	maudit	nous	aurons	maudit
vous	maudîtes	vous	maudirez	vous	eûtes	maudit	vous	aurez	maudit
ils, elles	maudirent	ils, elles	maudiront	ils, elles	eurent	maudit	ils, elles	auront	maudit

SUBJONCTIF

Présent		Imparfait		Passé			Plus-que-parfait		
Il faut que...		*Il fallait que...*		*Il faut que...*			*Il fallait que...*		
je	maudisse	je	maudisse	j'	aie	maudit	j'	eusse	maudit
tu	maudisses	tu	maudisses	tu	aies	maudit	tu	eusses	maudit
il, elle	maudisse	il, elle	maudît	il, elle	ait	maudit	il, elle	eût	maudit
nous	maudissions	nous	maudissions	nous	ayons	maudit	nous	eussions	maudit
vous	maudissiez	vous	maudissiez	vous	ayez	maudit	vous	eussiez	maudit
ils, elles	maudissent	ils, elles	maudissent	ils, elles	aient	maudit	ils, elles	eussent	maudit

CONDITIONNEL

Présent		Passé 1ʳᵉ forme			Passé 2ᵉ forme		
je	maudirais	j'	aurais	maudit	j'	eusse	maudit
tu	maudirais	tu	aurais	maudit	tu	eusses	maudit
il, elle	maudirait	il, elle	aurait	maudit	il, elle	eût	maudit
nous	maudirions	nous	aurions	maudit	nous	eussions	maudit
vous	maudiriez	vous	auriez	maudit	vous	eussiez	maudit
ils, elles	maudiraient	ils, elles	auraient	maudit	ils, elles	eussent	maudit

IMPÉRATIF

Présent	Passé
maudis	aie maudit
maudissons	ayons maudit
maudissez	ayez maudit

INFINITIF

Présent	Passé
maudire	avoir maudit

PARTICIPE

Présent	Passé
maudissant	maudit(e)
	ayant maudit

3ᵉ groupe

▶ Se conjuguent sur le modèle de *mentir* : *assentir*, *consentir*, *démentir*, *pressentir*, *se repentir* (pronominal avec l'auxiliaire *être*), *ressentir*, *sentir*.
▶ Les participes passés *consenti*, *démenti*, *pressenti*, *repenti*, *ressenti* et *senti* sont variables.

mentir

INDICATIF

Présent		Imparfait		Passé composé			Plus-que-parfait		
je	mens	je	mentais	j'	ai	menti	j'	avais	menti
tu	mens	tu	mentais	tu	as	menti	tu	avais	menti
il, elle	ment	il, elle	mentait	il, elle	a	menti	il, elle	avait	menti
nous	mentons	nous	mentions	nous	avons	menti	nous	avions	menti
vous	mentez	vous	mentiez	vous	avez	menti	vous	aviez	menti
ils, elles	mentent	ils, elles	mentaient	ils, elles	ont	menti	ils, elles	avaient	menti

Passé simple		Futur simple		Passé antérieur			Futur antérieur		
je	mentis	je	mentirai	j'	eus	menti	j'	aurai	menti
tu	mentis	tu	mentiras	tu	eus	menti	tu	auras	menti
il, elle	mentit	il, elle	mentira	il, elle	eut	menti	il, elle	aura	menti
nous	mentîmes	nous	mentirons	nous	eûmes	menti	nous	aurons	menti
vous	mentîtes	vous	mentirez	vous	eûtes	menti	vous	aurez	menti
ils, elles	mentirent	ils, elles	mentiront	ils, elles	eurent	menti	ils, elles	auront	menti

SUBJONCTIF

Présent		Imparfait		Passé			Plus-que-parfait		
Il faut que...		*Il fallait que...*		*Il faut que...*			*Il fallait que...*		
je	mente	je	mentisse	j'	aie	menti	j'	eusse	menti
tu	mentes	tu	mentisses	tu	aies	menti	tu	eusses	menti
il, elle	mente	il, elle	mentît	il, elle	ait	menti	il, elle	eût	menti
nous	mentions	nous	mentissions	nous	ayons	menti	nous	eussions	menti
vous	mentiez	vous	mentissiez	vous	ayez	menti	vous	eussiez	menti
ils, elles	mentent	ils, elles	mentissent	ils, elles	aient	menti	ils, elles	eussent	menti

CONDITIONNEL

Présent		Passé 1re forme			Passé 2e forme		
je	mentirais	j'	aurais	menti	j'	eusse	menti
tu	mentirais	tu	aurais	menti	tu	eusses	menti
il, elle	mentirait	il, elle	aurait	menti	il, elle	eût	menti
nous	mentirions	nous	aurions	menti	nous	eussions	menti
vous	mentiriez	vous	auriez	menti	vous	eussiez	menti
ils, elles	mentiraient	ils, elles	auraient	menti	ils, elles	eussent	menti

IMPÉRATIF

Présent	Passé
mens	aie menti
mentons	ayons menti
mentez	ayez menti

INFINITIF

Présent	Passé
mentir	avoir menti

PARTICIPE

Présent	Passé
mentant	menti
	ayant menti

▶ Se conjuguent sur le modèle de *mettre* : ad**mettre**, com**mettre**, compro**mettre**, décom**mettre**, dé**mettre**, é**mettre**, s'entre**mettre** (pronominal avec l'auxiliaire *être*), main**mettre**, o**mettre**, per**mettre**, pro**mettre**, réad**mettre**, re**mettre**, retrans**mettre**, sou**mettre**, trans**mettre**.

mettre

INDICATIF

Présent
je **mets**
tu **mets**
il, elle **met**
nous **mettons**
vous **mettez**
ils, elles **mettent**

Imparfait
je **mettais**
tu **mettais**
il, elle **mettait**
nous **mettions**
vous **mettiez**
ils, elles **mettaient**

Passé composé
j' ai mis
tu as mis
il, elle a mis
nous avons mis
vous avez mis
ils, elles ont mis

Plus-que-parfait
j' avais mis
tu avais mis
il, elle avait mis
nous avions mis
vous aviez mis
ils, elles avaient mis

Passé simple
je **mis**
tu **mis**
il, elle **mit**
nous **mîmes**
vous **mîtes**
ils, elles **mirent**

Futur simple
je **mettrai**
tu **mettras**
il, elle **mettra**
nous **mettrons**
vous **mettrez**
ils, elles **mettront**

Passé antérieur
j' eus mis
tu eus mis
il, elle eut mis
nous eûmes mis
vous eûtes mis
ils, elles eurent mis

Futur antérieur
j' aurai mis
tu auras mis
il, elle aura mis
nous aurons mis
vous aurez mis
ils, elles auront mis

SUBJONCTIF

Présent
Il faut que...
je **mette**
tu **mettes**
il, elle **mette**
nous **mettions**
vous **mettiez**
ils, elles **mettent**

Imparfait
Il fallait que...
je **misse**
tu **misses**
il, elle **mît**
nous **missions**
vous **missiez**
ils, elles **missent**

Passé
Il faut que...
j' aie mis
tu aies mis
il, elle ait mis
nous ayons mis
vous ayez mis
ils, elles aient mis

Plus-que-parfait
Il fallait que...
j' eusse mis
tu eusses mis
il, elle eût mis
nous eussions mis
vous eussiez mis
ils, elles eussent mis

CONDITIONNEL

Présent
je **mettrais**
tu **mettrais**
il, elle **mettrait**
nous **mettrions**
vous **mettriez**
ils, elles **mettraient**

Passé 1re forme
j' aurais mis
tu aurais mis
il, elle aurait mis
nous aurions mis
vous auriez mis
ils, elles auraient mis

Passé 2e forme
j' eusse mis
tu eusses mis
il, elle eût mis
nous eussions mis
vous eussiez mis
ils, elles eussent mis

IMPÉRATIF

Présent
mets
mettons
mettez

Passé
aie mis
ayons mis
ayez mis

INFINITIF

Présent
mettre

Passé
avoir mis

PARTICIPE

Présent
mettant

Passé
mis(e)
ayant mis

3e groupe

▶ Se conjuguent sur le modèle de *mordre* : *démordre, détordre, distordre, remordre, retordre, tordre.*

mordre

INDICATIF

Présent		Imparfait		Passé composé			Plus-que-parfait		
je	mords	je	mordais	j'	ai	mordu	j'	avais	mordu
tu	mords	tu	mordais	tu	as	mordu	tu	avais	mordu
il, elle	mord	il, elle	mordait	il, elle	a	mordu	il, elle	avait	mordu
nous	mordons	nous	mordions	nous	avons	mordu	nous	avions	mordu
vous	mordez	vous	mordiez	vous	avez	mordu	vous	aviez	mordu
ils, elles	mordent	ils, elles	mordaient	ils, elles	ont	mordu	ils, elles	avaient	mordu

Passé simple		Futur simple		Passé antérieur			Futur antérieur		
je	mordis	je	mordrai	j'	eus	mordu	j'	aurai	mordu
tu	mordis	tu	mordras	tu	eus	mordu	tu	auras	mordu
il, elle	mordit	il, elle	mordra	il, elle	eut	mordu	il, elle	aura	mordu
nous	mordîmes	nous	mordrons	nous	eûmes	mordu	nous	aurons	mordu
vous	mordîtes	vous	mordrez	vous	eûtes	mordu	vous	aurez	mordu
ils, elles	mordirent	ils, elles	mordront	ils, elles	eurent	mordu	ils, elles	auront	mordu

SUBJONCTIF

Présent		Imparfait		Passé			Plus-que-parfait		
Il faut que...		*Il fallait que...*		*Il faut que...*			*Il fallait que...*		
je	morde	je	mordisse	j'	aie	mordu	j'	eusse	mordu
tu	mordes	tu	mordisses	tu	aies	mordu	tu	eusses	mordu
il, elle	morde	il, elle	mordît	il, elle	ait	mordu	il, elle	eût	mordu
nous	mordions	nous	mordissions	nous	ayons	mordu	nous	eussions	mordu
vous	mordiez	vous	mordissiez	vous	ayez	mordu	vous	eussiez	mordu
ils, elles	mordent	ils, elles	mordissent	ils, elles	aient	mordu	ils, elles	eussent	mordu

CONDITIONNEL

Présent		Passé 1re forme			Passé 2e forme		
je	mordrais	j'	aurais	mordu	j'	eusse	mordu
tu	mordrais	tu	aurais	mordu	tu	eusses	mordu
il, elle	mordrait	il, elle	aurait	mordu	il, elle	eût	mordu
nous	mordrions	nous	aurions	mordu	nous	eussions	mordu
vous	mordriez	vous	auriez	mordu	vous	eussiez	mordu
ils, elles	mordraient	ils, elles	auraient	mordu	ils, elles	eussent	mordu

IMPÉRATIF

Présent	Passé
mords	aie mordu
mordons	ayons mordu
mordez	ayez mordu

INFINITIF

Présent	Passé
mordre	avoir mordu

PARTICIPE

Présent	Passé
mordant	mordu(e)
	ayant mordu

3e groupe

▶ Se conjuguent sur le modèle de *moudre* : é**moudre**, re**moudre**.

moudre

INDICATIF

Présent	**Imparfait**	**Passé composé**	**Plus-que-parfait**
je **mouds**	je **moulais**	j' ai moulu	j' avais moulu
tu **mouds**	tu **moulais**	tu as moulu	tu avais moulu
il, elle **moud**	il, elle **moulait**	il, elle a moulu	il, elle avait moulu
nous **moulons**	nous **moulions**	nous avons moulu	nous avions moulu
vous **moulez**	vous **mouliez**	vous avez moulu	vous aviez moulu
ils, elles **moulent**	ils, elles **moulaient**	ils, elles ont moulu	ils, elles avaient moulu

Passé simple	**Futur simple**	**Passé antérieur**	**Futur antérieur**
je **moulus**	je **moudrai**	j' eus moulu	j' aurai moulu
tu **moulus**	tu **moudras**	tu eus moulu	tu auras moulu
il, elle **moulut**	il, elle **moudra**	il, elle eut moulu	il, elle aura moulu
nous **moulûmes**	nous **moudrons**	nous eûmes moulu	nous aurons moulu
vous **moulûtes**	vous **moudrez**	vous eûtes moulu	vous aurez moulu
ils, elles **moulurent**	ils, elles **moudront**	ils, elles eurent moulu	ils, elles auront moulu

SUBJONCTIF

Présent	**Imparfait**	**Passé**	**Plus-que-parfait**
Il faut que...	*Il fallait que...*	*Il faut que...*	*Il fallait que...*
je **moule**	je **moulusse**	j' aie moulu	j' eusse moulu
tu **moules**	tu **moulusses**	tu aies moulu	tu eusses moulu
il, elle **moule**	il, elle **moulût**	il, elle ait moulu	il, elle eût moulu
nous **moulions**	nous **moulussions**	nous ayons moulu	nous eussions moulu
vous **mouliez**	vous **moulussiez**	vous ayez moulu	vous eussiez moulu
ils, elles **moulent**	ils, elles **moulussent**	ils, elles aient moulu	ils, elles eussent moulu

CONDITIONNEL

Présent	**Passé 1re forme**	**Passé 2e forme**
je **moudrais**	j' aurais moulu	j' eusse moulu
tu **moudrais**	tu aurais moulu	tu eusses moulu
il, elle **moudrait**	il, elle aurait moulu	il, elle eût moulu
nous **moudrions**	nous aurions moulu	nous eussions moulu
vous **moudriez**	vous auriez moulu	vous eussiez moulu
ils, elles **moudraient**	ils, elles auraient moulu	ils, elles eussent moulu

IMPÉRATIF

Présent	**Passé**
mouds	aie moulu
moulons	ayons moulu
moulez	ayez moulu

INFINITIF

Présent	**Passé**
moudre	avoir moulu

PARTICIPE

Présent	**Passé**
moulant	moulu(e)
	ayant moulu

3e groupe

● r devient rr à toutes les personnes du futur simple de l'indicatif et du présent du conditionnel.

mourir

INDICATIF

Présent		Imparfait		Passé composé			Plus-que-parfait		
je	meurs	je	mourais	je	suis	mort(e)	j'	étais	mort(e)
tu	meurs	tu	mourais	tu	es	mort(e)	tu	étais	mort(e)
il, elle	meurt	il, elle	mourait	il, elle	est	mort(e)	il, elle	était	mort(e)
nous	mourons	nous	mourions	nous	sommes	mort(e)s	nous	étions	mort(e)s
vous	mourez	vous	mouriez	vous	êtes	mort(e)s	vous	étiez	mort(e)s
ils, elles	meurent	ils, elles	mouraient	ils, elles	sont	mort(e)s	ils, elles	étaient	mort(e)s

Passé simple		Futur simple		Passé antérieur			Futur antérieur		
je	mourus	je	mourrai	je	fus	mort(e)	je	serai	mort(e)
tu	mourus	tu	mourras	tu	fus	mort(e)	tu	seras	mort(e)
il, elle	mourut	il, elle	mourra	il, elle	fut	mort(e)	il, elle	sera	mort(e)
nous	mourûmes	nous	mourrons	nous	fûmes	mort(e)s	nous	serons	mort(e)s
vous	mourûtes	vous	mourrez	vous	fûtes	mort(e)s	vous	serez	mort(e)s
ils, elles	moururent	ils, elles	mourront	ils, elles	furent	mort(e)s	ils, elles	seront	mort(e)s

SUBJONCTIF

Présent		Imparfait		Passé			Plus-que-parfait		
Il faut que...		*Il fallait que...*		*Il faut que...*			*Il fallait que...*		
je	meure	je	mourusse	je	sois	mort(e)	je	fusse	mort(e)
tu	meures	tu	mourusses	tu	sois	mort(e)	tu	fusses	mort(e)
il, elle	meure	il, elle	mourût	il, elle	soit	mort(e)	il, elle	fût	mort(e)
nous	mourions	nous	mourussions	nous	soyons	mort(e)s	nous	fussions	mort(e)s
vous	mouriez	vous	mourussiez	vous	soyez	mort(e)s	vous	fussiez	mort(e)s
ils, elles	meurent	ils, elles	mourussent	ils, elles	soient	mort(e)s	ils, elles	fussent	mort(e)s

CONDITIONNEL

Présent		Passé 1re forme			Passé 2e forme		
je	mourrais	je	serais	mort(e)	je	fusse	mort(e)
tu	mourrais	tu	serais	mort(e)	tu	fusses	mort(e)
il, elle	mourrait	il, elle	serait	mort(e)	il, elle	fût	mort(e)
nous	mourrions	nous	serions	mort(e)s	nous	fussions	mort(e)s
vous	mourriez	vous	seriez	mort(e)s	vous	fussiez	mort(e)s
ils, elles	mourraient	ils, elles	seraient	mort(e)s	ils, elles	fussent	mort(e)s

IMPÉRATIF

Présent	Passé
meurs	sois mort(e)
mourons	soyons mort(e)s
mourez	soyez mort(e)s

INFINITIF

Présent	Passé
mourir	être mort(e)

PARTICIPE

Présent	Passé
mourant	mort(e)
	étant mort(e)

î reste î lorsqu'il est suivi d'un **t**, c'est-à-dire :
- à l'infinitif ;
- à la 3e personne du singulier du présent de l'indicatif ;
- à toutes les personnes du futur simple de l'indicatif et du présent du conditionnel.

naître

INDICATIF

Présent		Imparfait		Passé composé			Plus-que-parfait		
je	nais	je	naissais	je	suis	né(e)	j'	étais	né(e)
tu	nais	tu	naissais	tu	es	né(e)	tu	étais	né(e)
il, elle	naît	il, elle	naissait	il, elle	est	né(e)	il, elle	était	né(e)
nous	naissons	nous	naissions	nous	sommes	né(e)s	nous	étions	né(e)s
vous	naissez	vous	naissiez	vous	êtes	né(e)s	vous	étiez	né(e)s
ils, elles	naissent	ils, elles	naissaient	ils, elles	sont	né(e)s	ils, elles	étaient	né(e)s

Passé simple		Futur simple		Passé antérieur			Futur antérieur		
je	naquis	je	naîtrai	je	fus	né(e)	je	serai	né(e)
tu	naquis	tu	naîtras	tu	fus	né(e)	tu	seras	né(e)
il, elle	naquit	il, elle	naîtra	il, elle	fut	né(e)	il, elle	sera	né(e)
nous	naquîmes	nous	naîtrons	nous	fûmes	né(e)s	nous	serons	né(e)s
vous	naquîtes	vous	naîtrez	vous	fûtes	né(e)s	vous	serez	né(e)s
ils, elles	naquirent	ils, elles	naîtront	ils, elles	furent	né(e)s	ils, elles	seront	né(e)s

SUBJONCTIF

Présent		Imparfait		Passé			Plus-que-parfait		
Il faut que...		*Il fallait que...*		*Il faut que...*			*Il fallait que...*		
je	naisse	je	naquisse	je	sois	né(e)	je	fusse	né(e)
tu	naisses	tu	naquisses	tu	sois	né(e)	tu	fusses	né(e)
il, elle	naisse	il, elle	naquît	il, elle	soit	né(e)	il, elle	fût	né(e)
nous	naissions	nous	naquissions	nous	soyons	né(e)s	nous	fussions	né(e)s
vous	naissiez	vous	naquissiez	vous	soyez	né(e)s	vous	fussiez	né(e)s
ils, elles	naissent	ils, elles	naquissent	ils, elles	soient	né(e)s	ils, elles	fussent	né(e)s

CONDITIONNEL

Présent		Passé 1re forme			Passé 2e forme		
je	naîtrais	je	serais	né(e)	je	fusse	né(e)
tu	naîtrais	tu	serais	né(e)	tu	fusses	né(e)
il, elle	naîtrait	il, elle	serait	né(e)	il, elle	fût	né(e)
nous	naîtrions	nous	serions	né(e)s	nous	fussions	né(e)s
vous	naîtriez	vous	seriez	né(e)s	vous	fussiez	né(e)s
ils, elles	naîtraient	ils, elles	seraient	né(e)s	ils, elles	fussent	né(e)s

IMPÉRATIF

Présent	Passé
nais	sois né(e)
naissons	soyons né(e)s
naissez	soyez né(e)s

INFINITIF

Présent	Passé
naître	être né(e)

PARTICIPE

Présent	Passé
naissant	né(e)
	étant né(e)

3e groupe

VERBES EN -nuire

▶ Se conjuguent sur le modèle de *nuire* : *s'entre-nuire* (pronominal avec l'auxiliaire *être*), *s'entrenuire* (pronominal avec l'auxiliaire *être*).

nuire

INDICATIF

Présent		Imparfait		Passé composé			Plus-que-parfait		
je	**nuis**	je	**nuisais**	j'	ai	nui	j'	avais	nui
tu	**nuis**	tu	**nuisais**	tu	as	nui	tu	avais	nui
il, elle	**nuit**	il, elle	**nuisait**	il, elle	a	nui	il, elle	avait	nui
nous	**nuisons**	nous	**nuisions**	nous	avons	nui	nous	avions	nui
vous	**nuisez**	vous	**nuisiez**	vous	avez	nui	vous	aviez	nui
ils, elles	**nuisent**	ils, elles	**nuisaient**	ils, elles	ont	nui	ils, elles	avaient	nui

Passé simple		Futur simple		Passé antérieur			Futur antérieur		
je	**nuisis**	je	**nuirai**	j'	eus	nui	j'	aurai	nui
tu	**nuisis**	tu	**nuiras**	tu	eus	nui	tu	auras	nui
il, elle	**nuisit**	il, elle	**nuira**	il, elle	eut	nui	il, elle	aura	nui
nous	**nuisîmes**	nous	**nuirons**	nous	eûmes	nui	nous	aurons	nui
vous	**nuisîtes**	vous	**nuirez**	vous	eûtes	nui	vous	aurez	nui
ils, elles	**nuisirent**	ils, elles	**nuiront**	ils, elles	eurent	nui	ils, elles	auront	nui

SUBJONCTIF

Présent		Imparfait		Passé			Plus-que-parfait		
Il faut que...		*Il fallait que...*		*Il faut que...*			*Il fallait que...*		
je	**nuise**	je	**nuisisse**	j'	aie	nui	j'	eusse	nui
tu	**nuises**	tu	**nuisisses**	tu	aies	nui	tu	eusses	nui
il, elle	**nuise**	il, elle	**nuisît**	il, elle	ait	nui	il, elle	eût	nui
nous	**nuisions**	nous	**nuisissions**	nous	ayons	nui	nous	eussions	nui
vous	**nuisiez**	vous	**nuisissiez**	vous	ayez	nui	vous	eussiez	nui
ils, elles	**nuisent**	ils, elles	**nuisissent**	ils, elles	aient	nui	ils, elles	eussent	nui

CONDITIONNEL

Présent		Passé 1ʳᵉ forme			Passé 2ᵉ forme		
je	**nuirais**	j'	aurais	nui	j'	eusse	nui
tu	**nuirais**	tu	aurais	nui	tu	eusses	nui
il, elle	**nuirait**	il, elle	aurait	nui	il, elle	eût	nui
nous	**nuirions**	nous	aurions	nui	nous	eussions	nui
vous	**nuiriez**	vous	auriez	nui	vous	eussiez	nui
ils, elles	**nuiraient**	ils, elles	auraient	nui	ils, elles	eussent	nui

IMPÉRATIF

Présent	Passé
nuis	aie nui
nuisons	ayons nui
nuisez	ayez nui

INFINITIF

Présent	Passé
nuire	avoir nui

PARTICIPE

Présent	Passé
nuisant	**nui**
	ayant nui

offrir

Présent		Imparfait		Passé composé			Plus-que-parfait		
j'	offre	j'	offrais	j'	ai	offert	j'	avais	offert
tu	offres	tu	offrais	tu	as	offert	tu	avais	offert
il, elle	offre	il, elle	offrait	il, elle	a	offert	il, elle	avait	offert
nous	offrons	nous	offrions	nous	avons	offert	nous	avions	offert
vous	offrez	vous	offriez	vous	avez	offert	vous	aviez	offert
ils, elles	offrent	ils, elles	offraient	ils, elles	ont	offert	ils, elles	avaient	offert

Passé simple		Futur simple		Passé antérieur			Futur antérieur		
j'	offris	j'	offrirai	j'	eus	offert	j'	aurai	offert
tu	offris	tu	offriras	tu	eus	offert	tu	auras	offert
il, elle	offrit	il, elle	offrira	il, elle	eut	offert	il, elle	aura	offert
nous	offrîmes	nous	offrirons	nous	eûmes	offert	nous	aurons	offert
vous	offrîtes	vous	offrirez	vous	eûtes	offert	vous	aurez	offert
ils, elles	offrirent	ils, elles	offriront	ils, elles	eurent	offert	ils, elles	auront	offert

Présent		Imparfait		Passé			Plus-que-parfait		
Il faut que...		*Il fallait que...*		*Il faut que...*			*Il fallait que...*		
j'	offre	j'	offrisse	j'	aie	offert	j'	eusse	offert
tu	offres	tu	offrisses	tu	aies	offert	tu	eusses	offert
il, elle	offre	il, elle	offrît	il, elle	ait	offert	il, elle	eût	offert
nous	offrions	nous	offrissions	nous	ayons	offert	nous	eussions	offert
vous	offriez	vous	offrissiez	vous	ayez	offert	vous	eussiez	offert
ils, elles	offrent	ils, elles	offrissent	ils, elles	aient	offert	ils, elles	eussent	offert

Présent		Passé 1re forme			Passé 2e forme		
j'	offrirais	j'	aurais	offert	j'	eusse	offert
tu	offrirais	tu	aurais	offert	tu	eusses	offert
il, elle	offrirait	il, elle	aurait	offert	il, elle	eût	offert
nous	offririons	nous	aurions	offert	nous	eussions	offert
vous	offririez	vous	auriez	offert	vous	eussiez	offert
ils, elles	offriraient	ils, elles	auraient	offert	ils, elles	eussent	offert

Présent	Passé	Présent	Passé	Présent	Passé
offre	aie offert	offrir	avoir offert	offrant	offert(e)
offrons	ayons offert				ayant offert
offrez	ayez offert				

3e groupe

VERBES EN -ouvrir

▶ Se conjuguent sur le modèle d'*ouvrir* : *couvrir, découvrir, entrouvrir, recouvrir, redécouvrir, rouvrir.*

ouvrir

INDICATIF

Présent		Imparfait		Passé composé			Plus-que-parfait		
j'	ouvre	j'	ouvrais	j'	ai	ouvert	j'	avais	ouvert
tu	ouvres	tu	ouvrais	tu	as	ouvert	tu	avais	ouvert
il, elle	ouvre	il, elle	ouvrait	il, elle	a	ouvert	il, elle	avait	ouvert
nous	ouvrons	nous	ouvrions	nous	avons	ouvert	nous	avions	ouvert
vous	ouvrez	vous	ouvriez	vous	avez	ouvert	vous	aviez	ouvert
ils, elles	ouvrent	ils, elles	ouvraient	ils, elles	ont	ouvert	ils, elles	avaient	ouvert

Passé simple		Futur simple		Passé antérieur			Futur antérieur		
j'	ouvris	j'	ouvrirai	j'	eus	ouvert	j'	aurai	ouvert
tu	ouvris	tu	ouvriras	tu	eus	ouvert	tu	auras	ouvert
il, elle	ouvrit	il, elle	ouvrira	il, elle	eut	ouvert	il, elle	aura	ouvert
nous	ouvrîmes	nous	ouvrirons	nous	eûmes	ouvert	nous	aurons	ouvert
vous	ouvrîtes	vous	ouvrirez	vous	eûtes	ouvert	vous	aurez	ouvert
ils, elles	ouvrirent	ils, elles	ouvriront	ils, elles	eurent	ouvert	ils, elles	auront	ouvert

SUBJONCTIF

Présent		Imparfait		Passé			Plus-que-parfait		
Il faut **que**...		Il fallait **que**...		Il faut **que**...			Il fallait **que**...		
j'	ouvre	j'	ouvrisse	j'	aie	ouvert	j'	eusse	ouvert
tu	ouvres	tu	ouvrisses	tu	aies	ouvert	tu	eusses	ouvert
il, elle	ouvre	il, elle	ouvrît	il, elle	ait	ouvert	il, elle	eût	ouvert
nous	ouvrions	nous	ouvrissions	nous	ayons	ouvert	nous	eussions	ouvert
vous	ouvriez	vous	ouvrissiez	vous	ayez	ouvert	vous	eussiez	ouvert
ils, elles	ouvrent	ils, elles	ouvrissent	ils, elles	aient	ouvert	ils, elles	eussent	ouvert

CONDITIONNEL

Présent		Passé 1re forme			Passé 2e forme		
j'	ouvrirais	j'	aurais	ouvert	j'	eusse	ouvert
tu	ouvrirais	tu	aurais	ouvert	tu	eusses	ouvert
il, elle	ouvrirait	il, elle	aurait	ouvert	il, elle	eût	ouvert
nous	ouvririons	nous	aurions	ouvert	nous	eussions	ouvert
vous	ouvririez	vous	auriez	ouvert	vous	eussiez	ouvert
ils, elles	ouvriraient	ils, elles	auraient	ouvert	ils, elles	eussent	ouvert

IMPÉRATIF

Présent	Passé
ouvre	aie ouvert
ouvrons	ayons ouvert
ouvrez	ayez ouvert

INFINITIF

Présent	Passé
ouvrir	avoir ouvert

PARTICIPE

Présent	Passé
ouvrant	ouvert(e)
	ayant ouvert

3e groupe

▶ Se conjuguent sur le modèle de *partir* : *départir* (*avoir*), *repartir* (au sens de « partir de nouveau », *être*), *repartir* (au sens de « rétorquer », *avoir*).
▶ *Répartir*, au sens de « partager », se conjugue sur le modèle de *finir* (cf. *finir*, 92).

partir

INDICATIF

Présent		Imparfait		Passé composé			Plus-que-parfait		
je	**pars**	je	**partais**	je	suis	parti(e)	j'	étais	parti(e)
tu	**pars**	tu	**partais**	tu	es	parti(e)	tu	étais	parti(e)
il, elle	**part**	il, elle	**partait**	il, elle	est	parti(e)	il, elle	était	parti(e)
nous	**partons**	nous	**partions**	nous	sommes	parti(e)s	nous	étions	parti(e)s
vous	**partez**	vous	**partiez**	vous	êtes	parti(e)s	vous	étiez	parti(e)s
ils, elles	**partent**	ils, elles	**partaient**	ils, elles	sont	parti(e)s	ils, elles	étaient	parti(e)s

Passé simple		Futur simple		Passé antérieur			Futur antérieur		
je	**partis**	je	**partirai**	je	fus	parti(e)	je	serai	parti(e)
tu	**partis**	tu	**partiras**	tu	fus	parti(e)	tu	seras	parti(e)
il, elle	**partit**	il, elle	**partira**	il, elle	fut	parti(e)	il, elle	sera	parti(e)
nous	**partîmes**	nous	**partirons**	nous	fûmes	parti(e)s	nous	serons	parti(e)s
vous	**partîtes**	vous	**partirez**	vous	fûtes	parti(e)s	vous	serez	parti(e)s
ils, elles	**partirent**	ils, elles	**partiront**	ils, elles	furent	parti(e)s	ils, elles	seront	parti(e)s

SUBJONCTIF

Présent		Imparfait		Passé			Plus-que-parfait		
Il faut que...		*Il fallait que...*		*Il faut que...*			*Il fallait que...*		
je	**parte**	je	**partisse**	je	sois	parti(e)	je	fusse	parti(e)
tu	**partes**	tu	**partisses**	tu	sois	parti(e)	tu	fusses	parti(e)
il, elle	**parte**	il, elle	**partît**	il, elle	soit	parti(e)	il, elle	fût	parti(e)
nous	**partions**	nous	**partissions**	nous	soyons	parti(e)s	nous	fussions	parti(e)s
vous	**partiez**	vous	**partissiez**	vous	soyez	parti(e)s	vous	fussiez	parti(e)s
ils, elles	**partent**	ils, elles	**partissent**	ils, elles	soient	parti(e)s	ils, elles	fussent	parti(e)s

CONDITIONNEL

Présent		Passé 1re forme			Passé 2e forme		
je	**partirais**	je	serais	parti(e)	je	fusse	parti(e)
tu	**partirais**	tu	serais	parti(e)	tu	fusses	parti(e)
il, elle	**partirait**	il, elle	serait	parti(e)	il, elle	fût	parti(e)
nous	**partirions**	nous	serions	parti(e)s	nous	fussions	parti(e)s
vous	**partiriez**	vous	seriez	parti(e)s	vous	fussiez	parti(e)s
ils, elles	**partiraient**	ils, elles	seraient	parti(e)s	ils, elles	fussent	parti(e)s

IMPÉRATIF

Présent	Passé
pars	sois parti(e)
partons	soyons parti(e)s
partez	soyez parti(e)s

INFINITIF

Présent	Passé
partir	être parti(e)

PARTICIPE

Présent	Passé
partant	**parti(e)**
	étant parti(e)

3e groupe

● **gn** devient **gni** aux 1ʳᵉˢ et 2ᵉˢ personnes du pluriel de l'imparfait de l'indicatif et du présent du subjonctif.
▶ Se conjuguent sur le modèle de *peindre* : *atteindre, aveindre, ceindre, dépeindre, déteindre, enceindre, éteindre, feindre, geindre, repeindre, reteindre, teindre.*
▶ Le participe passé *geint* est invariable.

peindre

3ᵉ groupe

INDICATIF

Présent		**Imparfait**		**Passé composé**			**Plus-que-parfait**		
je	peins	je	peignais	j'	ai	peint	j'	avais	peint
tu	peins	tu	peignais	tu	as	peint	tu	avais	peint
il, elle	peint	il, elle	peignait	il, elle	a	peint	il, elle	avait	peint
nous	peignons	nous	peignions	nous	avons	peint	nous	avions	peint
vous	peignez	vous	peigniez	vous	avez	peint	vous	aviez	peint
ils, elles	peignent	ils, elles	peignaient	ils, elles	ont	peint	ils, elles	avaient	peint

Passé simple		**Futur simple**		**Passé antérieur**			**Futur antérieur**		
je	peignis	je	peindrai	j'	eus	peint	j'	aurai	peint
tu	peignis	tu	peindras	tu	eus	peint	tu	auras	peint
il, elle	peignit	il, elle	peindra	il, elle	eut	peint	il, elle	aura	peint
nous	peignîmes	nous	peindrons	nous	eûmes	peint	nous	aurons	peint
vous	peignîtes	vous	peindrez	vous	eûtes	peint	vous	aurez	peint
ils, elles	peignirent	ils, elles	peindront	ils, elles	eurent	peint	ils, elles	auront	peint

SUBJONCTIF

Présent		**Imparfait**		**Passé**			**Plus-que-parfait**		
Il faut que...		*Il fallait que...*		*Il faut que...*			*Il fallait que...*		
je	peigne	je	peignisse	j'	aie	peint	j'	eusse	peint
tu	peignes	tu	peignisses	tu	aies	peint	tu	eusses	peint
il, elle	peigne	il, elle	peignît	il, elle	ait	peint	il, elle	eût	peint
nous	peignions	nous	peignissions	nous	ayons	peint	nous	eussions	peint
vous	peigniez	vous	peignissiez	vous	ayez	peint	vous	eussiez	peint
ils, elles	peignent	ils, elles	peignissent	ils, elles	aient	peint	ils, elles	eussent	peint

CONDITIONNEL

Présent		**Passé 1ʳᵉ forme**			**Passé 2ᵉ forme**		
je	peindrais	j'	aurais	peint	j'	eusse	peint
tu	peindrais	tu	aurais	peint	tu	eusses	peint
il, elle	peindrait	il, elle	aurait	peint	il, elle	eût	peint
nous	peindrions	nous	aurions	peint	nous	eussions	peint
vous	peindriez	vous	auriez	peint	vous	eussiez	peint
ils, elles	peindraient	ils, elles	auraient	peint	ils, elles	eussent	peint

IMPÉRATIF

Présent	**Passé**
peins	aie peint
peignons	ayons peint
peignez	ayez peint

INFINITIF

Présent	**Passé**
peindre	avoir peint

PARTICIPE

Présent	**Passé**
peignant	peint(e)
	ayant peint

▶ Se conjuguent sur le modèle de *perdre* : *éperdre, reperdre*.

perdre

INDICATIF

Présent
je	**perds**
tu	**perds**
il, elle	**perd**
nous	**perdons**
vous	**perdez**
ils, elles	**perdent**

Imparfait
je	**perdais**
tu	**perdais**
il, elle	**perdait**
nous	**perdions**
vous	**perdiez**
ils, elles	**perdaient**

Passé composé
j'	ai	perdu
tu	as	perdu
il, elle	a	perdu
nous	avons	perdu
vous	avez	perdu
ils, elles	ont	perdu

Plus-que-parfait
j'	avais	perdu
tu	avais	perdu
il, elle	avait	perdu
nous	avions	perdu
vous	aviez	perdu
ils, elles	avaient	perdu

Passé simple
je	**perdis**
tu	**perdis**
il, elle	**perdit**
nous	**perdîmes**
vous	**perdîtes**
ils, elles	**perdirent**

Futur simple
je	**perdrai**
tu	**perdras**
il, elle	**perdra**
nous	**perdrons**
vous	**perdrez**
ils, elles	**perdront**

Passé antérieur
j'	eus	perdu
tu	eus	perdu
il, elle	eut	perdu
nous	eûmes	perdu
vous	eûtes	perdu
ils, elles	eurent	perdu

Futur antérieur
j'	aurai	perdu
tu	auras	perdu
il, elle	aura	perdu
nous	aurons	perdu
vous	aurez	perdu
ils, elles	auront	perdu

SUBJONCTIF

Présent
Il faut que...
je	**perde**
tu	**perdes**
il, elle	**perde**
nous	**perdions**
vous	**perdiez**
ils, elles	**perdent**

Imparfait
Il fallait que...
je	**perdisse**
tu	**perdisses**
il, elle	**perdît**
nous	**perdissions**
vous	**perdissiez**
ils, elles	**perdissent**

Passé
Il faut que...
j'	aie	perdu
tu	aies	perdu
il, elle	ait	perdu
nous	ayons	perdu
vous	ayez	perdu
ils, elles	aient	perdu

Plus-que-parfait
Il fallait que...
j'	eusse	perdu
tu	eusses	perdu
il, elle	eût	perdu
nous	eussions	perdu
vous	eussiez	perdu
ils, elles	eussent	perdu

CONDITIONNEL

Présent
je	**perdrais**
tu	**perdrais**
il, elle	**perdrait**
nous	**perdrions**
vous	**perdriez**
ils, elles	**perdraient**

Passé 1re forme
j'	aurais	perdu
tu	aurais	perdu
il, elle	aurait	perdu
nous	aurions	perdu
vous	auriez	perdu
ils, elles	auraient	perdu

Passé 2e forme
j'	eusse	perdu
tu	eusses	perdu
il, elle	eût	perdu
nous	eussions	perdu
vous	eussiez	perdu
ils, elles	eussent	perdu

IMPÉRATIF

Présent
perds
perdons
perdez

Passé
aie perdu
ayons perdu
ayez perdu

INFINITIF

Présent
perdre

Passé
avoir perdu

PARTICIPE

Présent
perdant

Passé
perdu(e)
ayant perdu

3e groupe

VERBES EN -plaire

- i devient î à la 3e personne du singulier du présent de l'indicatif.
▶ Se conjuguent sur le modèle de *plaire* : *complaire*, *déplaire*.

plaire

INDICATIF

Présent	Imparfait	Passé composé	Plus-que-parfait
je **plais**	je **plaisais**	j' ai plu	j' avais plu
tu **plais**	tu **plaisais**	tu as plu	tu avais plu
il, elle **plaît**	il, elle **plaisait**	il, elle a plu	il, elle avait plu
nous **plaisons**	nous **plaisions**	nous avons plu	nous avions plu
vous **plaisez**	vous **plaisiez**	vous avez plu	vous aviez plu
ils, elles **plaisent**	ils, elles **plaisaient**	ils, elles ont plu	ils, elles avaient plu

Passé simple	Futur simple	Passé antérieur	Futur antérieur
je **plus**	je **plairai**	j' eus plu	j' aurai plu
tu **plus**	tu **plairas**	tu eus plu	tu auras plu
il, elle **plut**	il, elle **plaira**	il, elle eut plu	il, elle aura plu
nous **plûmes**	nous **plairons**	nous eûmes plu	nous aurons plu
vous **plûtes**	vous **plairez**	vous eûtes plu	vous aurez plu
ils, elles **plurent**	ils, elles **plairont**	ils, elles eurent plu	ils, elles auront plu

SUBJONCTIF

Présent	Imparfait	Passé	Plus-que-parfait
Il faut *que*...	Il fallait *que*...	Il faut *que*...	Il fallait *que*...
je **plaise**	je **plusse**	j' aie plu	j' eusse plu
tu **plaises**	tu **plusses**	tu aies plu	tu eusses plu
il, elle **plaise**	il, elle **plût**	il, elle ait plu	il, elle eût plu
nous **plaisions**	nous **plussions**	nous ayons plu	nous eussions plu
vous **plaisiez**	vous **plussiez**	vous ayez plu	vous eussiez plu
ils, elles **plaisent**	ils, elles **plussent**	ils, elles aient plu	ils, elles eussent plu

CONDITIONNEL

Présent		Passé 1re forme	Passé 2e forme
je **plairais**		j' aurais plu	j' eusse plu
tu **plairais**		tu aurais plu	tu eusses plu
il, elle **plairait**		il, elle aurait plu	il, elle eût plu
nous **plairions**		nous aurions plu	nous eussions plu
vous **plairiez**		vous auriez plu	vous eussiez plu
ils, elles **plairaient**		ils, elles auraient plu	ils, elles eussent plu

IMPÉRATIF

Présent	Passé
plais	aie plu
plaisons	ayons plu
plaisez	ayez plu

INFINITIF

Présent	Passé
plaire	avoir plu

PARTICIPE

Présent	Passé
plaisant	**plu**
	ayant plu

3e groupe

y devient **yi** aux 1ʳᵉˢ et 2ᵉˢ personnes du pluriel de l'imparfait de l'indicatif et du présent du subjonctif.
► Se conjugue sur le modèle de *pourvoir* : dé**pourvoir**.

pourvoir

INDICATIF

Présent		Imparfait	
je	**pourvois**	je	**pourvoyais**
tu	**pourvois**	tu	**pourvoyais**
il, elle	**pourvoit**	il, elle	**pourvoyait**
nous	**pourvoyons**	nous	**pourvoyions**
vous	**pourvoyez**	vous	**pourvoyiez**
ils, elles	**pourvoient**	ils, elles	**pourvoyaient**

Passé composé			Plus-que-parfait		
j'	ai	pourvu	j'	avais	pourvu
tu	as	pourvu	tu	avais	pourvu
il, elle	a	pourvu	il, elle	avait	pourvu
nous	avons	pourvu	nous	avions	pourvu
vous	avez	pourvu	vous	aviez	pourvu
ils, elles	ont	pourvu	ils, elles	avaient	pourvu

Passé simple		Futur simple	
je	**pourvus**	je	**pourvoirai**
tu	**pourvus**	tu	**pourvoiras**
il, elle	**pourvut**	il, elle	**pourvoira**
nous	**pourvûmes**	nous	**pourvoirons**
vous	**pourvûtes**	vous	**pourvoirez**
ils, elles	**pourvurent**	ils, elles	**pourvoiront**

Passé antérieur			Futur antérieur		
j'	eus	pourvu	j'	aurai	pourvu
tu	eus	pourvu	tu	auras	pourvu
il, elle	eut	pourvu	il, elle	aura	pourvu
nous	eûmes	pourvu	nous	aurons	pourvu
vous	eûtes	pourvu	vous	aurez	pourvu
ils, elles	eurent	pourvu	ils, elles	auront	pourvu

SUBJONCTIF

Présent		Imparfait	
Il faut que...		*Il fallait que...*	
je	**pourvoie**	je	**pourvusse**
tu	**pourvoies**	tu	**pourvusses**
il, elle	**pourvoie**	il, elle	**pourvût**
nous	**pourvoyions**	nous	**pourvussions**
vous	**pourvoyiez**	vous	**pourvussiez**
ils, elles	**pourvoient**	ils, elles	**pourvussent**

Passé			Plus-que-parfait		
Il faut que...			*Il fallait que...*		
j'	aie	pourvu	j'	eusse	pourvu
tu	aies	pourvu	tu	eusses	pourvu
il, elle	ait	pourvu	il, elle	eût	pourvu
nous	ayons	pourvu	nous	eussions	pourvu
vous	ayez	pourvu	vous	eussiez	pourvu
ils, elles	aient	pourvu	ils, elles	eussent	pourvu

CONDITIONNEL

Présent	
je	**pourvoirais**
tu	**pourvoirais**
il, elle	**pourvoirait**
nous	**pourvoirions**
vous	**pourvoiriez**
ils, elles	**pourvoiraient**

Passé 1ʳᵉ forme			Passé 2ᵉ forme		
j'	aurais	pourvu	j'	eusse	pourvu
tu	aurais	pourvu	tu	eusses	pourvu
il, elle	aurait	pourvu	il, elle	eût	pourvu
nous	aurions	pourvu	nous	eussions	pourvu
vous	auriez	pourvu	vous	eussiez	pourvu
ils, elles	auraient	pourvu	ils, elles	eussent	pourvu

IMPÉRATIF

Présent	Passé
pourvois	aie pourvu
pourvoyons	ayons pourvu
pourvoyez	ayez pourvu

INFINITIF

Présent	Passé
pourvoir	avoir pourvu

PARTICIPE

Présent	Passé
pourvoyant	**pourvu(e)**
	ayant pourvu

3ᵉ groupe

● **peux** devient obligatoirement **puis** dans la phrase interrogative : *puis-je rentrer ?*

pouvoir

INDICATIF

Présent		Imparfait		Passé composé			Plus-que-parfait		
je	peux/puis	je	pouvais	j'	ai	pu	j'	avais	pu
tu	peux	tu	pouvais	tu	as	pu	tu	avais	pu
il, elle	peut	il, elle	pouvait	il, elle	a	pu	il, elle	avait	pu
nous	pouvons	nous	pouvions	nous	avons	pu	nous	avions	pu
vous	pouvez	vous	pouviez	vous	avez	pu	vous	aviez	pu
ils, elles	peuvent	ils, elles	pouvaient	ils, elles	ont	pu	ils, elles	avaient	pu

Passé simple		Futur simple		Passé antérieur			Futur antérieur		
je	pus	je	pourrai	j'	eus	pu	j'	aurai	pu
tu	pus	tu	pourras	tu	eus	pu	tu	auras	pu
il, elle	put	il, elle	pourra	il, elle	eut	pu	il, elle	aura	pu
nous	pûmes	nous	pourrons	nous	eûmes	pu	nous	aurons	pu
vous	pûtes	vous	pourrez	vous	eûtes	pu	vous	aurez	pu
ils, elles	purent	ils, elles	pourront	ils, elles	eurent	pu	ils, elles	auront	pu

SUBJONCTIF

Présent		Imparfait		Passé			Plus-que-parfait		
Il faut que...		*Il fallait que...*		*Il faut que...*			*Il fallait que...*		
je	puisse	je	pusse	j'	aie	pu	j'	eusse	pu
tu	puisses	tu	pusses	tu	aies	pu	tu	eusses	pu
il, elle	puisse	il, elle	pût	il, elle	ait	pu	il, elle	eût	pu
nous	puissions	nous	pussions	nous	ayons	pu	nous	eussions	pu
vous	puissiez	vous	pussiez	vous	ayez	pu	vous	eussiez	pu
ils, elles	puissent	ils, elles	pussent	ils, elles	aient	pu	ils, elles	eussent	pu

CONDITIONNEL

Présent		Passé 1re forme			Passé 2e forme		
je	pourrais	j'	aurais	pu	j'	eusse	pu
tu	pourrais	tu	aurais	pu	tu	eusses	pu
il, elle	pourrait	il, elle	aurait	pu	il, elle	eût	pu
nous	pourrions	nous	aurions	pu	nous	eussions	pu
vous	pourriez	vous	auriez	pu	vous	eussiez	pu
ils, elles	pourraient	ils, elles	auraient	pu	ils, elles	eussent	pu

IMPÉRATIF

Présent	Passé
(inusité)	*(inusité)*

INFINITIF

Présent	Passé
pouvoir	avoir pu

PARTICIPE

Présent	Passé
pouvant	pu
	ayant pu

3e groupe

▶ Se conjuguent sur le modèle de *prendre* : ap**prendre**, com**prendre**, dé**prendre**, désap**prendre**, entre**prendre**, s'é**prendre** (pronominal avec l'auxiliaire *être*), se mé**prendre** (pronominal avec l'auxiliaire *être*), rap**prendre**, réap**prendre**, re**prendre**, sur**prendre**.

prendre

INDICATIF

Présent
je	prends
tu	prends
il, elle	prend
nous	prenons
vous	prenez
ils, elles	prennent

Imparfait
je	prenais
tu	prenais
il, elle	prenait
nous	prenions
vous	preniez
ils, elles	prenaient

Passé composé
j'	ai	pris
tu	as	pris
il, elle	a	pris
nous	avons	pris
vous	avez	pris
ils, elles	ont	pris

Plus-que-parfait
j'	avais	pris
tu	avais	pris
il, elle	avait	pris
nous	avions	pris
vous	aviez	pris
ils, elles	avaient	pris

Passé simple
je	pris
tu	pris
il, elle	prit
nous	prîmes
vous	prîtes
ils, elles	prirent

Futur simple
je	prendrai
tu	prendras
il, elle	prendra
nous	prendrons
vous	prendrez
ils, elles	prendront

Passé antérieur
j'	eus	pris
tu	eus	pris
il, elle	eut	pris
nous	eûmes	pris
vous	eûtes	pris
ils, elles	eurent	pris

Futur antérieur
j'	aurai	pris
tu	auras	pris
il, elle	aura	pris
nous	aurons	pris
vous	aurez	pris
ils, elles	auront	pris

SUBJONCTIF

Présent
Il faut que...
je	prenne
tu	prennes
il, elle	prenne
nous	prenions
vous	preniez
ils, elles	prennent

Imparfait
Il fallait que...
je	prisse
tu	prisses
il, elle	prît
nous	prissions
vous	prissiez
ils, elles	prissent

Passé
Il faut que...
j'	aie	pris
tu	aies	pris
il, elle	ait	pris
nous	ayons	pris
vous	ayez	pris
ils, elles	aient	pris

Plus-que-parfait
Il fallait que...
j'	eusse	pris
tu	eusses	pris
il, elle	eût	pris
nous	eussions	pris
vous	eussiez	pris
ils, elles	eussent	pris

CONDITIONNEL

Présent
je	prendrais
tu	prendrais
il, elle	prendrait
nous	prendrions
vous	prendriez
ils, elles	prendraient

Passé 1re forme
j'	aurais	pris
tu	aurais	pris
il, elle	aurait	pris
nous	aurions	pris
vous	auriez	pris
ils, elles	auraient	pris

Passé 2e forme
j'	eusse	pris
tu	eusses	pris
il, elle	eût	pris
nous	eussions	pris
vous	eussiez	pris
ils, elles	eussent	pris

3e groupe

IMPÉRATIF

Présent
prends
prenons
prenez

Passé
aie pris
ayons pris
ayez pris

INFINITIF

Présent
prendre

Passé
avoir pris

PARTICIPE

Présent
prenant

Passé
pris(e)
ayant pris

● y devient ÿi aux 1res et 2es personnes du pluriel de l'imparfait de l'indicatif et du présent du subjonctif.
● *Prévoir* se conjugue sur le modèle de *voir* (cf. *voir*, 179), sauf au futur simple de l'indicatif et au présent du conditionnel.

prévoir

INDICATIF

Présent		Imparfait		Passé composé			Plus-que-parfait		
je	prévois	je	prévoyais	j'	ai	prévu	j'	avais	prévu
tu	prévois	tu	prévoyais	tu	as	prévu	tu	avais	prévu
il, elle	prévoit	il, elle	prévoyait	il, elle	a	prévu	il, elle	avait	prévu
nous	prévoyons	nous	prévoyions	nous	avons	prévu	nous	avions	prévu
vous	prévoyez	vous	prévoyiez	vous	avez	prévu	vous	aviez	prévu
ils, elles	prévoient	ils, elles	prévoyaient	ils, elles	ont	prévu	ils, elles	avaient	prévu

Passé simple		Futur simple		Passé antérieur			Futur antérieur		
je	prévis	je	prévoirai	j'	eus	prévu	j'	aurai	prévu
tu	prévis	tu	prévoiras	tu	eus	prévu	tu	auras	prévu
il, elle	prévit	il, elle	prévoira	il, elle	eut	prévu	il, elle	aura	prévu
nous	prévîmes	nous	prévoirons	nous	eûmes	prévu	nous	aurons	prévu
vous	prévîtes	vous	prévoirez	vous	eûtes	prévu	vous	aurez	prévu
ils, elles	prévirent	ils, elles	prévoiront	ils, elles	eurent	prévu	ils, elles	auront	prévu

SUBJONCTIF

Présent		Imparfait		Passé			Plus-que-parfait		
Il faut *que...*		Il fallait *que...*		Il faut *que...*			Il fallait *que...*		
je	prévoie	je	prévisse	j'	aie	prévu	j'	eusse	prévu
tu	prévoies	tu	prévisses	tu	aies	prévu	tu	eusses	prévu
il, elle	prévoie	il, elle	prévît	il, elle	ait	prévu	il, elle	eût	prévu
nous	prévoyions	nous	prévissions	nous	ayons	prévu	nous	eussions	prévu
vous	prévoyiez	vous	prévissiez	vous	ayez	prévu	vous	eussiez	prévu
ils, elles	prévoient	ils, elles	prévissent	ils, elles	aient	prévu	ils, elles	eussent	prévu

CONDITIONNEL

Présent		Passé 1re forme			Passé 2e forme		
je	prévoirais	j'	aurais	prévu	j'	eusse	prévu
tu	prévoirais	tu	aurais	prévu	tu	eusses	prévu
il, elle	prévoirait	il, elle	aurait	prévu	il, elle	eût	prévu
nous	prévoirions	nous	aurions	prévu	nous	eussions	prévu
vous	prévoiriez	vous	auriez	prévu	vous	eussiez	prévu
ils, elles	prévoiraient	ils, elles	auraient	prévu	ils, elles	eussent	prévu

IMPÉRATIF

Présent	Passé
prévois	aie prévu
prévoyons	ayons prévu
prévoyez	ayez prévu

INFINITIF

Présent	Passé
prévoir	avoir prévu

PARTICIPE

Présent	Passé
prévoyant	prévu(e)
	ayant prévu

▶ Se conjuguent sur le modèle de *promouvoir* : *émouvoir, mouvoir.*
▶ Dans le verbe *mouvoir*, **u** devient **û** au participe passé masculin singulier : *mû.*

promouvoir

INDICATIF

Présent		**Imparfait**		**Passé composé**			**Plus-que-parfait**		
je	promeus	je	promouvais	j'	ai	promu	j'	avais	promu
tu	promeus	tu	promouvais	tu	as	promu	tu	avais	promu
il, elle	promeut	il, elle	promouvait	il, elle	a	promu	il, elle	avait	promu
nous	promouvons	nous	promouvions	nous	avons	promu	nous	avions	promu
vous	promouvez	vous	promouviez	vous	avez	promu	vous	aviez	promu
ils, elles	promeuvent	ils, elles	promouvaient	ils, elles	ont	promu	ils, elles	avaient	promu

Passé simple		**Futur simple**		**Passé antérieur**			**Futur antérieur**		
je	promus	je	promouvrai	j'	eus	promu	j'	aurai	promu
tu	promus	tu	promouvras	tu	eus	promu	tu	auras	promu
il, elle	promut	il, elle	promouvra	il, elle	eut	promu	il, elle	aura	promu
nous	promûmes	nous	promouvrons	nous	eûmes	promu	nous	aurons	promu
vous	promûtes	vous	promouvrez	vous	eûtes	promu	vous	aurez	promu
ils, elles	promurent	ils, elles	promouvront	ils, elles	eurent	promu	ils, elles	auront	promu

SUBJONCTIF

Présent		**Imparfait**		**Passé**			**Plus-que-parfait**		
Il faut que...		*Il fallait que...*		*Il faut que...*			*Il fallait que...*		
je	promeuve	je	promusse	j'	aie	promu	j'	eusse	promu
tu	promeuves	tu	promusses	tu	aies	promu	tu	eusses	promu
il, elle	promeuve	il, elle	promût	il, elle	ait	promu	il, elle	eût	promu
nous	promouvions	nous	promussions	nous	ayons	promu	nous	eussions	promu
vous	promouviez	vous	promussiez	vous	ayez	promu	vous	eussiez	promu
ils, elles	promeuvent	ils, elles	promussent	ils, elles	aient	promu	ils, elles	eussent	promu

CONDITIONNEL

Présent		**Passé 1re forme**			**Passé 2e forme**		
je	promouvrais	j'	aurais	promu	j'	eusse	promu
tu	promouvrais	tu	aurais	promu	tu	eusses	promu
il, elle	promouvrait	il, elle	aurait	promu	il, elle	eût	promu
nous	promouvrions	nous	aurions	promu	nous	eussions	promu
vous	promouvriez	vous	auriez	promu	vous	eussiez	promu
ils, elles	promouvraient	ils, elles	auraient	promu	ils, elles	eussent	promu

IMPÉRATIF

Présent	**Passé**
promeus	aie promu
promouvons	ayons promu
promouvez	ayez promu

INFINITIF

Présent	**Passé**
promouvoir	avoir promu

PARTICIPE

Présent	**Passé**
promouvant	promu(e)
	ayant promu

3e groupe

c devient **ç** devant **o** et **u** pour garder le son [s] :
- aux trois personnes du singulier et à la 3e personne du pluriel du présent de l'indicatif et du présent du subjonctif ;
- à toutes les personnes du passé simple de l'indicatif et de l'imparfait du subjonctif ;
- à la 2e personne du singulier de l'impératif ;
- au participe passé.

▶ Se conjuguent sur le modèle de *recevoir* : aper**cevoir**, con**cevoir**, dé**cevoir**, entraper**cevoir**, per**cevoir**.

recevoir

INDICATIF

Présent	Imparfait	Passé composé	Plus-que-parfait
je reçois	je recevais	j' ai reçu	j' avais reçu
tu reçois	tu recevais	tu as reçu	tu avais reçu
il, elle reçoit	il, elle recevait	il, elle a reçu	il, elle avait reçu
nous recevons	nous recevions	nous avons reçu	nous avions reçu
vous recevez	vous receviez	vous avez reçu	vous aviez reçu
ils, elles reçoivent	ils, elles recevaient	ils, elles ont reçu	ils, elles avaient reçu

Passé simple	Futur simple	Passé antérieur	Futur antérieur
je reçus	je recevrai	j' eus reçu	j' aurai reçu
tu reçus	tu recevras	tu eus reçu	tu auras reçu
il, elle reçut	il, elle recevra	il, elle eut reçu	il, elle aura reçu
nous reçûmes	nous recevrons	nous eûmes reçu	nous aurons reçu
vous reçûtes	vous recevrez	vous eûtes reçu	vous aurez reçu
ils, elles reçurent	ils, elles recevront	ils, elles eurent reçu	ils, elles auront reçu

SUBJONCTIF

Présent	Imparfait	Passé	Plus-que-parfait
Il faut *que...*	Il fallait *que...*	Il faut *que...*	Il fallait *que...*
je reçoive	je reçusse	j' aie reçu	j' eusse reçu
tu reçoives	tu reçusses	tu aies reçu	tu eusses reçu
il, elle reçoive	il, elle reçût	il, elle ait reçu	il, elle eût reçu
nous recevions	nous reçussions	nous ayons reçu	nous eussions reçu
vous receviez	vous reçussiez	vous ayez reçu	vous eussiez reçu
ils, elles reçoivent	ils, elles reçussent	ils, elles aient reçu	ils, elles eussent reçu

CONDITIONNEL

Présent	Passé 1re forme	Passé 2e forme
je recevrais	j' aurais reçu	j' eusse reçu
tu recevrais	tu aurais reçu	tu eusses reçu
il, elle recevrait	il, elle aurait reçu	il, elle eût reçu
nous recevrions	nous aurions reçu	nous eussions reçu
vous recevriez	vous auriez reçu	vous eussiez reçu
ils, elles recevraient	ils, elles auraient reçu	ils, elles eussent reçu

IMPÉRATIF

Présent	Passé
reçois	aie reçu
recevons	ayons reçu
recevez	ayez reçu

INFINITIF

Présent	Passé
recevoir	avoir reçu

PARTICIPE

Présent	Passé
recevant	reçu(e)
	ayant reçu

▶ Se conjugue sur le modèle de *répandre* : *épandre*.

répandre

INDICATIF

Présent

je	répands
tu	répands
il, elle	répand
nous	répandons
vous	répandez
ils, elles	répandent

Imparfait

je	répandais
tu	répandais
il, elle	répandait
nous	répandions
vous	répandiez
ils, elles	répandaient

Passé composé

j'	ai	répandu
tu	as	répandu
il, elle	a	répandu
nous	avons	répandu
vous	avez	répandu
ils, elles	ont	répandu

Plus-que-parfait

j'	avais	répandu
tu	avais	répandu
il, elle	avait	répandu
nous	avions	répandu
vous	aviez	répandu
ils, elles	avaient	répandu

Passé simple

je	répandis
tu	répandis
il, elle	répandit
nous	répandîmes
vous	répandîtes
ils, elles	répandirent

Futur simple

je	répandrai
tu	répandras
il, elle	répandra
nous	répandrons
vous	répandrez
ils, elles	répandront

Passé antérieur

j'	eus	répandu
tu	eus	répandu
il, elle	eut	répandu
nous	eûmes	répandu
vous	eûtes	répandu
ils, elles	eurent	répandu

Futur antérieur

j'	aurai	répandu
tu	auras	répandu
il, elle	aura	répandu
nous	aurons	répandu
vous	aurez	répandu
ils, elles	auront	répandu

SUBJONCTIF

Présent

Il faut que...

je	répande
tu	répandes
il, elle	répande
nous	répandions
vous	répandiez
ils, elles	répandent

Imparfait

Il fallait que...

je	répandisse
tu	répandisses
il, elle	répandît
nous	répandissions
vous	répandissiez
ils, elles	répandissent

Passé

Il faut que...

j'	aie	répandu
tu	aies	répandu
il, elle	ait	répandu
nous	ayons	répandu
vous	ayez	répandu
ils, elles	aient	répandu

Plus-que-parfait

Il fallait que...

j'	eusse	répandu
tu	eusses	répandu
il, elle	eût	répandu
nous	eussions	répandu
vous	eussiez	répandu
ils, elles	eussent	répandu

CONDITIONNEL

Présent

je	répandrais
tu	répandrais
il, elle	répandrait
nous	répandrions
vous	répandriez
ils, elles	répandraient

Passé 1re forme

j'	aurais	répandu
tu	aurais	répandu
il, elle	aurait	répandu
nous	aurions	répandu
vous	auriez	répandu
ils, elles	auraient	répandu

Passé 2e forme

j'	eusse	répandu
tu	eusses	répandu
il, elle	eût	répandu
nous	eussions	répandu
vous	eussiez	répandu
ils, elles	eussent	répandu

IMPÉRATIF

Présent

répands
répandons
répandez

Passé

aie répandu
ayons répandu
ayez répandu

INFINITIF

Présent

répandre

Passé

avoir répandu

PARTICIPE

Présent

répandant

Passé

répandu(e)
ayant répandu

3e groupe

▶ Il existe une autre forme de participe passé, *résous*, *résoute*, qui sert à désigner « des choses changées en d'autres » : *brouillard résous en pluie.*

résoudre

INDICATIF

Présent		Imparfait		Passé composé			Plus-que-parfait		
je	résous	je	résolvais	j'	ai	résolu	j'	avais	résolu
tu	résous	tu	résolvais	tu	as	résolu	tu	avais	résolu
il, elle	résout	il, elle	résolvait	il, elle	a	résolu	il, elle	avait	résolu
nous	résolvons	nous	résolvions	nous	avons	résolu	nous	avions	résolu
vous	résolvez	vous	résolviez	vous	avez	résolu	vous	aviez	résolu
ils, elles	résolvent	ils, elles	résolvaient	ils, elles	ont	résolu	ils, elles	avaient	résolu

Passé simple		Futur simple		Passé antérieur			Futur antérieur		
je	résolus	je	résoudrai	j'	eus	résolu	j'	aurai	résolu
tu	résolus	tu	résoudras	tu	eus	résolu	tu	auras	résolu
il, elle	résolut	il, elle	résoudra	il, elle	eut	résolu	il, elle	aura	résolu
nous	résolûmes	nous	résoudrons	nous	eûmes	résolu	nous	aurons	résolu
vous	résolûtes	vous	résoudrez	vous	eûtes	résolu	vous	aurez	résolu
ils, elles	résolurent	ils, elles	résoudront	ils, elles	eurent	résolu	ils, elles	auront	résolu

SUBJONCTIF

Présent		Imparfait		Passé			Plus-que-parfait		
Il faut que...		*Il fallait que...*		*Il faut que...*			*Il fallait que...*		
je	résolve	je	résolusse	j'	aie	résolu	j'	eusse	résolu
tu	résolves	tu	résolusses	tu	aies	résolu	tu	eusses	résolu
il, elle	résolve	il, elle	résolût	il, elle	ait	résolu	il, elle	eût	résolu
nous	résolvions	nous	résolussions	nous	ayons	résolu	nous	eussions	résolu
vous	résolviez	vous	résolussiez	vous	ayez	résolu	vous	eussiez	résolu
ils, elles	résolvent	ils, elles	résolussent	ils, elles	aient	résolu	ils, elles	eussent	résolu

CONDITIONNEL

Présent		Passé 1re forme			Passé 2e forme		
je	résoudrais	j'	aurais	résolu	j'	eusse	résolu
tu	résoudrais	tu	aurais	résolu	tu	eusses	résolu
il, elle	résoudrait	il, elle	aurait	résolu	il, elle	eût	résolu
nous	résoudrions	nous	aurions	résolu	nous	eussions	résolu
vous	résoudriez	vous	auriez	résolu	vous	eussiez	résolu
ils, elles	résoudraient	ils, elles	auraient	résolu	ils, elles	eussent	résolu

IMPÉRATIF

Présent	Passé
résous	aie résolu
résolvons	ayons résolu
résolvez	ayez résolu

INFINITIF

Présent	Passé
résoudre	avoir résolu

PARTICIPE

Présent	Passé
résolvant	résolu(e)
	ayant résolu

● i devient **ii** aux 1res et 2es personnes du pluriel de l'imparfait de l'indicatif et du présent du subjonctif.
► Se conjugue sur le modèle de *rire* : *sourire*.

rire

INDICATIF

Présent		Imparfait		Passé composé			Plus-que-parfait		
je	ris	je	riais	j'	ai	ri	j'	avais	ri
tu	ris	tu	riais	tu	as	ri	tu	avais	ri
il, elle	rit	il, elle	riait	il, elle	a	ri	il, elle	avait	ri
nous	rions	nous	riions	nous	avons	ri	nous	avions	ri
vous	riez	vous	riiez	vous	avez	ri	vous	aviez	ri
ils, elles	rient	ils, elles	riaient	ils, elles	ont	ri	ils, elles	avaient ri

Passé simple		Futur simple		Passé antérieur			Futur antérieur		
je	ris	je	rirai	j'	eus	ri	j'	aurai	ri
tu	ris	tu	riras	tu	eus	ri	tu	auras	ri
il, elle	rit	il, elle	rira	il, elle	eut	ri	il, elle	aura	ri
nous	rîmes	nous	rirons	nous	eûmes	ri	nous	aurons	ri
vous	rîtes	vous	rirez	vous	eûtes	ri	vous	aurez	ri
ils, elles	rirent	ils, elles	riront	ils, elles	eurent	ri	ils, elles	auront	ri

SUBJONCTIF

Présent		Imparfait		Passé			Plus-que-parfait		
Il faut que...		*Il fallait que...*		*Il faut que...*			*Il fallait que...*		
je	rie	je	risse	j'	aie	ri	j'	eusse	ri
tu	ries	tu	risses	tu	aies	ri	tu	eusses	ri
il, elle	rie	il, elle	rît	il, elle	ait	ri	il, elle	eût	ri
nous	riions	nous	rissions	nous	ayons	ri	nous	eussions ri
vous	riiez	vous	rissiez	vous	ayez	ri	vous	eussiez ri
ils, elles	rient	ils, elles	rissent	ils, elles	aient	ri	ils, elles	eussent	ri

CONDITIONNEL

Présent		Passé 1re forme			Passé 2e forme		
je	rirais	j'	aurais	ri	j'	eusse	ri
tu	rirais	tu	aurais	ri	tu	eusses	ri
il, elle	rirait	il, elle	aurait	ri	il, elle	eût	ri
nous	ririons	nous	aurions	ri	nous	eussions ri
vous	ririez	vous	auriez	ri	vous	eussiez ri
ils, elles	riraient	ils, elles	auraient ri	ils, elles	eussent ri

IMPÉRATIF

Présent	Passé
ris	aie ri
rions	ayons ri
riez	ayez ri

INFINITIF

Présent	Passé
rire	avoir ri

PARTICIPE

Présent	Passé
riant	ri
	ayant ri

3e groupe

▶ Se conjuguent sur le modèle de *rompre* : cor**rompre**, inter**rompre**.

rompre

INDICATIF

Présent		Imparfait		Passé composé			Plus-que-parfait		
je	**romps**	je	**rompais**	j'	ai	rompu	j'	avais	rompu
tu	**romps**	tu	**rompais**	tu	as	rompu	tu	avais	rompu
il, elle	**rompt**	il, elle	**rompait**	il, elle	a	rompu	il, elle	avait	rompu
nous	**rompons**	nous	**rompions**	nous	avons	rompu	nous	avions	rompu
vous	**rompez**	vous	**rompiez**	vous	avez	rompu	vous	aviez	rompu
ils, elles	**rompent**	ils, elles	**rompaient**	ils, elles	ont	rompu	ils, elles	avaient	rompu

Passé simple		Futur simple		Passé antérieur			Futur antérieur		
je	**rompis**	je	**romprai**	j'	eus	rompu	j'	aurai	rompu
tu	**rompis**	tu	**rompras**	tu	eus	rompu	tu	auras	rompu
il, elle	**rompit**	il, elle	**rompra**	il, elle	eut	rompu	il, elle	aura	rompu
nous	**rompîmes**	nous	**romprons**	nous	eûmes	rompu	nous	aurons	rompu
vous	**rompîtes**	vous	**romprez**	vous	eûtes	rompu	vous	aurez	rompu
ils, elles	**rompirent**	ils, elles	**rompront**	ils, elles	eurent	rompu	ils, elles	auront	rompu

SUBJONCTIF

Présent		Imparfait		Passé			Plus-que-parfait		
Il faut que...		*Il fallait que...*		*Il faut que...*			*Il fallait que...*		
je	**rompe**	je	**rompisse**	j'	aie	rompu	j'	eusse	rompu
tu	**rompes**	tu	**rompisses**	tu	aies	rompu	tu	eusses	rompu
il, elle	**rompe**	il, elle	**rompît**	il, elle	ait	rompu	il, elle	eût	rompu
nous	**rompions**	nous	**rompissions**	nous	ayons	rompu	nous	eussions	rompu
vous	**rompiez**	vous	**rompissiez**	vous	ayez	rompu	vous	eussiez	rompu
ils, elles	**rompent**	ils, elles	**rompissent**	ils, elles	aient	rompu	ils, elles	eussent	rompu

CONDITIONNEL

Présent		Passé 1re forme			Passé 2e forme		
je	**romprais**	j'	aurais	rompu	j'	eusse	rompu
tu	**romprais**	tu	aurais	rompu	tu	eusses	rompu
il, elle	**romprait**	il, elle	aurait	rompu	il, elle	eût	rompu
nous	**romprions**	nous	aurions	rompu	nous	eussions	rompu
vous	**rompriez**	vous	auriez	rompu	vous	eussiez	rompu
ils, elles	**rompraient**	ils, elles	auraient	rompu	ils, elles	eussent	rompu

IMPÉRATIF

Présent	Passé
romps	aie rompu
rompons	ayons rompu
rompez	ayez rompu

INFINITIF

Présent	Passé
rompre	avoir rompu

PARTICIPE

Présent	Passé
rompant	**rompu(e)**
	ayant rompu

savoir

INDICATIF

Présent	Imparfait	Passé composé	Plus-que-parfait
je sais	je savais	j' ai su	j' avais su
tu sais	tu savais	tu as su	tu avais su
il, elle sait	il, elle savait	il, elle a su	il, elle avait su
nous savons	nous savions	nous avons su	nous avions su
vous savez	vous saviez	vous avez su	vous aviez su
ils, elles savent	ils, elles savaient	ils, elles ont su	ils, elles avaient su

Passé simple	Futur simple	Passé antérieur	Futur antérieur
je sus	je saurai	j' eus su	j' aurai su
tu sus	tu sauras	tu eus su	tu auras su
il, elle sut	il, elle saura	il, elle eut su	il, elle aura su
nous sûmes	nous saurons	nous eûmes su	nous aurons su
vous sûtes	vous saurez	vous eûtes su	vous aurez su
ils, elles surent	ils, elles sauront	ils, elles eurent su	ils, elles auront su

SUBJONCTIF

Présent *Il faut que...*	Imparfait *Il fallait que...*	Passé *Il faut que...*	Plus-que-parfait *Il fallait que...*
je sache	je susse	j' aie su	j' eusse su
tu saches	tu susses	tu aies su	tu eusses su
il, elle sache	il, elle sût	il, elle ait su	il, elle eût su
nous sachions	nous sussions	nous ayons su	nous eussions su
vous sachiez	vous sussiez	vous ayez su	vous eussiez su
ils, elles sachent	ils, elles sussent	ils, elles aient su	ils, elles eussent su

CONDITIONNEL

Présent		Passé 1re forme	Passé 2e forme
je saurais		j' aurais su	j' eusse su
tu saurais		tu aurais su	tu eusses su
il, elle saurait		il, elle aurait su	il, elle eût su
nous saurions		nous aurions su	nous eussions su
vous sauriez		vous auriez su	vous eussiez su
ils, elles sauraient		ils, elles auraient su	ils, elles eussent su

IMPÉRATIF

Présent	Passé
sache	aie su
sachons	ayons su
sachez	ayez su

INFINITIF

Présent	Passé
savoir	avoir su

PARTICIPE

Présent	Passé
sachant	su(e)
	ayant su

▶ Se conjuguent sur le modèle de *servir* : des**servir**, res**servir**.

servir

INDICATIF

Présent		Imparfait		Passé composé			Plus-que-parfait		
je	sers	je	servais	j'	ai	servi	j'	avais	servi
tu	sers	tu	servais	tu	as	servi	tu	avais	servi
il, elle	sert	il, elle	servait	il, elle	a	servi	il, elle	avait	servi
nous	servons	nous	servions	nous	avons	servi	nous	avions	servi
vous	servez	vous	serviez	vous	avez	servi	vous	aviez	servi
ils, elles	servent	ils, elles	servaient	ils, elles	ont	servi	ils, elles	avaient servi	

Passé simple		Futur simple		Passé antérieur			Futur antérieur		
je	servis	je	servirai	j'	eus	servi	j'	aurai	servi
tu	servis	tu	serviras	tu	eus	servi	tu	auras	servi
il, elle	servit	il, elle	servira	il, elle	eut	servi	il, elle	aura	servi
nous	servîmes	nous	servirons	nous	eûmes	servi	nous	aurons	servi
vous	servîtes	vous	servirez	vous	eûtes	servi	vous	aurez	servi
ils, elles	servirent	ils, elles	serviront	ils, elles	eurent	servi	ils, elles	auront	servi

SUBJONCTIF

Présent		Imparfait		Passé			Plus-que-parfait		
Il faut que...		*Il fallait que*...		*Il faut que*...			*Il fallait que*...		
je	serve	je	servisse	j'	aie	servi	j'	eusse	servi
tu	serves	tu	servisses	tu	aies	servi	tu	eusses	servi
il, elle	serve	il, elle	servît	il, elle	ait	servi	il, elle	eût	servi
nous	servions	nous	servissions	nous	ayons	servi	nous	eussions servi	
vous	serviez	vous	servissiez	vous	ayez	servi	vous	eussiez	servi
ils, elles	servent	ils, elles	servissent	ils, elles	aient	servi	ils, elles	eussent	servi

CONDITIONNEL

Présent		Passé 1re forme			Passé 2e forme		
je	servirais	j'	aurais	servi	j'	eusse	servi
tu	servirais	tu	aurais	servi	tu	eusses	servi
il, elle	servirait	il, elle	aurait	servi	il, elle	eût	servi
nous	servirions	nous	aurions	servi	nous	eussions servi	
vous	serviriez	vous	auriez	servi	vous	eussiez	servi
ils, elles	serviraient	ils, elles	auraient servi		ils, elles	eussent	servi

IMPÉRATIF

Présent	Passé
sers	aie servi
servons	ayons servi
servez	ayez servi

INFINITIF

Présent	Passé
servir	avoir servi

PARTICIPE

Présent	Passé
servant	servi(e)
	ayant servi

3e groupe

▶ Se conjugue sur le modèle de *sortir* : *ressortir* (avoir ou être).
▶ *Sortir* peut aussi se conjuguer avec *avoir* : *j'ai sorti le chien.*
▶ *Ressortir*, au sens de « se rattacher à », se conjugue sur le modèle de *finir* (cf. *finir*, 92).

sortir

INDICATIF

Présent		Imparfait		Passé composé			Plus-que-parfait		
je	sors	je	sortais	je	suis	sorti(e)	j'	étais	sorti(e)
tu	sors	tu	sortais	tu	es	sorti(e)	tu	étais	sorti(e)
il, elle	sort	il, elle	sortait	il, elle	est	sorti(e)	il, elle	était	sorti(e)
nous	sortons	nous	sortions	nous	sommes	sorti(e)s	nous	étions	sorti(e)s
vous	sortez	vous	sortiez	vous	êtes	sorti(e)s	vous	étiez	sorti(e)s
ils, elles	sortent	ils, elles	sortaient	ils, elles	sont	sorti(e)s	ils, elles	étaient	sorti(e)s

Passé simple		Futur simple		Passé antérieur			Futur antérieur		
je	sortis	je	sortirai	je	fus	sorti(e)	je	serai	sorti(e)
tu	sortis	tu	sortiras	tu	fus	sorti(e)	tu	seras	sorti(e)
il, elle	sortit	il, elle	sortira	il, elle	fut	sorti(e)	il, elle	sera	sorti(e)
nous	sortîmes	nous	sortirons	nous	fûmes	sorti(e)s	nous	serons	sorti(e)s
vous	sortîtes	vous	sortirez	vous	fûtes	sorti(e)s	vous	serez	sorti(e)s
ils, elles	sortirent	ils, elles	sortiront	ils, elles	furent	sorti(e)s	ils, elles	seront	sorti(e)s

SUBJONCTIF

Présent		Imparfait		Passé			Plus-que-parfait		
Il faut que...		*Il fallait que...*		*Il faut que...*			*Il fallait que...*		
je	sorte	je	sortisse	je	sois	sorti(e)	je	fusse	sorti(e)
tu	sortes	tu	sortisses	tu	sois	sorti(e)	tu	fusses	sorti(e)
il, elle	sorte	il, elle	sortît	il, elle	soit	sorti(e)	il, elle	fût	sorti(e)
nous	sortions	nous	sortissions	nous	soyons	sorti(e)s	nous	fussions	sorti(e)s
vous	sortiez	vous	sortissiez	vous	soyez	sorti(e)s	vous	fussiez	sorti(e)s
ils, elles	sortent	ils, elles	sortissent	ils, elles	soient	sorti(e)s	ils, elles	fussent	sorti(e)s

CONDITIONNEL

Présent		Passé 1re forme			Passé 2e forme		
je	sortirais	je	serais	sorti(e)	je	fusse	sorti(e)
tu	sortirais	tu	serais	sorti(e)	tu	fusses	sorti(e)
il, elle	sortirait	il, elle	serait	sorti(e)	il, elle	fût	sorti(e)
nous	sortirions	nous	serions	sorti(e)s	nous	fussions	sorti(e)s
vous	sortiriez	vous	seriez	sorti(e)s	vous	fussiez	sorti(e)s
ils, elles	sortiraient	ils, elles	seraient	sorti(e)s	ils, elles	fussent	sorti(e)s

IMPÉRATIF

Présent	Passé
sors	sois sorti(e)
sortons	soyons sorti(e)s
sortez	soyez sorti(e)s

INFINITIF

Présent	Passé
sortir	être sorti(e)

PARTICIPE

Présent	Passé
sortant	sorti(e)
	étant sorti(e)

3e groupe

souffrir

Présent		Imparfait		Passé composé			Plus-que-parfait		
je	souffre	je	souffrais	j'	ai	souffert	j'	avais	souffert
tu	souffres	tu	souffrais	tu	as	souffert	tu	avais	souffert
il, elle	souffre	il, elle	souffrait	il, elle	a	souffert	il, elle	avait	souffert
nous	souffrons	nous	souffrions	nous	avons	souffert	nous	avions	souffert
vous	souffrez	vous	souffriez	vous	avez	souffert	vous	aviez	souffert
ils, elles	souffrent	ils, elles	souffraient	ils, elles	ont	souffert	ils, elles	avaient	souffert

Passé simple		Futur simple		Passé antérieur			Futur antérieur		
je	souffris	je	souffrirai	j'	eus	souffert	j'	aurai	souffert
tu	souffris	tu	souffriras	tu	eus	souffert	tu	auras	souffert
il, elle	souffrit	il, elle	souffrira	il, elle	eut	souffert	il, elle	aura	souffert
nous	souffrîmes	nous	souffrirons	nous	eûmes	souffert	nous	aurons	souffert
vous	souffrîtes	vous	souffrirez	vous	eûtes	souffert	vous	aurez	souffert
ils, elles	souffrirent	ils, elles	souffriront	ils, elles	eurent	souffert	ils, elles	auront	souffert

Présent		Imparfait		Passé			Plus-que-parfait		
Il faut que...		*Il fallait que...*		*Il faut que...*			*Il fallait que...*		
je	souffre	je	souffrisse	j'	aie	souffert	j'	eusse	souffert
tu	souffres	tu	souffrisses	tu	aies	souffert	tu	eusses	souffert
il, elle	souffre	il, elle	souffrît	il, elle	ait	souffert	il, elle	eût	souffert
nous	souffrions	nous	souffrissions	nous	ayons	souffert	nous	eussions	souffert
vous	souffriez	vous	souffrissiez	vous	ayez	souffert	vous	eussiez	souffert
ils, elles	souffrent	ils, elles	souffrissent	ils, elles	aient	souffert	ils, elles	eussent	souffert

Présent		Passé 1ʳᵉ forme			Passé 2ᵉ forme		
je	souffrirais	j'	aurais	souffert	j'	eusse	souffert
tu	souffrirais	tu	aurais	souffert	tu	eusses	souffert
il, elle	souffrirait	il, elle	aurait	souffert	il, elle	eût	souffert
nous	souffririons	nous	aurions	souffert	nous	eussions	souffert
vous	souffririez	vous	auriez	souffert	vous	eussiez	souffert
ils, elles	souffriraient	ils, elles	auraient	souffert	ils, elles	eussent	souffert

Présent	Passé	Présent	Passé	Présent	Passé
souffre	aie souffert	souffrir	avoir souffert	souffrant	souffert(e)
souffrons	ayons souffert				ayant souffert
souffrez	ayez souffert				

suffire

Présent		Imparfait		Passé composé			Plus-que-parfait		
je	suffis	je	suffisais	j'	ai	suffi	j'	avais	suffi
tu	suffis	tu	suffisais	tu	as	suffi	tu	avais	suffi
il, elle	suffit	il, elle	suffisait	il, elle	a	suffi	il, elle	avait	suffi
nous	suffisons	nous	suffisions	nous	avons	suffi	nous	avions	suffi
vous	suffisez	vous	suffisiez	vous	avez	suffi	vous	aviez	suffi
ils, elles	suffisent	ils, elles	suffisaient	ils, elles	ont	suffi	ils, elles	avaient	suffi

Passé simple		Futur simple		Passé antérieur			Futur antérieur		
je	suffis	je	suffirai	j'	eus	suffi	j'	aurai	suffi
tu	suffis	tu	suffiras	tu	eus	suffi	tu	auras	suffi
il, elle	suffit	il, elle	suffira	il, elle	eut	suffi	il, elle	aura	suffi
nous	suffîmes	nous	suffirons	nous	eûmes	suffi	nous	aurons	suffi
vous	suffîtes	vous	suffirez	vous	eûtes	suffi	vous	aurez	suffi
ils, elles	suffirent	ils, elles	suffiront	ils, elles	eurent	suffi	ils, elles	auront	suffi

Présent		Imparfait		Passé			Plus-que-parfait		
Il faut que...		*Il fallait que...*		*Il faut que...*			*Il fallait que...*		
je	suffise	je	suffisse	j'	aie	suffi	j'	eusse	suffi
tu	suffises	tu	suffisses	tu	aies	suffi	tu	eusses	suffi
il, elle	suffise	il, elle	suffît	il, elle	ait	suffi	il, elle	eût	suffi
nous	suffisions	nous	suffissions	nous	ayons	suffi	nous	eussions	suffi
vous	suffisiez	vous	suffissiez	vous	ayez	suffi	vous	eussiez	suffi
ils, elles	suffisent	ils, elles	suffissent	ils, elles	aient	suffi	ils, elles	eussent	suffi

Présent		Passé 1re forme			Passé 2e forme		
je	suffirais	j'	aurais	suffi	j'	eusse	suffi
tu	suffirais	tu	aurais	suffi	tu	eusses	suffi
il, elle	suffirait	il, elle	aurait	suffi	il, elle	eût	suffi
nous	suffirions	nous	aurions	suffi	nous	eussions	suffi
vous	suffiriez	vous	auriez	suffi	vous	eussiez	suffi
ils, elles	suffiraient	ils, elles	auraient	suffi	ils, elles	eussent	suffi

Présent	Passé	Présent	Passé	Présent	Passé
suffis	aie suffi	suffire	avoir suffi	suffisant	suffi
suffisons	ayons suffi				ayant suffi
suffisez	ayez suffi				

3e groupe

VERBES EN -suivre

▶ Se conjugue sur le modèle de *suivre* : *poursuivre*.

suivre

INDICATIF

Présent		Imparfait		Passé composé			Plus-que-parfait		
je	suis	je	suivais	j'	ai	suivi	j'	avais	suivi
tu	suis	tu	suivais	tu	as	suivi	tu	avais	suivi
il, elle	suit	il, elle	suivait	il, elle	a	suivi	il, elle	avait	suivi
nous	suivons	nous	suivions	nous	avons	suivi	nous	avions	suivi
vous	suivez	vous	suiviez	vous	avez	suivi	vous	aviez	suivi
ils, elles	suivent	ils, elles	suivaient	ils, elles	ont	suivi	ils, elles	avaient	suivi

Passé simple		Futur simple		Passé antérieur			Futur antérieur		
je	suivis	je	suivrai	j'	eus	suivi	j'	aurai	suivi
tu	suivis	tu	suivras	tu	eus	suivi	tu	auras	suivi
il, elle	suivit	il, elle	suivra	il, elle	eut	suivi	il, elle	aura	suivi
nous	suivîmes	nous	suivrons	nous	eûmes	suivi	nous	aurons	suivi
vous	suivîtes	vous	suivrez	vous	eûtes	suivi	vous	aurez	suivi
ils, elles	suivirent	ils, elles	suivront	ils, elles	eurent	suivi	ils, elles	auront	suivi

SUBJONCTIF

Présent		Imparfait		Passé			Plus-que-parfait		
Il faut que...		*Il fallait que...*		*Il faut que...*			*Il fallait que...*		
je	suive	je	suivisse	j'	aie	suivi	j'	eusse	suivi
tu	suives	tu	suivisses	tu	aies	suivi	tu	eusses	suivi
il, elle	suive	il, elle	suivît	il, elle	ait	suivi	il, elle	eût	suivi
nous	suivions	nous	suivissions	nous	ayons	suivi	nous	eussions	suivi
vous	suiviez	vous	suivissiez	vous	ayez	suivi	vous	eussiez	suivi
ils, elles	suivent	ils, elles	suivissent	ils, elles	aient	suivi	ils, elles	eussent	suivi

CONDITIONNEL

Présent		Passé 1re forme			Passé 2e forme		
je	suivrais	j'	aurais	suivi	j'	eusse	suivi
tu	suivrais	tu	aurais	suivi	tu	eusses	suivi
il, elle	suivrait	il, elle	aurait	suivi	il, elle	eût	suivi
nous	suivrions	nous	aurions	suivi	nous	eussions	suivi
vous	suivriez	vous	auriez	suivi	vous	eussiez	suivi
ils, elles	suivraient	ils, elles	auraient	suivi	ils, elles	eussent	suivi

IMPÉRATIF

Présent	Passé
suis	aie suivi
suivons	ayons suivi
suivez	ayez suivi

INFINITIF

Présent	Passé
suivre	avoir suivi

PARTICIPE

Présent	Passé
suivant	suivi(e)
	ayant suivi

3e groupe

● **eoi** devient **oi** :
- aux trois personnes du singulier et à la 3ᵉ personne du pluriel du présent de l'indicatif et du subjonctif ;
- à la 2ᵉ personne du singulier du présent de l'impératif.
● **eoi** reste **eoi** à toutes les personnes du futur simple de l'indicatif et du présent du conditionnel.
● **y** devient **yi** aux 1ʳᵉˢ et 2ᵉˢ personnes du pluriel de l'imparfait de l'indicatif et du présent du subjonctif.

surseoir

INDICATIF

Présent		Imparfait		Passé composé			Plus-que-parfait		
je	sursois	je	sursoyais	j'	ai	sursis	j'	avais	sursis
tu	sursois	tu	sursoyais	tu	as	sursis	tu	avais	sursis
il, elle	sursoit	il, elle	sursoyait	il, elle	a	sursis	il, elle	avait	sursis
nous	sursoyons	nous	sursoyions	nous	avons	sursis	nous	avions	sursis
vous	sursoyez	vous	sursoyiez	vous	avez	sursis	vous	aviez	sursis
ils, elles	sursoient	ils, elles	sursoyaient	ils, elles	ont	sursis	ils, elles	avaient	sursis

Passé simple		Futur simple		Passé antérieur			Futur antérieur		
je	sursis	je	surseoirai	j'	eus	sursis	j'	aurai	sursis
tu	sursis	tu	surseoiras	tu	eus	sursis	tu	auras	sursis
il, elle	sursit	il, elle	surseoira	il, elle	eut	sursis	il, elle	aura	sursis
nous	sursîmes	nous	surseoirons	nous	eûmes	sursis	nous	aurons	sursis
vous	sursîtes	vous	surseoirez	vous	eûtes	sursis	vous	aurez	sursis
ils, elles	sursirent	ils, elles	surseoiront	ils, elles	eurent	sursis	ils, elles	auront	sursis

SUBJONCTIF

Présent		Imparfait		Passé			Plus-que-parfait		
Il faut que...		Il fallait que...		Il faut que...			Il fallait que...		
je	sursoie	je	sursisse	j'	aie	sursis	j'	eusse	sursis
tu	sursoies	tu	sursisses	tu	aies	sursis	tu	eusses	sursis
il, elle	sursoie	il, elle	sursît	il, elle	ait	sursis	il, elle	eût	sursis
nous	sursoyions	nous	sursissions	nous	ayons	sursis	nous	eussions	sursis
vous	sursoyiez	vous	sursissiez	vous	ayez	sursis	vous	eussiez	sursis
ils, elles	sursoient	ils, elles	sursissent	ils, elles	aient	sursis	ils, elles	eussent	sursis

CONDITIONNEL

Présent		Passé 1ʳᵉ forme			Passé 2ᵉ forme		
je	surseoirais	j'	aurais	sursis	j'	eusse	sursis
tu	surseoirais	tu	aurais	sursis	tu	eusses	sursis
il, elle	surseoirait	il, elle	aurait	sursis	il, elle	eût	sursis
nous	surseoirions	nous	aurions	sursis	nous	eussions	sursis
vous	surseoiriez	vous	auriez	sursis	vous	eussiez	sursis
ils, elles	surseoiraient	ils, elles	auraient	sursis	ils, elles	eussent	sursis

IMPÉRATIF | INFINITIF | PARTICIPE

Présent	Passé	Présent	Passé	Présent	Passé
sursois	aie sursis	surseoir	avoir sursis	sursoyant	sursis(e)
sursoyons	ayons sursis				ayant sursis
sursoyez	ayez sursis				

3ᵉ groupe

taire

INDICATIF

Présent	Imparfait	Passé composé	Plus-que-parfait
je tais	je taisais	j' ai tu	j' avais tu
tu tais	tu taisais	tu as tu	tu avais tu
il, elle tait	il, elle taisait	il, elle a tu	il, elle avait tu
nous taisons	nous taisions	nous avons tu	nous avions tu
vous taisez	vous taisiez	vous avez tu	vous aviez tu
ils, elles taisent	ils, elles taisaient	ils, elles ont tu	ils, elles avaient tu

Passé simple	Futur simple	Passé antérieur	Futur antérieur
je tus	je tairai	j' eus tu	j' aurai tu
tu tus	tu tairas	tu eus tu	tu auras tu
il, elle tut	il, elle taira	il, elle eut tu	il, elle aura tu
nous tûmes	nous tairons	nous eûmes tu	nous aurons tu
vous tûtes	vous tairez	vous eûtes tu	vous aurez tu
ils, elles turent	ils, elles tairont	ils, elles eurent tu	ils, elles auront tu

SUBJONCTIF

Présent	Imparfait	Passé	Plus-que-parfait
Il faut que...	Il fallait que...	Il faut que...	Il fallait que...
je taise	je tusse	j' aie tu	j' eusse tu
tu taises	tu tusses	tu aies tu	tu eusses tu
il, elle taise	il, elle tût	il, elle ait tu	il, elle eût tu
nous taisions	nous tussions	nous ayons tu	nous eussions tu
vous taisiez	vous tussiez	vous ayez tu	vous eussiez tu
ils, elles taisent	ils, elles tussent	ils, elles aient tu	ils, elles eussent tu

CONDITIONNEL

Présent		Passé 1re forme	Passé 2e forme
je tairais		j' aurais tu	j' eusse tu
tu tairais		tu aurais tu	tu eusses tu
il, elle tairait		il, elle aurait tu	il, elle eût tu
nous tairions		nous aurions tu	nous eussions tu
vous tairiez		vous auriez tu	vous eussiez tu
ils, elles tairaient		ils, elles auraient tu	ils, elles eussent tu

IMPÉRATIF INFINITIF PARTICIPE

Présent	Passé	Présent	Passé	Présent	Passé
tais	aie tu	taire	avoir tu	taisant	tu(e)
taisons	ayons tu				ayant tu
taisez	ayez tu				

▶ Se conjuguent sur le modèle de *tenir* : *s'abstenir* (pronominal avec l'auxiliaire *être*), *appartenir*, *contenir*, *détenir*, *entretenir*, *maintenir*, *obtenir*, *retenir*, *soutenir*.
▶ Le participe passé *appartenu* est invariable.

tenir

INDICATIF

Présent		Imparfait		Passé composé			Plus-que-parfait		
je	tiens	je	tenais	j'	ai	tenu	j'	avais	tenu
tu	tiens	tu	tenais	tu	as	tenu	tu	avais	tenu
il, elle	tient	il, elle	tenait	il, elle	a	tenu	il, elle	avait	tenu
nous	tenons	nous	tenions	nous	avons	tenu	nous	avions	tenu
vous	tenez	vous	teniez	vous	avez	tenu	vous	aviez	tenu
ils, elles	tiennent	ils, elles	tenaient	ils, elles	ont	tenu	ils, elles	avaient	tenu

Passé simple		Futur simple		Passé antérieur			Futur antérieur		
je	tins	je	tiendrai	j'	eus	tenu	j'	aurai	tenu
tu	tins	tu	tiendras	tu	eus	tenu	tu	auras	tenu
il, elle	tint	il, elle	tiendra	il, elle	eut	tenu	il, elle	aura	tenu
nous	tînmes	nous	tiendrons	nous	eûmes	tenu	nous	aurons	tenu
vous	tîntes	vous	tiendrez	vous	eûtes	tenu	vous	aurez	tenu
ils, elles	tinrent	ils, elles	tiendront	ils, elles	eurent	tenu	ils, elles	auront	tenu

SUBJONCTIF

Présent		Imparfait		Passé			Plus-que-parfait		
Il faut que...		*Il fallait que...*		*Il faut que...*			*Il fallait que...*		
je	tienne	je	tinsse	j'	aie	tenu	j'	eusse	tenu
tu	tiennes	tu	tinsses	tu	aies	tenu	tu	eusses	tenu
il, elle	tienne	il, elle	tînt	il, elle	ait	tenu	il, elle	eût	tenu
nous	tenions	nous	tinssions	nous	ayons	tenu	nous	eussions	tenu
vous	teniez	vous	tinssiez	vous	ayez	tenu	vous	eussiez	tenu
ils, elles	tiennent	ils, elles	tinssent	ils, elles	aient	tenu	ils, elles	eussent	tenu

CONDITIONNEL

Présent		Passé 1re forme			Passé 2e forme		
je	tiendrais	j'	aurais	tenu	j'	eusse	tenu
tu	tiendrais	tu	aurais	tenu	tu	eusses	tenu
il, elle	tiendrait	il, elle	aurait	tenu	il, elle	eût	tenu
nous	tiendrions	nous	aurions	tenu	nous	eussions	tenu
vous	tiendriez	vous	auriez	tenu	vous	eussiez	tenu
ils, elles	tiendraient	ils, elles	auraient	tenu	ils, elles	eussent	tenu

IMPÉRATIF

Présent	Passé
tiens	aie tenu
tenons	ayons tenu
tenez	ayez tenu

INFINITIF

Présent	Passé
tenir	avoir tenu

PARTICIPE

Présent	Passé
tenant	tenu(e)
	ayant tenu

3e groupe

▶ Se conjuguent sur le modèle de **tondre** : *confondre, correspondre, fondre, se morfondre* (pronominal avec l'auxiliaire *être*), *parfondre, pondre, refondre, répondre, retondre, surtondre*.

tondre

INDICATIF

Présent		Imparfait		Passé composé			Plus-que-parfait		
je	tonds	je	tondais	j'	ai	tondu	j'	avais	tondu
tu	tonds	tu	tondais	tu	as	tondu	tu	avais	tondu
il, elle	tond	il, elle	tondait	il, elle	a	tondu	il, elle	avait	tondu
nous	tondons	nous	tondions	nous	avons	tondu	nous	avions	tondu
vous	tondez	vous	tondiez	vous	avez	tondu	vous	aviez	tondu
ils, elles	tondent	ils, elles	tondaient	ils, elles	ont	tondu	ils, elles	avaient	tondu

Passé simple		Futur simple		Passé antérieur			Futur antérieur		
je	tondis	je	tondrai	j'	eus	tondu	j'	aurai	tondu
tu	tondis	tu	tondras	tu	eus	tondu	tu	auras	tondu
il, elle	tondit	il, elle	tondra	il, elle	eut	tondu	il, elle	aura	tondu
nous	tondîmes	nous	tondrons	nous	eûmes	tondu	nous	aurons	tondu
vous	tondîtes	vous	tondrez	vous	eûtes	tondu	vous	aurez	tondu
ils, elles	tondirent	ils, elles	tondront	ils, elles	eurent	tondu	ils, elles	auront	tondu

SUBJONCTIF

Présent		Imparfait		Passé			Plus-que-parfait		
Il faut **que**...		Il fallait **que**...		Il faut **que**...			Il fallait **que**...		
je	tonde	je	tondisse	j'	aie	tondu	j'	eusse	tondu
tu	tondes	tu	tondisses	tu	aies	tondu	tu	eusses	tondu
il, elle	tonde	il, elle	tondît	il, elle	ait	tondu	il, elle	eût	tondu
nous	tondions	nous	tondissions	nous	ayons	tondu	nous	eussions	tondu
vous	tondiez	vous	tondissiez	vous	ayez	tondu	vous	eussiez	tondu
ils, elles	tondent	ils, elles	tondissent	ils, elles	aient	tondu	ils, elles	eussent	tondu

CONDITIONNEL

Présent		Passé 1ʳᵉ forme			Passé 2ᵉ forme		
je	tondrais	j'	aurais	tondu	j'	eusse	tondu
tu	tondrais	tu	aurais	tondu	tu	eusses	tondu
il, elle	tondrait	il, elle	aurait	tondu	il, elle	eût	tondu
nous	tondrions	nous	aurions	tondu	nous	eussions	tondu
vous	tondriez	vous	auriez	tondu	vous	eussiez	tondu
ils, elles	tondraient	ils, elles	auraient	tondu	ils, elles	eussent	tondu

IMPÉRATIF

Présent	Passé
tonds	aie tondu
tondons	ayons tondu
tondez	ayez tondu

INFINITIF

Présent	Passé
tondre	avoir tondu

PARTICIPE

Présent	Passé
tondant	tondu(e)
	ayant tondu

3ᵉ groupe

▶ y devient **yi** aux 1res et 2es personnes du pluriel de l'imparfait de l'indicatif et du présent du subjonctif.
▶ Les formes du passé simple de l'indicatif et de l'imparfait du subjonctif sont inusitées pour le verbe *traire* et tous les verbes qui se conjuguent sur ce modèle.
▶ Se conjuguent sur le modèle de *traire* : *abstraire, distraire, extraire, portraire, raire, rentraire, retraire, soustraire.*

traire

INDICATIF

Présent		Imparfait		Passé composé			Plus-que-parfait		
je	trais	je	trayais	j'	ai	trait	j'	avais	trait
tu	trais	tu	trayais	tu	as	trait	tu	avais	trait
il, elle	trait	il, elle	trayait	il, elle	a	trait	il, elle	avait	trait
nous	trayons	nous	trayions	nous	avons	trait	nous	avions	trait
vous	trayez	vous	trayiez	vous	avez	trait	vous	aviez	trait
ils, elles	traient	ils, elles	trayaient	ils, elles	ont	trait	ils, elles	avaient	trait

Passé simple	Futur simple		Passé antérieur			Futur antérieur		
	je	trairai	j'	eus	trait	j'	aurai	trait
	tu	trairas	tu	eus	trait	tu	auras	trait
(inusité)	il, elle	traira	il, elle	eut	trait	il, elle	aura	trait
	nous	trairons	nous	eûmes	trait	nous	aurons	trait
	vous	trairez	vous	eûtes	trait	vous	aurez	trait
	ils, elles	trairont	ils, elles	eurent	trait	ils, elles	auront	trait

SUBJONCTIF

Présent		Imparfait	Passé			Plus-que-parfait		
Il faut que...		*Il fallait que...*	*Il faut que...*			*Il fallait que...*		
je	traie		j'	aie	trait	j'	eusse	trait
tu	traies		tu	aies	trait	tu	eusses	trait
il, elle	traie	*(inusité)*	il, elle	ait	trait	il, elle	eût	trait
nous	trayions		nous	ayons	trait	nous	eussions	trait
vous	trayiez		vous	ayez	trait	vous	eussiez	trait
ils, elles	traient		ils, elles	aient	trait	ils, elles	eussent	trait

CONDITIONNEL

Présent		Passé 1re forme			Passé 2e forme		
je	trairais	j'	aurais	trait	j'	eusse	trait
tu	trairais	tu	aurais	trait	tu	eusses	trait
il, elle	trairait	il, elle	aurait	trait	il, elle	eût	trait
nous	trairions	nous	aurions	trait	nous	eussions	trait
vous	trairiez	vous	auriez	trait	vous	eussiez	trait
ils, elles	trairaient	ils, elles	auraient	trait	ils, elles	eussent	trait

IMPÉRATIF

Présent	Passé
trais	aie trait
trayons	ayons trait
trayez	ayez trait

INFINITIF

Présent	Passé
traire	avoir trait

PARTICIPE

Présent	Passé
trayant	trait(e)
	ayant trait

3e groupe

VERBES EN -saillir

- Il devient **lli** aux 1res et 2es personnes du pluriel de l'imparfait de l'indicatif et du présent du subjonctif.
- ▶ Se conjugue sur le modèle de *tressaillir* : *assaillir*.
- ▶ Le participe passé *assailli* est variable.
- ▶ *Saillir*, au sens de « avancer, déborder en formant un relief », est un verbe défectif (voir p. 191).
- ▶ *Saillir*, au sens de « jaillir », est un verbe défectif (voir p. 191).
- ▶ *Saillir*, au sens de « couvrir la femelle », se conjugue sur le modèle de *finir* (cf. *finir*, 92).

tressaillir

INDICATIF

Présent		Imparfait		Passé composé			Plus-que-parfait		
je	tressaille	je	tressaillais	j'	ai	tressailli	j'	avais	tressailli
tu	tressailles	tu	tressaillais	tu	as	tressailli	tu	avais	tressailli
il, elle	tressaille	il, elle	tressaillait	il, elle	a	tressailli	il, elle	avait	tressailli
nous	tressaillons	nous	tressaillions	nous	avons	tressailli	nous	avions	tressailli
vous	tressaillez	vous	tressailliez	vous	avez	tressailli	vous	aviez	tressailli
ils, elles	tressaillent	ils, elles	tressaillaient	ils, elles	ont	tressailli	ils, elles	avaient	tressailli

Passé simple		Futur simple		Passé antérieur			Futur antérieur		
je	tressaillis	je	tressaillirai	j'	eus	tressailli	j'	aurai	tressailli
tu	tressaillis	tu	tressailliras	tu	eus	tressailli	tu	auras	tressailli
il, elle	tressaillit	il, elle	tressaillira	il, elle	eut	tressailli	il, elle	aura	tressailli
nous	tressaillîmes	nous	tressaillirons	nous	eûmes	tressailli	nous	aurons	tressailli
vous	tressaillîtes	vous	tressaillirez	vous	eûtes	tressailli	vous	aurez	tressailli
ils, elles	tressaillirent	ils, elles	tressailliront	ils, elles	eurent	tressailli	ils, elles	auront	tressailli

SUBJONCTIF

Présent		Imparfait		Passé			Plus-que-parfait		
Il faut **que**...		Il fallait **que**...		Il faut **que**...			Il fallait **que**...		
je	tressaille	je	tressaillisse	j'	aie	tressailli	j'	eusse	tressailli
tu	tressailles	tu	tressaillisses	tu	aies	tressailli	tu	eusses	tressailli
il, elle	tressaille	il, elle	tressaillît	il, elle	ait	tressailli	il, elle	eût	tressailli
nous	tressaillions	nous	tressaillissions	nous	ayons	tressailli	nous	eussions	tressailli
vous	tressailliez	vous	tressaillissiez	vous	ayez	tressailli	vous	eussiez	tressailli
ils, elles	tressaillent	ils, elles	tressaillissent	ils, elles	aient	tressailli	ils, elles	eussent	tressailli

CONDITIONNEL

Présent		Passé 1re forme			Passé 2e forme		
je	tressaillirais	j'	aurais	tressailli	j'	eusse	tressailli
tu	tressaillirais	tu	aurais	tressailli	tu	eusses	tressailli
il, elle	tressaillirait	il, elle	aurait	tressailli	il, elle	eût	tressailli
nous	tressaillirions	nous	aurions	tressailli	nous	eussions	tressailli
vous	tressailliriez	vous	auriez	tressailli	vous	eussiez	tressailli
ils, elles	tressailliraient	ils, elles	auraient	tressailli	ils, elles	eussent	tressailli

IMPÉRATIF

Présent	Passé
tressaille	aie tressailli
tressaillons	ayons tressailli
tressaillez	ayez tressailli

INFINITIF

Présent	Passé
tressaillir	avoir tressailli

PARTICIPE

Présent	Passé
tressaillant	tressailli
	ayant tressailli

3e groupe

▶ Se conjugue sur le modèle de *vaincre* : *convaincre*.
▶ Lorsqu'il est participe présent, *convainquant* s'écrit avec **qu** ; lorsqu'il est adjectif verbal, *convaincant* s'écrit avec **c** : *une démonstration convaincante.*

vaincre

INDICATIF

Présent
je	vaincs
tu	vaincs
il, elle	vainc
nous	vainquons
vous	vainquez
ils, elles	vainquent

Imparfait
je	vainquais
tu	vainquais
il, elle	vainquait
nous	vainquions
vous	vainquiez
ils, elles	vainquaient

Passé composé
j'	ai	vaincu
tu	as	vaincu
il, elle	a	vaincu
nous	avons	vaincu
vous	avez	vaincu
ils, elles	ont	vaincu

Plus-que-parfait
j'	avais	vaincu
tu	avais	vaincu
il, elle	avait	vaincu
nous	avions	vaincu
vous	aviez	vaincu
ils, elles	avaient	vaincu

Passé simple
je	vainquis
tu	vainquis
il, elle	vainquit
nous	vainquîmes
vous	vainquîtes
ils, elles	vainquirent

Futur simple
je	vaincrai
tu	vaincras
il, elle	vaincra
nous	vaincrons
vous	vaincrez
ils, elles	vaincront

Passé antérieur
j'	eus	vaincu
tu	eus	vaincu
il, elle	eut	vaincu
nous	eûmes	vaincu
vous	eûtes	vaincu
ils, elles	eurent	vaincu

Futur antérieur
j'	aurai	vaincu
tu	auras	vaincu
il, elle	aura	vaincu
nous	aurons	vaincu
vous	aurez	vaincu
ils, elles	auront	vaincu

SUBJONCTIF

Présent
Il faut que...
je	vainque
tu	vainques
il, elle	vainque
nous	vainquions
vous	vainquiez
ils, elles	vainquent

Imparfait
Il fallait que...
je	vainquisse
tu	vainquisses
il, elle	vainquît
nous	vainquissions
vous	vainquissiez
ils, elles	vainquissent

Passé
Il faut que...
j'	aie	vaincu
tu	aies	vaincu
il, elle	ait	vaincu
nous	ayons	vaincu
vous	ayez	vaincu
ils, elles	aient	vaincu

Plus-que-parfait
Il fallait que...
j'	eusse	vaincu
tu	eusses	vaincu
il, elle	eût	vaincu
nous	eussions	vaincu
vous	eussiez	vaincu
ils, elles	eussent	vaincu

CONDITIONNEL

Présent
je	vaincrais
tu	vaincrais
il, elle	vaincrait
nous	vaincrions
vous	vaincriez
ils, elles	vaincraient

Passé 1ʳᵉ forme
j'	aurais	vaincu
tu	aurais	vaincu
il, elle	aurait	vaincu
nous	aurions	vaincu
vous	auriez	vaincu
ils, elles	auraient	vaincu

Passé 2ᵉ forme
j'	eusse	vaincu
tu	eusses	vaincu
il, elle	eût	vaincu
nous	eussions	vaincu
vous	eussiez	vaincu
ils, elles	eussent	vaincu

IMPÉRATIF

Présent
vaincs
vainquons
vainquez

Passé
aie vaincu
ayons vaincu
ayez vaincu

INFINITIF

Présent
vaincre

Passé
avoir vaincu

PARTICIPE

Présent
vainquant

Passé
vaincu(e)
ayant vaincu

3ᵉ groupe

► Se conjuguent sur le modèle de *valoir* : *équivaloir*, *revaloir*, *prévaloir* (sauf au subjonctif présent : que je prévale…, que nous prévalions…).
► Le participe passé *équivalu* est invariable.

valoir

INDICATIF

Présent		Imparfait		Passé composé			Plus-que-parfait		
je	**vaux**	je	**valais**	j'	ai	valu	j'	avais	valu
tu	**vaux**	tu	**valais**	tu	as	valu	tu	avais	valu
il, elle	**vaut**	il, elle	**valait**	il, elle	a	valu	il, elle	avait	valu
nous	**valons**	nous	**valions**	nous	avons	valu	nous	avions	valu
vous	**valez**	vous	**valiez**	vous	avez	valu	vous	aviez	valu
ils, elles	**valent**	ils, elles	**valaient**	ils, elles	ont	valu	ils, elles	avaient	valu

Passé simple		Futur simple		Passé antérieur			Futur antérieur		
je	**valus**	je	**vaudrai**	j'	eus	valu	j'	aurai	valu
tu	**valus**	tu	**vaudras**	tu	eus	valu	tu	auras	valu
il, elle	**valut**	il, elle	**vaudra**	il, elle	eut	valu	il, elle	aura	valu
nous	**valûmes**	nous	**vaudrons**	nous	eûmes	valu	nous	aurons	valu
vous	**valûtes**	vous	**vaudrez**	vous	eûtes	valu	vous	aurez	valu
ils, elles	**valurent**	ils, elles	**vaudront**	ils, elles	eurent	valu	ils, elles	auront	valu

SUBJONCTIF

Présent		Imparfait		Passé			Plus-que-parfait		
*Il faut **que**…*		*Il fallait **que**…*		*Il faut **que**…*			*Il fallait **que**…*		
je	**vaille**	je	**valusse**	j'	aie	valu	j'	eusse	valu
tu	**vailles**	tu	**valusses**	tu	aies	valu	tu	eusses	valu
il, elle	**vaille**	il, elle	**valût**	il, elle	ait	valu	il, elle	eût	valu
nous	**valions**	nous	**valussions**	nous	ayons	valu	nous	eussions	valu
vous	**valiez**	vous	**valussiez**	vous	ayez	valu	vous	eussiez	valu
ils, elles	**vaillent**	ils, elles	**valussent**	ils, elles	aient	valu	ils, elles	eussent	valu

CONDITIONNEL

Présent		Passé 1re forme			Passé 2e forme		
je	**vaudrais**	j'	aurais	valu	j'	eusse	valu
tu	**vaudrais**	tu	aurais	valu	tu	eusses	valu
il, elle	**vaudrait**	il, elle	aurait	valu	il, elle	eût	valu
nous	**vaudrions**	nous	aurions	valu	nous	eussions	valu
vous	**vaudriez**	vous	auriez	valu	vous	eussiez	valu
ils, elles	**vaudraient**	ils, elles	auraient	valu	ils, elles	eussent	valu

IMPÉRATIF

Présent	Passé
(inusité)	aie valu
	ayons valu
	ayez valu

INFINITIF

Présent	Passé
valoir	avoir valu

PARTICIPE

Présent	Passé
valant	**valu(e)**
	ayant valu

▶ Se conjuguent sur le modèle de *vendre* : *appendre, attendre, condescendre, défendre, dépendre, descendre* (avoir ou être), *détendre, distendre, entendre, étendre, fendre, mévendre, pendre, pourfendre, prétendre, redescendre* (avoir ou être), *réentendre, refendre, rendre, rependre, retendre, revendre, sous-entendre, soustendre, suspendre, tendre.*

vendre

INDICATIF

Présent		Imparfait		Passé composé			Plus-que-parfait		
je	vends	je	vendais	j'	ai	vendu	j'	avais	vendu
tu	vends	tu	vendais	tu	as	vendu	tu	avais	vendu
il, elle	vend	il, elle	vendait	il, elle	a	vendu	il, elle	avait	vendu
nous	vendons	nous	vendions	nous	avons	vendu	nous	avions	vendu
vous	vendez	vous	vendiez	vous	avez	vendu	vous	aviez	vendu
ils, elles	vendent	ils, elles	vendaient	ils, elles	ont	vendu	ils, elles	avaient	vendu

Passé simple		Futur simple		Passé antérieur			Futur antérieur		
je	vendis	je	vendrai	j'	eus	vendu	j'	aurai	vendu
tu	vendis	tu	vendras	tu	eus	vendu	tu	auras	vendu
il, elle	vendit	il, elle	vendra	il, elle	eut	vendu	il, elle	aura	vendu
nous	vendîmes	nous	vendrons	nous	eûmes	vendu	nous	aurons	vendu
vous	vendîtes	vous	vendrez	vous	eûtes	vendu	vous	aurez	vendu
ils, elles	vendirent	ils, elles	vendront	ils, elles	eurent	vendu	ils, elles	auront	vendu

SUBJONCTIF

Présent		Imparfait		Passé			Plus-que-parfait		
Il faut que...		*Il fallait que...*		*Il faut que...*			*Il fallait que...*		
je	vende	je	vendisse	j'	aie	vendu	j'	eusse	vendu
tu	vendes	tu	vendisses	tu	aies	vendu	tu	eusses	vendu
il, elle	vende	il, elle	vendît	il, elle	ait	vendu	il, elle	eût	vendu
nous	vendions	nous	vendissions	nous	ayons	vendu	nous	eussions	vendu
vous	vendiez	vous	vendissiez	vous	ayez	vendu	vous	eussiez	vendu
ils, elles	vendent	ils, elles	vendissent	ils, elles	aient	vendu	ils, elles	eussent	vendu

CONDITIONNEL

Présent			Passé 1re forme			Passé 2e forme		
je	vendrais		j'	aurais	vendu	j'	eusse	vendu
tu	vendrais		tu	aurais	vendu	tu	eusses	vendu
il, elle	vendrait		il, elle	aurait	vendu	il, elle	eût	vendu
nous	vendrions		nous	aurions	vendu	nous	eussions	vendu
vous	vendriez		vous	auriez	vendu	vous	eussiez	vendu
ils, elles	vendraient		ils, elles	auraient	vendu	ils, elles	eussent	vendu

IMPÉRATIF

Présent	Passé
vends	aie vendu
vendons	ayons vendu
vendez	ayez vendu

INFINITIF

Présent	Passé
vendre	avoir vendu

PARTICIPE

Présent	Passé
vendant	vendu(e)
	ayant vendu

3e groupe

▶ Se conjuguent sur le modèle de *venir* : *circonvenir*, *contrevenir*, *convenir* (*avoir* ou *être*), *devenir* (*être*), *disconvenir* (*être*), *intervenir* (*être*), *obvenir* (*être*), *parvenir* (*être*), *prévenir*, *provenir* (*être*), *redevenir* (*être*), *se ressouvenir* (pronominal avec l'auxiliaire *être*), *revenir* (*être*), *se souvenir* (pronominal avec l'auxiliaire *être*), *subvenir*, *survenir* (*être*).

venir

INDICATIF

Présent		Imparfait		Passé composé			Plus-que-parfait		
je	viens	je	venais	je	suis	venu(e)	j'	étais	venu(e)
tu	viens	tu	venais	tu	es	venu(e)	tu	étais	venu(e)
il, elle	vient	il, elle	venait	il, elle	est	venu(e)	il, elle	était	venu(e)
nous	venons	nous	venions	nous	sommes	venu(e)s	nous	étions	venu(e)s
vous	venez	vous	veniez	vous	êtes	venu(e)s	vous	étiez	venu(e)s
ils, elles	viennent	ils, elles	venaient	ils, elles	sont	venu(e)s	ils, elles	étaient	venu(e)s

Passé simple		Futur simple		Passé antérieur			Futur antérieur		
je	vins	je	viendrai	je	fus	venu(e)	je	serai	venu(e)
tu	vins	tu	viendras	tu	fus	venu(e)	tu	seras	venu(e)
il, elle	vint	il, elle	viendra	il, elle	fut	venu(e)	il, elle	sera	venu(e)
nous	vînmes	nous	viendrons	nous	fûmes	venu(e)s	nous	serons	venu(e)s
vous	vîntes	vous	viendrez	vous	fûtes	venu(e)s	vous	serez	venu(e)s
ils, elles	vinrent	ils, elles	viendront	ils, elles	furent	venu(e)s	ils, elles	seront	venu(e)s

SUBJONCTIF

Présent		Imparfait		Passé			Plus-que-parfait		
Il faut que...		*Il fallait que...*		*Il faut que...*			*Il fallait que...*		
je	vienne	je	vinsse	je	sois	venu(e)	je	fusse	venu(e)
tu	viennes	tu	vinsses	tu	sois	venu(e)	tu	fusses	venu(e)
il, elle	vienne	il, elle	vînt	il, elle	soit	venu(e)	il, elle	fût	venu(e)
nous	venions	nous	vinssions	nous	soyons	venu(e)s	nous	fussions	venu(e)s
vous	veniez	vous	vinssiez	vous	soyez	venu(e)s	vous	fussiez	venu(e)s
ils, elles	viennent	ils, elles	vinssent	ils, elles	soient	venu(e)s	ils, elles	fussent	venu(e)s

CONDITIONNEL

Présent		Passé 1re forme			Passé 2e forme		
je	viendrais	je	serais	venu(e)	je	fusse	venu(e)
tu	viendrais	tu	serais	venu(e)	tu	fusses	venu(e)
il, elle	viendrait	il, elle	serait	venu(e)	il, elle	fût	venu(e)
nous	viendrions	nous	serions	venu(e)s	nous	fussions	venu(e)s
vous	viendriez	vous	seriez	venu(e)s	vous	fussiez	venu(e)s
ils, elles	viendraient	ils, elles	seraient	venu(e)s	ils, elles	fussent	venu(e)s

IMPÉRATIF

Présent	Passé
viens	sois venu(e)
venons	soyons venu(e)s
venez	soyez venu(e)s

INFINITIF

Présent	Passé
venir	être venu(e)

PARTICIPE

Présent	Passé
venant	venu(e)
	étant venu(e)

3e groupe

▶ Se conjuguent sur le modèle de *vêtir* : *dévêtir*, *revêtir*.

vêtir

INDICATIF

Présent		Imparfait		Passé composé			Plus-que-parfait		
je	**vêts**	je	**vêtais**	j'	ai	vêtu	j'	avais	vêtu
tu	**vêts**	tu	**vêtais**	tu	as	vêtu	tu	avais	vêtu
il, elle	**vêt**	il, elle	**vêtait**	il, elle	a	vêtu	il, elle	avait	vêtu
nous	**vêtons**	nous	**vêtions**	nous	avons	vêtu	nous	avions	vêtu
vous	**vêtez**	vous	**vêtiez**	vous	avez	vêtu	vous	aviez	vêtu
ils, elles	**vêtent**	ils, elles	**vêtaient**	ils, elles	ont	vêtu	ils, elles	avaient	vêtu

Passé simple		Futur simple		Passé antérieur			Futur antérieur		
je	**vêtis**	je	**vêtirai**	j'	eus	vêtu	j'	aurai	vêtu
tu	**vêtis**	tu	**vêtiras**	tu	eus	vêtu	tu	auras	vêtu
il, elle	**vêtit**	il, elle	**vêtira**	il, elle	eut	vêtu	il, elle	aura	vêtu
nous	**vêtîmes**	nous	**vêtirons**	nous	eûmes	vêtu	nous	aurons	vêtu
vous	**vêtîtes**	vous	**vêtirez**	vous	eûtes	vêtu	vous	aurez	vêtu
ils, elles	**vêtirent**	ils, elles	**vêtiront**	ils, elles	eurent	vêtu	ils, elles	auront	vêtu

SUBJONCTIF

Présent		Imparfait		Passé			Plus-que-parfait		
Il faut *que...*		Il fallait *que...*		Il faut *que...*			Il fallait *que...*		
je	**vête**	je	**vêtisse**	j'	aie	vêtu	j'	eusse	vêtu
tu	**vêtes**	tu	**vêtisses**	tu	aies	vêtu	tu	eusses	vêtu
il, elle	**vête**	il, elle	**vêtît**	il, elle	ait	vêtu	il, elle	eût	vêtu
nous	**vêtions**	nous	**vêtissions**	nous	ayons	vêtu	nous	eussions	vêtu
vous	**vêtiez**	vous	**vêtissiez**	vous	ayez	vêtu	vous	eussiez	vêtu
ils, elles	**vêtent**	ils, elles	**vêtissent**	ils, elles	aient	vêtu	ils, elles	eussent	vêtu

CONDITIONNEL

Présent		Passé 1re forme			Passé 2e forme		
je	**vêtirais**	j'	aurais	vêtu	j'	eusse	vêtu
tu	**vêtirais**	tu	aurais	vêtu	tu	eusses	vêtu
il, elle	**vêtirait**	il, elle	aurait	vêtu	il, elle	eût	vêtu
nous	**vêtirions**	nous	aurions	vêtu	nous	eussions	vêtu
vous	**vêtiriez**	vous	auriez	vêtu	vous	eussiez	vêtu
ils, elles	**vêtiraient**	ils, elles	auraient	vêtu	ils, elles	eussent	vêtu

IMPÉRATIF

Présent	Passé
vêts	aie vêtu
vêtons	ayons vêtu
vêtez	ayez vêtu

INFINITIF

Présent	Passé
vêtir	avoir vêtu

PARTICIPE

Présent	Passé
vêtant	**vêtu(e)**
	ayant vêtu

3e groupe

VERBES EN -vivre

▶ Se conjuguent sur le modèle de *vivre* : *revivre, survivre*.
▶ Le participe passé *survécu* est invariable.

vivre

INDICATIF

Présent		Imparfait		Passé composé			Plus-que-parfait		
je	**vis**	je	**vivais**	j'	ai	vécu	j'	avais	vécu
tu	**vis**	tu	**vivais**	tu	as	vécu	tu	avais	vécu
il, elle	**vit**	il, elle	**vivait**	il, elle	a	vécu	il, elle	avait	vécu
nous	**vivons**	nous	**vivions**	nous	avons	vécu	nous	avions	vécu
vous	**vivez**	vous	**viviez**	vous	avez	vécu	vous	aviez	vécu
ils, elles	**vivent**	ils, elles	**vivaient**	ils, elles	ont	vécu	ils, elles	avaient	vécu

Passé simple		Futur simple		Passé antérieur			Futur antérieur		
je	**vécus**	je	**vivrai**	j'	eus	vécu	j'	aurai	vécu
tu	**vécus**	tu	**vivras**	tu	eus	vécu	tu	auras	vécu
il, elle	**vécut**	il, elle	**vivra**	il, elle	eut	vécu	il, elle	aura	vécu
nous	**vécûmes**	nous	**vivrons**	nous	eûmes	vécu	nous	aurons	vécu
vous	**vécûtes**	vous	**vivrez**	vous	eûtes	vécu	vous	aurez	vécu
ils, elles	**vécurent**	ils, elles	**vivront**	ils, elles	eurent	vécu	ils, elles	auront	vécu

SUBJONCTIF

Présent		Imparfait		Passé			Plus-que-parfait		
Il faut *que...*		Il fallait *que...*		Il faut *que...*			Il fallait *que...*		
je	**vive**	je	**vécusse**	j'	aie	vécu	j'	eusse	vécu
tu	**vives**	tu	**vécusses**	tu	aies	vécu	tu	eusses	vécu
il, elle	**vive**	il, elle	**vécût**	il, elle	ait	vécu	il, elle	eût	vécu
nous	**vivions**	nous	**vécussions**	nous	ayons	vécu	nous	eussions	vécu
vous	**viviez**	vous	**vécussiez**	vous	ayez	vécu	vous	eussiez	vécu
ils, elles	**vivent**	ils, elles	**vécussent**	ils, elles	aient	vécu	ils, elles	eussent	vécu

CONDITIONNEL

Présent		Passé 1re forme			Passé 2e forme		
je	**vivrais**	j'	aurais	vécu	j'	eusse	vécu
tu	**vivrais**	tu	aurais	vécu	tu	eusses	vécu
il, elle	**vivrait**	il, elle	aurait	vécu	il, elle	eût	vécu
nous	**vivrions**	nous	aurions	vécu	nous	eussions	vécu
vous	**vivriez**	vous	auriez	vécu	vous	eussiez	vécu
ils, elles	**vivraient**	ils, elles	auraient	vécu	ils, elles	eussent	vécu

IMPÉRATIF

Présent	Passé
vis	aie vécu
vivons	ayons vécu
vivez	ayez vécu

INFINITIF

Présent	Passé
vivre	avoir vécu

PARTICIPE

Présent	Passé
vivant	**vécu(e)**
	ayant vécu

y devient **yi** aux 1res et 2es personnes du pluriel de l'imparfait de l'indicatif et du présent du subjonctif.
▶ *Prévoir* se conjugue sur le modèle de *voir*, sauf au futur simple de l'indicatif et au présent du conditionnel (cf. *prévoir*, 154).
▶ Se conjuguent sur le modèle de *voir* : entre**voir**, re**voir**.

voir

INDICATIF

Présent		Imparfait		Passé composé			Plus-que-parfait		
je	**vois**	je	**voyais**	j'	ai	vu	j'	avais	vu
tu	**vois**	tu	**voyais**	tu	as	vu	tu	avais	vu
il, elle	**voit**	il, elle	**voyait**	il, elle	a	vu	il, elle	avait	vu
nous	**voyons**	nous	**voyions**	nous	avons	vu	nous	avions	vu
vous	**voyez**	vous	**voyiez**	vous	avez	vu	vous	aviez	vu
ils, elles	**voient**	ils, elles	**voyaient**	ils, elles	ont	vu	ils, elles	avaient	vu

Passé simple		Futur simple		Passé antérieur			Futur antérieur		
je	**vis**	je	**verrai**	j'	eus	vu	j'	aurai	vu
tu	**vis**	tu	**verras**	tu	eus	vu	tu	auras	vu
il, elle	**vit**	il, elle	**verra**	il, elle	eut	vu	il, elle	aura	vu
nous	**vîmes**	nous	**verrons**	nous	eûmes	vu	nous	aurons	vu
vous	**vîtes**	vous	**verrez**	vous	eûtes	vu	vous	aurez	vu
ils, elles	**virent**	ils, elles	**verront**	ils, elles	eurent	vu	ils, elles	auront	vu

SUBJONCTIF

Présent		Imparfait		Passé			Plus-que-parfait		
*Il faut **que**...*		*Il fallait **que**...*		*Il faut **que**...*			*Il fallait **que**...*		
je	**voie**	je	**visse**	j'	aie	vu	j'	eusse	vu
tu	**voies**	tu	**visses**	tu	aies	vu	tu	eusses	vu
il, elle	**voie**	il, elle	**vît**	il, elle	ait	vu	il, elle	eût	vu
nous	**voyions**	nous	**vissions**	nous	ayons	vu	nous	eussions	vu
vous	**voyiez**	vous	**vissiez**	vous	ayez	vu	vous	eussiez	vu
ils, elles	**voient**	ils, elles	**vissent**	ils, elles	aient	vu	ils, elles	eussent	vu

CONDITIONNEL

Présent		Passé 1re forme			Passé 2e forme		
je	**verrais**	j'	aurais	vu	j'	eusse	vu
tu	**verrais**	tu	aurais	vu	tu	eusses	vu
il, elle	**verrait**	il, elle	aurait	vu	il, elle	eût	vu
nous	**verrions**	nous	aurions	vu	nous	eussions	vu
vous	**verriez**	vous	auriez	vu	vous	eussiez	vu
ils, elles	**verraient**	ils, elles	auraient	vu	ils, elles	eussent	vu

IMPÉRATIF

Présent	Passé
vois	aie vu
voyons	ayons vu
voyez	ayez vu

INFINITIF

Présent	Passé
voir	avoir vu

PARTICIPE

Présent	Passé
voyant	**vu(e)**
	ayant vu

3e groupe

▶ Le verbe *vouloir* présente deux séries de formes au présent de l'impératif :
– les formes de la 1re série, construites avec un infinitif, s'emploient surtout dans les formules de politesse ;
– les formes de la 2e série ne s'emploient que rarement.
▶ Se conjugue sur le modèle de *vouloir* : re**vouloir**.

vouloir

INDICATIF

Présent		Imparfait		Passé composé			Plus-que-parfait		
je	**veux**	je	**voulais**	j'	ai	voulu	j'	avais	voulu
tu	**veux**	tu	**voulais**	tu	as	voulu	tu	avais	voulu
il, elle	**veut**	il, elle	**voulait**	il, elle	a	voulu	il, elle	avait	voulu
nous	**voulons**	nous	**voulions**	nous	avons	voulu	nous	avions	voulu
vous	**voulez**	vous	**vouliez**	vous	avez	voulu	vous	aviez	voulu
ils, elles	**veulent**	ils, elles	**voulaient**	ils, elles	ont	voulu	ils, elles	avaient	voulu

Passé simple		Futur simple		Passé antérieur			Futur antérieur		
je	**voulus**	je	**voudrai**	j'	eus	voulu	j'	aurai	voulu
tu	**voulus**	tu	**voudras**	tu	eus	voulu	tu	auras	voulu
il, elle	**voulut**	il, elle	**voudra**	il, elle	eut	voulu	il, elle	aura	voulu
nous	**voulûmes**	nous	**voudrons**	nous	eûmes	voulu	nous	aurons	voulu
vous	**voulûtes**	vous	**voudrez**	vous	eûtes	voulu	vous	aurez	voulu
ils, elles	**voulurent**	ils, elles	**voudront**	ils, elles	eurent	voulu	ils, elles	auront	voulu

SUBJONCTIF

Présent		Imparfait		Passé			Plus-que-parfait		
*Il faut **que...***		*Il fallait **que...***		*Il faut **que...***			*Il fallait **que...***		
je	**veuille**	je	**voulusse**	j'	aie	voulu	j'	eusse	voulu
tu	**veuilles**	tu	**voulusses**	tu	aies	voulu	tu	eusses	voulu
il, elle	**veuille**	il, elle	**voulût**	il, elle	ait	voulu	il, elle	eût	voulu
nous	**voulions**	nous	**voulussions**	nous	ayons	voulu	nous	eussions	voulu
vous	**vouliez**	vous	**voulussiez**	vous	ayez	voulu	vous	eussiez	voulu
ils, elles	**veuillent**	ils, elles	**voulussent**	ils, elles	aient	voulu	ils, elles	eussent	voulu

CONDITIONNEL

Présent		Passé 1re forme			Passé 2e forme		
je	**voudrais**	j'	aurais	voulu	j'	eusse	voulu
tu	**voudrais**	tu	aurais	voulu	tu	eusses	voulu
il, elle	**voudrait**	il, elle	aurait	voulu	il, elle	eût	voulu
nous	**voudrions**	nous	aurions	voulu	nous	eussions	voulu
vous	**voudriez**	vous	auriez	voulu	vous	eussiez	voulu
ils, elles	**voudraient**	ils, elles	auraient	voulu	ils, elles	eussent	voulu

IMPÉRATIF

Présent	Passé
veuille/**veux**	aie voulu
(inusité)/**voulons**	ayons voulu
veuillez/**voulez**	ayez voulu

INFINITIF

Présent	Passé
vouloir	avoir voulu

PARTICIPE

Présent	Passé
voulant	**voulu(e)**
	ayant voulu

On appelle **verbes défectifs** des verbes dont certaines formes de conjugaison sont inusitées. Pour chaque verbe, ne sont données que les formes usitées.

■ **accroire** - Ne s'emploie qu'à l'infinitif.

■ **adirer** - Ne s'emploie qu'à l'infinitif et au participe passé dans la langue administrative et juridique : **adirer les pièces d'un procès** (égarer les pièces), **les pièces adirées**.

■ **advenir**

INDICATIF

Présent	Imparfait	Passé composé	Plus-que-parfait
il, elle advient	il, elle advenait	il, elle est advenu(e)	il, elle était advenu(e)
ils, elles adviennent	ils, elles advenaient	ils, elles sont advenu(e)s	ils, elles étaient advenu(e)s
Passé simple	**Futur simple**	**Passé antérieur**	**Futur antérieur**
il, elle advint	il, elle adviendra	il, elle fut advenu(e)	il, elle sera advenu(e)
ils, elles advinrent	ils, elles adviendront	ils, elles furent advenu(e)s	ils, elles seront advenu(e)s

SUBJONCTIF

Présent	Imparfait	Passé	Plus-que-parfait
Il faut qu'...	*Il fallait qu'...*	*Il faut qu'...*	*Il fallait qu'...*
il, elle advienne	il, elle advînt	il, elle soit advenu(e)	il, elle fût advenu(e)
ils, elles adviennent	ils, elles advinssent	ils, elles soient advenu(e)s	ils, elles fussent advenu(e)s

CONDITIONNEL

Présent		Passé 1re forme	Passé 2e forme
il, elle adviendrait		il, elle serait advenu(e)	il, elle fût advenu(e)
ils, elles adviendraient		ils, elles seraient advenu(e)s	ils, elles fussent advenu(e)s

INFINITIF | **PARTICIPE**

Présent	Passé	Présent	Passé
advenir	être advenu(e)	advenant	advenu(e)
			étant advenu(e)

■ **apparoir** - Ne s'emploie qu'à la 3e personne du singulier du présent de l'indicatif : **il appert**.

■ **assavoir** - Ne s'emploie qu'à l'infinitif, comme expression archaïque : **il me l'a fait assavoir** (savoir).

■ **avérer** - Ne s'emploie qu'à l'infinitif et au participe passé : **c'est un fait avéré**.

■ **s'avérer** - Se conjugue sur le modèle d'*accéder*. Ne s'emploie qu'aux 3es personnes et au participe présent, **s'avérant**.

■ **bayer** - Ne s'emploie que dans l'expression **bayer aux corneilles**.

■ **béer** - Ne s'emploie qu'au participe présent, **béant**, et au participe passé dans l'expression **bouche bée**.

■ **bienvenir** - Ne s'emploie qu'à l'infinitif : *se faire bienvenir de quelqu'un.*

■ **braire**

INDICATIF		CONDITIONNEL
Présent	**Futur simple**	**Présent**
il, elle brait	il, elle braira	il, elle brairait
ils, elles braient	ils, elles brairont	ils, elles brairaient

■ **bruire**

INDICATIF		SUBJONCTIF	PARTICIPE
Présent	**Imparfait**	**Présent**	**Présent**
il, elle bruit	il, elle bruissait	*Il faut qu'*...	bruissant
ils, elles bruissent	ils, elles bruissaient	il, elle bruisse	
		ils, elles bruissent	

■ **cafeter** et **caleter** - Inusités aux trois personnes du singulier et à la 3e personne du pluriel du présent de l'indicatif et du subjonctif, ainsi qu'à la 2e personne du singulier du présent de l'impératif. Pour les autres formes, se conjuguent sur le modèle de *parler*.

■ **chaloir** - Ne s'emploie qu'à la 3e personne du singulier du présent de l'indicatif dans l'expression *peu me (lui) chaut*.

■ **chauvir** - Ne s'emploie que dans l'expression : *chauvir des oreilles* (dresser les oreilles). Se conjugue comme *partir*, sauf aux trois personnes du singulier du présent de l'indicatif : *je chauvis, tu chauvis, il chauvit* et au présent de l'impératif : *chauvis, chauvissons, chauvissez.*

■ **choir**

INDICATIF		
Présent	**Passé simple**	**Futur simple**
je chois	je chus	je choirai/cherrai
tu chois	tu chus	tu choiras/cherras
il, elle choit	il, elle chut	il, elle choira/cherra
(inusité)	nous chûmes	nous choirons/cherrons
(inusité)	vous chûtes	vous choirez/cherrez
ils, elles choient	ils, elles churent	ils, elles choiront/cherront

SUBJONCTIF	CONDITIONNEL	PARTICIPE
Imparfait	**Présent**	**Passé**
Il fallait qu'...	je choirais/cherrais	chu(e)
il, elle chût	tu choirais/cherrais	étant chu(e)
	il, elle choirait/cherrait	
	nous choirions/cherrions	
	vous choiriez/cherriez	
	ils, elles choiraient/cherraient	

■ clore

INDICATIF

Présent				Passé composé			Plus-que-parfait		
je	clos			j'	ai	clos	j'	avais	clos
tu	clos			tu	as	clos	tu	avais	clos
il, elle	clôt			il, elle	a	clos	il, elle	avait	clos
(inusité)				nous	avons	clos	nous	avions	clos
(inusité)				vous	avez	clos	vous	aviez	clos
ils, elles	closent			ils, elles	ont	clos	ils, elles	avaient	clos

		Futur simple		Passé antérieur			Futur antérieur		
		je	clorai	j'	eus	clos	j'	aurai	clos
		tu	cloras	tu	eus	clos	tu	auras	clos
		il, elle	clora	il, elle	eut	clos	il, elle	aura	clos
		nous	clorons	nous	eûmes	clos	nous	aurons	clos
		vous	clorez	vous	eûtes	clos	vous	aurez	clos
		ils, elles	cloront	ils, elles	eurent	clos	ils, elles	auront	clos

SUBJONCTIF

Présent		Passé			Plus-que-parfait		
Il faut que...		*Il faut que...*			*Il fallait que...*		
je	close	j'	aie	clos	j'	eusse	clos
tu	closes	tu	aies	clos	tu	eusses	clos
il, elle	close	il, elle	ait	clos	il, elle	eût	clos
nous	closions	nous	ayons	clos	nous	eussions	clos
vous	closiez	vous	ayez	clos	vous	eussiez	clos
ils, elles	closent	ils, elles	aient	clos	ils, elles	eussent	clos

CONDITIONNEL

Présent		Passé 1re forme			Passé 2e forme		
je	clorais	j'	aurais	clos	j'	eusse	clos
tu	clorais	tu	aurais	clos	tu	eusses	clos
il, elle	clorait	il, elle	aurait	clos	il, elle	eût	clos
nous	clorions	nous	aurions	clos	nous	eussions	clos
vous	cloriez	vous	auriez	clos	vous	eussiez	clos
ils, elles	cloraient	ils, elles	auraient	clos	ils, elles	eussent	clos

IMPÉRATIF		INFINITIF		PARTICIPE
Présent / **Passé**		**Présent** / **Passé**		**Passé**
clos	aie clos	clore	avoir clos	clos(e)
(inusité)	ayons clos			ayant clos
(inusité)	ayez clos			

■ **comparoir** - Ne s'emploie qu'à l'infinitif dans la langue juridique : *être assigné à comparoir*.

■ **contrefoutre** - Se conjugue sur le modèle de *foutre*, mais est inusité à l'impératif passé.

■ **courre** - Ne s'emploie qu'à l'infinitif dans le vocabulaire de la chasse : *laisser courre les chiens* (courir).

Défectifs

■ **débecqueter** ou **débequeter** - Se conjuguent sur le modèle de *cafeter*.

■ **déchoir** - Aux temps composés, le verbe *déchoir* se conjugue avec l'auxiliaire *avoir* quand on veut insister sur l'action et avec l'auxiliaire *être* quand on veut insister sur le résultat de l'action.

INDICATIF

Présent		Passé composé			Plus-que-parfait		
je	déchois *(rare)*	je	suis	déchu(e)	j'	étais	déchu(e)
tu	déchois	tu	es	déchu(e)	tu	étais	déchu(e)
il, elle	déchoit	il, elle	est	déchu(e)	il, elle	était	déchu(e)
nous	déchoyons *(rare)*	nous	sommes	déchu(e)s	nous	étions	déchu(e)s
vous	déchoyez *(rare)*	vous	êtes	déchu(e)s	vous	étiez	déchu(e)s
ils, elles	déchoient	ils, elles	sont	déchu(e)s	ils, elles	étaient	déchu(e)s

Passé simple		Futur simple		Passé antérieur			Futur antérieur		
je	déchus	je	déchoirai	je	fus	déchu(e)	je	serai	déchu(e)
tu	déchus	tu	déchoiras	tu	fus	déchu(e)	tu	seras	déchu(e)
il, elle	déchut	il, elle	déchoira	il, elle	fut	déchu(e)	il, elle	sera	déchu(e)
nous	déchûmes	nous	déchoirons	nous	fûmes	déchu(e)s	nous	serons	déchu(e)s
vous	déchûtes	vous	déchoirez	vous	fûtes	déchu(e)s	vous	serez	déchu(e)s
ils, elles	déchurent	ils, elles	déchoiront	ils, elles	furent	déchu(e)s	ils, elles	seront	déchu(e)s

SUBJONCTIF

Présent		Imparfait		Passé			Plus-que-parfait		
Il faut que...		*Il fallait que...*		*Il faut que...*			*Il fallait que...*		
je	déchoie	je	déchusse	je	sois	déchu(e)	je	fusse	déchu(e)
tu	déchoies	tu	déchusses	tu	sois	déchu(e)	tu	fusses	déchu(e)
il, elle	déchoie	il, elle	déchût	il, elle	soit	déchu(e)	il, elle	fût	déchu(e)
nous	déchoyions	nous	déchussions	nous	soyons	déchu(e)s	nous	fussions	déchu(e)s
vous	déchoyiez	vous	déchussiez	vous	soyez	déchu(e)s	vous	fussiez	déchu(e)s
ils, elles	déchoient	ils, elles	déchussent	ils, elles	soient	déchu(e)s	ils, elles	fussent	déchu(e)s

CONDITIONNEL

Présent		Passé 1ʳᵉ forme			Passé 2ᵉ forme		
je	déchoirais	je	serais	déchu(e)	je	fusse	déchu(e)
tu	déchoirais	tu	serais	déchu(e)	tu	fusses	déchu(e)
il, elle	déchoirait	il, elle	serait	déchu(e)	il, elle	fût	déchu(e)
nous	déchoirions	nous	serions	déchu(e)s	nous	fussions	déchu(e)s
vous	déchoiriez	vous	seriez	déchu(e)s	vous	fussiez	déchu(e)s
ils, elles	déchoiraient	ils, elles	seraient	déchu(e)s	ils, elles	fussent	déchu(e)s

IMPÉRATIF

Passé
sois déchu(e)
soyons déchu(e)s
soyez déchu(e)s

INFINITIF

Passé
être déchu(e)(s)

PARTICIPE

Passé
déchu(e)(s)

■ **déclore** - Ne s'emploie qu'à l'infinitif et au participe passé, *déclos(e)*.

Défectifs

■ **douer** - Ne s'emploie qu'au participe passé, *doué(e)*, et aux temps composés.

■ échoir

INDICATIF

Présent	Imparfait	Passé composé	Plus-que-parfait
il, elle échoit/échet	il, elle échoyait *(rare)*	il, elle est échu(e)	il, elle était échu(e)
ils, elles échoient/échéent	ils, elles échoyaient *(rare)*	ils, elles sont échu(e)s	ils, elles étaient échu(e)s

Passé simple	Futur simple	Passé antérieur	Futur antérieur
il, elle échut	il, elle échoira/écherra	il, elle fut échu(e)	il, elle sera échu(e)
ils, elles échurent	ils, elles échoiront/écherront	ils, elles furent échu(e)s	ils, elles seront échu(e)s

SUBJONCTIF

Présent	Imparfait	Passé	Plus-que-parfait
Il faut qu'...	*Il fallait qu'...*	*Il faut qu'...*	*Il fallait qu'...*
il, elle échoie/échée	il, elle échût	il, elle soit échu(e)	il, elle fût échu(e)
ils, elles échoient/échéent	ils, elles échussent	ils, elles soient échu(e)s	ils, elles fussent échu(e)s

CONDITIONNEL

Présent	Passé 1re forme	Passé 2e forme
il, elle échoirait/écherrait	il, elle serait échu(e)	il, elle fût échu(e)
ils, elles échoiraient/écherraient	ils, elles seraient échu(e)s	ils, elles fussent échu(e)s

INFINITIF		PARTICIPE	
Présent	Passé	Présent	Passé
échoir	être échu(e)	échéant	échu(e)

■ **écloper** - N'existe qu'à la forme du participe passé en emploi d'adjectif, *éclopé(e)* ; *elle est éclopée*.

■ **éclore** - Ne s'emploie qu'aux 3es personnes sur le modèle de *clore*, sauf à la 3e personne du singulier du présent de l'indicatif où ô devient **o** : *il éclot*.

■ **enclore** - Se conjugue sur le modèle de *clore*, à la différence que :
• il existe à toutes les personnes du présent de l'indicatif et de l'impératif : *nous enclosons, vous enclosez* ; *enclosons, enclosez* ;
• à la 3e personne du singulier du présent de l'indicatif, ô devient **o** : *il enclot*.
Aux temps composés, se conjugue avec l'auxiliaire *être* ou *avoir*.

■ **endêver** - Ne s'emploie qu'à l'infinitif dans l'expression *faire endêver*.

■ s'ensuivre

INDICATIF

Présent	Imparfait	Passé composé	Plus-que-parfait
il, elle s'ensuit	il, elle s'ensuivait	il, elle s'est ensuivi(e)	il, elle s'était ensuivi(e)
ils, elles s'ensuivent	ils, elles s'ensuivaient	ils, elles se sont ensuivi(e)s	ils, elles s'étaient ensuivi(e)s

Passé simple	Futur simple	Passé antérieur	Futur antérieur
il, elle s'ensuivit	il, elle s'ensuivra	il, elle se fut ensuivi(e)	il, elle se sera ensuivi(e)
ils, elles s'ensuivirent	ils, elles s'ensuivront	ils, elles se furent ensuivi(e)s	ils, elles se seront ensuivi(e)s

Défectifs

SUBJONCTIF

Présent	Imparfait	Passé	Plus-que-parfait
Il faut qu'...	*Il fallait qu'...*	*Il faut qu'...*	*Il fallait qu'...*
il, elle s'ensuive	il, elle s'ensuivît	il, elle se soit ensuivi(e)	il, elle se fût ensuivi(e)
ils, elles s'ensuivent	ils, elles s'ensuivissent	ils, elles se soient ensuivi(e)s	ils, elles se fussent ensuivi(e)s

CONDITIONNEL

Présent		Passé 1re forme	Passé 2e forme
il, elle s'ensuivrait		il, elle se serait ensuivi(e)	il, elle se fût ensuivi(e)
ils, elles s'ensuivraient		ils, elles se seraient ensuivi(e)s	ils, elles se fussent ensuivi(e)s

INFINITIF | **PARTICIPE**

Présent	Passé	Présent	Passé
s'ensuivre	s'être ensuivi(e)	s'ensuivant	s'étant ensuivi(e)

■ **ester** – Ne s'emploie qu'à l'infinitif dans le vocabulaire juridique : *ester en justice* (comparaître en justice).

■ faillir

INDICATIF

				Passé composé			Plus-que-parfait		
				j'	ai	failli	j'	avais	failli
				tu	as	failli	tu	avais	failli
				il, elle	a	failli	il, elle	avait	failli
				nous	avons	failli	nous	avions	failli
				vous	avez	failli	vous	aviez	failli
				ils, elles	ont	failli	ils, elles	avaient	failli

Passé simple		Futur simple		Passé antérieur			Futur antérieur		
je	faillis	je	faillirai	j'	eus	failli	j'	aurai	failli
tu	faillis	tu	failliras	tu	eus	failli	tu	auras	failli
il, elle	faillit	il, elle	faillira	il, elle	eut	failli	il, elle	aura	failli
nous	faillîmes	nous	faillirons	nous	eûmes	failli	nous	aurons	failli
vous	faillîtes	vous	faillirez	vous	eûtes	failli	vous	aurez	failli
ils, elles	faillirent	ils, elles	failliront	ils, elles	eurent	failli	ils, elles	auront	failli

SUBJONCTIF

Imparfait		Passé			Plus-que-parfait		
Il fallait que...		*Il faut que...*			*Il fallait que...*		
je	faillisse	j'	aie	failli	j'	eusse	failli
tu	faillisses	tu	aies	failli	tu	eusses	failli
il, elle	faillît	il, elle	ait	failli	il, elle	eût	failli
nous	faillissions	nous	ayons	failli	nous	eussions	failli
vous	faillissiez	vous	ayez	failli	vous	eussiez	failli
ils, elles	faillissent	ils, elles	aient	failli	ils, elles	eussent	failli

Défectifs

CONDITIONNEL

Présent		Passé 1re forme			Passé 2e forme		
je	faillirais	j'	aurais	failli	j'	eusse	failli
tu	faillirais	tu	aurais	failli	tu	eusses	failli
il, elle	faillirait	il, elle	aurait	failli	il, elle	eût	failli
nous	faillirions	nous	aurions	failli	nous	eussions	failli
vous	failliriez	vous	auriez	failli	vous	eussiez	failli
ils, elles	failliraient	ils, elles	auraient	failli	ils, elles	eussent	failli

INFINITIF

Présent	Passé
faillir	avoir failli

PARTICIPE

Passé
failli

■ **férir** - Ne s'emploie qu'à l'infinitif dans l'expression *sans coup férir* (sans en venir aux mains) et au participe passé *féru* (épris de).

■ **ficher** - L'infinitif courant est *fiche*. Ce verbe a deux participes passés, *fiché(e)* et *fichu(e)*. Il se conjugue sur le modèle de *parler* et aux mêmes temps que *foutre*. *Ficher*, au sens de « mettre sur des fiches », n'est pas défectif.

■ **forclore** - Ne s'emploie qu'à l'infinitif et au participe passé, *forclos(e)*.

■ **forfaire** - Ne s'emploie qu'à l'infinitif et aux temps composés.

■ foutre

INDICATIF

Présent		Imparfait		Passé composé			Plus-que-parfait		
je	fous	je	foutais	j'	ai	foutu	j'	avais	foutu
tu	fous	tu	foutais	tu	as	foutu	tu	avais	foutu
il, elle	fout	il, elle	foutait	il, elle	a	foutu	il, elle	avait	foutu
nous	foutons	nous	foutions	nous	avons	foutu	nous	avions	foutu
vous	foutez	vous	foutiez	vous	avez	foutu	vous	aviez	foutu
ils, elles	foutent	ils, elles	foutaient	ils, elles	ont	foutu	ils, elles	avaient	foutu
		Futur simple					Futur antérieur		
		je	foutrai				j'	aurai	foutu
		tu	foutras				tu	auras	foutu
		il, elle	foutra				il, elle	aura	foutu
		nous	foutrons				nous	aurons	foutu
		vous	foutrez				vous	aurez	foutu
		ils, elles	foutront				ils, elles	auront	foutu

SUBJONCTIF

Présent		Passé		
Il faut que...		*Il faut que...*		
je	foute	j'	aie	foutu
tu	foutes	tu	aies	foutu
il, elle	foute	il, elle	ait	foutu
nous	foutions	nous	ayons	foutu
vous	foutiez	vous	ayez	foutu
ils, elles	foutent	ils, elles	aient	foutu

Défectifs

CONDITIONNEL

| Présent | | | Passé 1re forme | | |

Présent

je	foutrais
tu	foutrais
il, elle	foutrait
nous	foutrions
vous	foutriez
ils, elles	foutraient

Passé 1re forme

j'	aurais	foutu
tu	aurais	foutu
il, elle	aurait	foutu
nous	aurions	foutu
vous	auriez	foutu
ils, elles	auraient	foutu

IMPÉRATIF

Présent	Passé
fous	aie foutu
foutons	ayons foutu
foutez	ayez foutu

INFINITIF

Présent	Passé
foutre	avoir foutu

PARTICIPE

Présent	Passé
foutant	foutu(e)

■ frire

INDICATIF

Présent

je	fris
tu	fris
il, elle	frit
(inusité)	
(inusité)	
(inusité)	

Passé composé

j'	ai	frit
tu	as	frit
il, elle	a	frit
nous	avons	frit
vous	avez	frit
ils, elles	ont	frit

Plus-que-parfait

j'	avais	frit
tu	avais	frit
il, elle	avait	frit
nous	avions	frit
vous	aviez	frit
ils, elles	avaient	frit

Futur simple

je	frirai
tu	friras
il, elle	frira
nous	frirons
vous	frirez
ils, elles	friront

Passé antérieur

j'	eus	frit
tu	eus	frit
il, elle	eut	frit
nous	eûmes	frit
vous	eûtes	frit
ils, elles	eurent	frit

Futur antérieur

j'	aurai	frit
tu	auras	frit
il, elle	aura	frit
nous	aurons	frit
vous	aurez	frit
ils, elles	auront	frit

SUBJONCTIF

Passé

Il faut que...

j'	aie	frit
tu	aies	frit
il, elle	ait	frit
nous	ayons	frit
vous	ayez	frit
ils, elles	aient	frit

Plus-que-parfait

Il fallait que...

j'	eusse	frit
tu	eusses	frit
il, elle	eût	frit
nous	eussions	frit
vous	eussiez	frit
ils, elles	eussent	frit

Défectifs

CONDITIONNEL

Présent		Passé 1re forme			Passé 2e forme		
je	frirais	j'	aurais	frit	j'	eusse	frit
tu	frirais	tu	aurais	frit	tu	eusses	frit
il, elle	frirait	il, elle	aurait	frit	il, elle	eût	frit
nous	fririons	nous	aurions	frit	nous	eussions	frit
vous	fririez	vous	auriez	frit	vous	eussiez	frit
ils, elles	friraient	ils, elles	auraient	frit	ils, elles	eussent	frit

IMPÉRATIF

Présent	Passé
fris	aie frit
(inusité)	ayons frit
(inusité)	ayez frit

INFINITIF

Présent	Passé
frire	avoir frit

PARTICIPE

Passé
frit(e)

■ gésir

INDICATIF

Présent		Imparfait	
je	gis	je	gisais
tu	gis	tu	gisais
il, elle	gît	il, elle	gisait
nous	gisons	nous	gisions
vous	gisez	vous	gisiez
ils, elles	gisent	ils, elles	gisaient

PARTICIPE

Présent
gisant

■ **impartir** – Ne s'emploie qu'à l'infinitif et au présent de l'indicatif : *j'impartis*, *tu impartis*, *il impartit*, *nous impartissons*, *vous impartissez*, *ils impartissent*, ainsi qu'au participe passé, *imparti(e)*.

■ **importer** – Au sens de « être d'importance », ne s'emploie qu'à l'infinitif et au participe présent, *important*, et aux 3es personnes.

■ **incomber** – Ne s'emploie qu'à l'infinitif et aux 3es personnes.

■ **issir** – Ne s'emploie qu'au participe passé, *issu(e)*, et aux temps composés (avec l'auxiliaire *être*).

■ **malfaire** – Ne s'emploie qu'à l'infinitif.

■ **mécroire** – Ne s'emploie qu'à l'infinitif.

■ **méfaire** – Ne s'emploie qu'à l'infinitif.

■ **messeoir** – Se conjugue sur le modèle de *seoir* (convenir), mais ne possède qu'une seule forme au participe présent : *messéant*.

■ **moufeter** – Ne s'emploie qu'à l'infinitif et aux temps composés : *il n'a pas moufeté*.

Défectifs

■ **occire** – Ne s'emploie qu'à l'infinitif, au participe passé, **occis(e)**, et aux temps composés.

■ **ouïr** – Ne s'emploie qu'à l'infinitif, aux temps composés et dans l'expression **par ouï-dire** ainsi qu'à l'impératif dans l'expression **oyez, braves gens**.

■ **paître**

INDICATIF

Présent		Imparfait		Futur simple	
je	pais	je	paissais	je	paîtrai
tu	pais	tu	paissais	tu	paîtras
il, elle	paît	il, elle	paissait	il, elle	paîtra
nous	paissons	nous	paissions	nous	paîtrons
vous	paissez	vous	paissiez	vous	paîtrez
ils, elles	paissent	ils, elles	paissaient	ils, elles	paîtront

SUBJONCTIF

Présent

Il faut que...

je	paisse
tu	paisses
il, elle	paisse
nous	paissions
vous	paissiez
ils, elles	paissent

CONDITIONNEL

Présent

je	paîtrais
tu	paîtrais
il, elle	paîtrait
nous	paîtrions
vous	paîtriez
ils, elles	paîtraient

IMPÉRATIF

Présent

pais, paissons, paissez

INFINITIF

Présent

paître

PARTICIPE

Présent

paissant

● i devient î :
– à la 3e personne du singulier du présent de l'indicatif ;
– à toutes les personnes du futur simple de l'indicatif et du présent du conditionnel ;
– à l'infinitif.

■ **parfaire** – Ne s'emploie qu'à l'infinitif, au participe passé, **parfait(e)**, et aux temps composés.

■ **partir** – Au sens de « diviser en deux moitiés égales, partager », s'emploie surtout dans l'expression **avoir maille à partir**.

■ **poindre** – Au sens intransitif de « pointer, commencer à paraître », ne s'emploie plus qu'à l'infinitif et à la 3e personne du singulier du présent et du futur simple de l'indicatif : *il point* ; *il poindra*.
Au sens transitif de « piquer, percer », se conjugue normalement sur le modèle de *joindre*.

■ **quérir** – Ne s'emploie qu'à l'infinitif.

Défectifs

■ **rassir** - Ne s'emploie qu'à l'infinitif et au participe passé, *rassis(e)*.

■ **ravoir** - Ne s'emploie qu'à l'infinitif.

■ **reclore** - Se conjugue sur le modèle de *clore*.

■ **reclure** - Ne s'emploie qu'au participe passé, *reclus(e)*.

■ **refoutre** - Se conjugue sur le modèle de *foutre*.

■ **renaître** - Ne s'emploie qu'aux temps simples. Se conjugue sur le modèle de *naître*.

■ **résulter** - Ne s'emploie qu'à l'infinitif et à la 3e personne du singulier et du pluriel : *il en a résulté, il en résulte, ce qui en est résulté.*
Aux temps composés, se conjugue avec l'auxiliaire *être* ou *avoir*.

■ **saillir** - Au sens de « avancer, déborder en formant un relief » :

INDICATIF

Présent	Imparfait*	Passé composé	Plus-que-parfait
il, elle saille	il, elle saillait	il, elle a sailli	il, elle avait sailli
ils, elles saillent	ils, elles saillaient	ils, elles ont sailli	ils, elles avaient sailli
Passé simple	Futur simple	Passé antérieur	Futur antérieur
il, elle saillit	il, elle saillera	il, elle eut sailli	il, elle aura sailli
ils, elles saillirent	ils, elles sailleront	ils, elles eurent sailli	ils, elles auront sailli

SUBJONCTIF

Présent	Imparfait	Passé	Plus-que-parfait
Il faut qu'...	*Il fallait qu'*...	*Il faut qu'*...	*Il fallait qu'*...
il, elle saille	il, elle saillît	il, elle ait sailli	il, elle eût sailli
ils, elles saillent	ils, elles saillissent	ils, elles aient sailli	ils, elles eussent sailli

CONDITIONNEL

Présent		Passé 1re forme	Passé 2e forme
il, elle saillerait		il, elle aurait sailli	il, elle eût sailli
ils, elles sailleraient		ils, elles auraient sailli	ils, elles eussent sailli

INFINITIF

Présent	Passé
saillir	avoir sailli

PARTICIPE

Présent	Passé
saillant	sailli

* Néanmoins, dans la langue littéraire on rencontre : *il saillissait*.
Dans le sens de « couvrir la femelle », *saillir* est un verbe régulier du 2e groupe.

■ **saillir** - Au sens de « jaillir » :

INDICATIF

Présent	Imparfait	Passé composé	Plus-que-parfait
il, elle saillit	il, elle saillissait	il, elle a sailli	il, elle avait sailli
ils, elles saillissent	ils, elles saillissaient	ils, elles ont sailli	ils, elles avaient sailli

Défectifs

Passé simple	Futur simple	Passé antérieur	Futur antérieur
il, elle saillit	il, elle saillira	il, elle eut sailli	il, elle aura sailli
ils, elles saillirent	ils, elles sailliront	ils, elles eurent sailli	ils, elles auront sailli

SUBJONCTIF

Présent	Imparfait	Passé	Plus-que-parfait
Il faut qu'...	*Il fallait qu'...*	*Il faut qu'...*	*Il fallait qu'...*
il, elle saillisse	il, elle saillît	il, elle ait sailli	il, elle eût sailli
ils, elles saillissent	ils, elles saillissent	ils, elles aient sailli	ils, elles eussent sailli

CONDITIONNEL

Présent		Passé 1re forme	Passé 2e forme
il, elle saillirait		il, elle aurait sailli	il, elle eût sailli
ils, elles sailliraient		ils, elles auraient sailli	ils, elles eussent sailli

INFINITIF | | ### PARTICIPE |

Présent	Passé	Présent	Passé
saillir	avoir sailli	saillissant	sailli

■ **seoir** - Au sens de « convenir » :

INDICATIF

Présent	Imparfait	Futur simple
il, elle sied	il, elle seyait	il, elle siéra
ils, elles siéent	ils, elles seyaient	ils, elles siéront

SUBJONCTIF | CONDITIONNEL | PARTICIPE

Présent	Présent	Présent
Il faut qu'...		séant (seyant)
il, elle siée	il, elle siérait	
ils, elles siéent	ils, elles siéraient	

■ **seoir** - Au sens de « être situé », *seoir* ne s'emploie qu'au participe présent, *séant,* et au participe passé, *sis(e).*

■ **sortir** - En termes de jurisprudence, ne s'emploie qu'à la 3e personne : *il sortit, ils sortissent.*

■ **sourdre** - Au sens de « sortir de terre », ne s'emploie qu'à l'infinitif et aux 3es personnes du présent et de l'imparfait de l'indicatif : *il sourd, ils sourdent ; il sourdait, ils sourdaient.*

■ **stupéfaire** - Ne s'emploie qu'au participe passé, *stupéfait(e)*, à la 3e personne du singulier du présent de l'indicatif et aux temps composés : *il me stupéfait ; cette nouvelle l'avait stupéfait.*
Le verbe *stupéfier* se conjugue à toutes les personnes, à tous les temps et à tous les modes sur le modèle de *prier.*

Défectifs

On appelle **verbes impersonnels** les verbes qui ne se conjuguent qu'à la 3ᵉ personne du singulier.

■ falloir

INDICATIF

Présent	Imparfait	Passé composé	Plus-que-parfait
il faut	il fallait	il a fallu	il avait fallu

Passé simple	Futur simple	Passé antérieur	Futur antérieur
il fallut	il faudra	il eut fallu	il aura fallu

SUBJONCTIF

Présent	Imparfait	Passé	Plus-que-parfait
Je ne crois pas qu'...	*Je ne croyais pas qu'...*	*Je ne crois pas qu'...*	*Je ne croyais pas qu'...*
il faille	il fallût	il ait fallu	il eût fallu

CONDITIONNEL

Présent		Passé 1ʳᵉ forme	Passé 2ᵉ forme
il faudrait		il aurait fallu	il eût fallu

INFINITIF

Présent
falloir

PARTICIPE

Passé
fallu

■ pleuvoir

INDICATIF

Présent	Imparfait	Passé composé	Plus-que-parfait
il pleut	il pleuvait	il a plu	il avait plu

Passé simple	Futur simple	Passé antérieur	Futur antérieur
il plut	il pleuvra	il eut plu	il aura plu

SUBJONCTIF

Présent	Imparfait	Passé	Plus-que-parfait
Il faut qu'...	*Il fallait qu'...*	*Il faut qu'...*	*Il fallait qu'...*
il pleuve	il plût	il ait plu	il eût plu

CONDITIONNEL

Présent		Passé 1ʳᵉ forme	Passé 2ᵉ forme
il pleuvrait		il aurait plu	il eût plu

INFINITIF

Présent	Passé
pleuvoir	avoir plu

PARTICIPE

Présent	Passé
pleuvant	plu

Défectifs

Dictionnaire des verbes

Mode d'emploi

parler	→	verbe modèle.
1ᵉʳ	→	verbe du 1ᵉʳ groupe.
2ᵉ	→	verbe du 2ᵉ groupe.
3ᵉ	→	verbe du 3ᵉ groupe.
déf	→	verbe défectif.
imp	→	verbe ou emploi impersonnel.
pr	→	verbe toujours pronominal.
'h	→	indique un *h* aspiré.
tr	→	verbe ou emploi transitif, direct ou indirect.
tr (à, de, sur)	→	verbe transitif indirect suivi uniquement de *à*, *de* ou *sur*.
intr	→	verbe ou emploi intransitif.
Ê	→	verbe conjugué avec *être*.
Ê, A	→	verbe conjugué avec *être* ou *avoir*.
tr, A, intr, Ê	→	verbe conjugué avec *avoir* en emploi transitif, avec *être* en emploi intransitif.
93	→	renvoi au numéro du verbe modèle, qui est également le numéro de la page.
53 et **93**	→	renvoi au numéro de la forme pronominale et au numéro du verbe modèle.

Dictionnaire

A

tr : transitif *intr* : intransitif *imp* : impersonnel *pr* : pronominal *Ê* : auxiliaire *être* *A, Ê* : auxiliaire *avoir* ou *être*

tr : transitif *intr* : intransitif *imp* : impersonnel *pr* : pronominal *Ê* : auxiliaire *être* *A, Ê* : auxiliaire *avoir* ou *être*

tr : transitif   *intr* : intransitif   *imp* : impersonnel   *pr* : pronominal   *Ê* : auxiliaire être   *A, Ê* : auxiliaire *avoir* ou *être*

C

cabaler **1er** *intr* 81
cabaner **1er** *tr* 81
câbler **1er** *tr* 81
cabosser **1er** *tr* 81
caboter **1er** *intr* 81
cabotiner **1er** *intr* 81
cabrer **1er** *tr* 81
cabrioler **1er** *intr* 81
cacaber **1er** *intr* 81
cacarder **1er** *intr* 81
cacher **1er** *tr* 81
cacheter **1er** *tr* 75
cachetonner **1er** *intr* 81
cadastrer **1er** *tr* 81
cadavériser (se) **1er** *pr, Ê* 90
cadeauter **1er** *tr* 81
cadenasser **1er** *tr* 81
cadencer **1er** *tr* 63
cadmier **1er** *tr* 83
cadrer **1er** *tr, intr* 81
cafarder **1er** *tr, intr* 81
cafeter **déf** 182
cafouiller **1er** *intr* 79
cafter **1er** *tr* 81
cagnarder **1er** *intr* 81
cahoter **1er** *tr, intr* 81
caillebotter **1er** *tr* 81
cailler **1er** *tr, intr* 91
cailleter **1er** *intr* 75
caillouter **1er** *tr* 81
cajoler **1er** *tr, intr* 81
calaminer (se) **1er** *pr, Ê* . 90
calamistrer **1er** *tr* 81
calancher **1er** *intr* 81
calandrer **1er** *tr* 81
calciner **1er** *tr* 81
calculer **1er** *tr* 81
caler **1er** *tr, intr* 81
caleter **déf** *intr* 182
calfater **1er** *tr* 81

calfeutrer **1er** *tr* 81
calibrer **1er** *tr* 81
câliner **1er** *tr* 81
calligraphier **1er** *tr* 83
calmer **1er** *tr* 81
calmir **2e** *intr* 92
calomnier **1er** *tr* 83
calorifuger **1er** *tr* 77
calotter **1er** *tr* 81
calquer **1er** *tr* 78
calter **1er** *intr* 81
cambrer **1er** *tr* 81
cambrioler **1er** *tr* 81
cameloter **1er** *tr, intr* 81
camer (se) **1er** *pr, Ê* 90
camionner **1er** *tr* 81
camoufler **1er** *tr* 81
camper **1er** *tr, intr, A, Ê* 81
canaliser **1er** *tr* 81
canarder **1er** *tr, intr* 81
cancaner **1er** *intr* 81
cancériser **1er** *tr* 81
candir **2e** *tr* 92
caner **1er** *intr* 81
canneler **1er** *tr* 60
canner **1er** *tr, intr* 81
cannibaliser **1er** *tr* 81
canoniser **1er** *tr* 81
canonner **1er** *tr* 81
canoter **1er** *intr* 81
cantonner **1er** *tr, intr* 81
canuler **1er** *tr* 81
caoutchouter **1er** *tr* 81
caparaçonner **1er** *tr* 81
capéer **1er** *intr* 64
capeler **1er** *tr* 60
capeyer **1er** *intr* 73
capitaliser **1er** *tr, intr* 81
capitonner **1er** *tr* 81
capituler **1er** *intr* 81
caponner **1er** *tr, intr* 81
caporaliser **1er** *tr* 81

capoter **1er** *tr, intr* 81
capsuler **1er** *tr* 81
capter **1er** *tr* 81
captiver **1er** *tr* 81
capturer **1er** *tr* 81
capuchonner **1er** *tr* 81
caquer **1er** *tr, intr* 78
caqueter **1er** *intr* 75
caracoler **1er** *intr* 81
caractériser **1er** *tr* 81
caramboler **1er** *tr, intr* .. 81
caraméliser **1er** *tr* 81
carapater (se) **1er** *pr, Ê* .. 90
carbonater **1er** *tr* 81
carboniser **1er** *tr, intr* 81
carburer **1er** *intr* 81
carcailler **1er** *intr* 91
carder **1er** *tr* 81
carencer **1er** *tr* 63
caréner **1er** *tr* 57
caresser **1er** *tr* 81
carguer **1er** *tr* 68
caricaturer **1er** *tr* 81
carier **1er** *tr* 83
carillonner **1er** *tr, intr* ... 81
carminer **1er** *tr* 81
carnifier (se) **1er** *pr, Ê* .. 83
carotter **1er** *tr* 81
carreler **1er** *tr* 60
carrer **1er** *tr* 81
carrosser **1er** *tr* 81
carroyer **1er** *tr* 69
cartayer **1er** *intr* 82
carter **1er** *tr* 81
cartographier **1er** *tr* 83
cartonner **1er** *tr, intr* 81
cascader **1er** *intr* 81
caséifier **1er** *tr* 83
casemater **1er** *tr* 81
caser **1er** *tr* 81
caserner **1er** *tr, intr* 81
casquer **1er** *tr, intr* 78

---

tr : transitif *intr* : intransitif *imp* : impersonnel *pr* : pronominal *Ê* : auxiliaire être *A, Ê* : auxiliaire *avoir* ou *être*

chopper 1er *intr*	81	claper 1er *intr*	81	côcher 1er *tr*	81
choquer 1er *tr*	78	clapir 2e *intr*	92	cochonner 1er *tr, intr*	81
chorégraphier 1er *tr, intr*	83	clapoter 1er *intr*	81	cocoter 1er *intr*	81
chosifier 1er *tr*	83	clapper 1er *intr*	81	cocotter 1er *intr*	81
chouchouter 1er *tr*	81	claquemurer 1er *tr*	81	cocufier 1er *tr*	83
chouraver 1er *tr*	81	claquer 1er *tr, intr*	78	coder 1er *tr*	81
chourer 1er *tr*	81	claqueter 1er *intr*	75	codifier 1er *tr*	83
chouriner 1er *tr*	81	clarifier 1er *tr*	83	coéditer 1er *tr*	81
choyer 1er *tr*	69	classer 1er *tr*	81	coexister 1er *intr*	81
christianiser 1er *tr*	81	classifier 1er *tr*	83	coffiner 1er *intr*	81
chromer 1er *tr*	81	claudiquer 1er *intr*	78	coffrer 1er *tr*	81
chroniquer 1er *tr, intr*	78	claustrer 1er *tr*	81	cogérer 1er *tr*	57
chronométrer 1er *tr*	57	claveter 1er *tr*	75	cogiter 1er *tr, intr*	81
chuchoter 1er *tr, intr*	81	clavetter 1er *tr*	81	cogner 1er *tr, intr*	89
chuinter 1er *intr*	81	clayonner 1er *tr*	81	cohabiter 1er *intr*	81
chuter 1er *tr, intr*	81	cléricaliser 1er *tr*	81	cohérer 1er *tr, intr*	57
cibler 1er *tr*	81	clicher 1er *tr, intr*	81	cohériter 1er *intr*	81
cicatriser 1er *tr, intr*	81	cligner 1er *tr, intr*	89	coiffer 1er *tr*	81
cigler 1er *tr*	81	clignoter 1er *tr, intr*	81	coincer 1er *tr, intr*	63
ciller 1er *tr, intr*	62	climatiser 1er *tr*	81	coïncider 1er *intr*	81
cimenter 1er *tr*	81	clinquer 1er *intr*	78	coïter 1er *intr*	81
cinématographier 1er *tr*	83	clipper 1er *tr*	81	cokéfier 1er *tr*	83
cingler 1er *tr, intr*	81	cliquer 1er *intr*	78	colérer 1er *tr, intr*	57
cintrer 1er *tr*	81	cliqueter 1er *intr*	75	collaborer 1er *tr* (à)	81
circoncire 3e *tr*	114	clisser 1er *tr*	81	collapser 1er *intr*	81
circonscrire 3e *tr*	131	cliver 1er *tr*	81	collationner 1er *tr, intr*	81
circonstancier 1er *tr*	83	clochardiser 1er *tr*	81	collecter 1er *tr*	81
circonvenir 3e *tr*	176	clocher 1er *intr*	81	collectionner 1er *tr*	81
circuler 1er *intr*	81	cloisonner 1er *tr*	81	collectiviser 1er *tr*	81
cirer 1er *tr*	81	cloîtrer 1er *tr*	81	coller 1er *tr, intr*	81
cisailler 1er *tr*	91	cloner 1er *tr*	81	colleter 1er *tr*	75
ciseler 1er *tr*	72	clopiner 1er *intr*	81	colliger 1er *tr*	77
citer 1er *tr*	81	cloquer 1er *tr, intr*	78	collisionner 1er *tr*	81
civiliser 1er *tr*	81	clore déf *tr*	183	colloquer 1er *tr, intr*	78
clabauder 1er *intr*	81	clôturer 1er *tr, intr*	81	colmater 1er *tr*	81
claboter 1er *intr*	81	clouer 1er *tr*	76	coloniser 1er *tr*	81
claironner 1er *tr, intr*	81	clouter 1er *tr*	81	colophaner 1er *tr*	81
clairsemer 1er *tr*	88	coaguler 1er *tr, intr*	81	colorer 1er *tr*	81
clamecer 1er *intr*	66	coaliser 1er *tr*	81	colorier 1er *tr*	83
clamer 1er *tr*	81	coasser 1er *intr*	81	coloriser 1er *tr*	81
clamper 1er *tr*	81	cocheniller 1er *tr, intr*	62	colporter 1er *tr*	81
clamser 1er *intr*	81	cocher 1er *tr*	81	coltiner 1er *tr*	81

tr : transitif *intr* : intransitif *imp* : impersonnel *pr* : pronominal *Ê* : auxiliaire *être* *A, Ê* : auxiliaire *avoir* ou *être*

tr : transitif *intr* : intransitif *imp* : impersonnel *pr* : pronominal *Ê* : auxiliaire *être* *A, Ê* : auxiliaire *avoir* ou *être*

tr : transitif *intr* : intransitif *imp* : impersonnel *pr* : pronominal *Ê* : auxiliaire être *A, Ê* : auxiliaire *avoir* ou être

tr : transitif   *intr* : intransitif   *imp* : impersonnel   *pr* : pronominal   *Ê* : auxiliaire *être*   *A, Ê* : auxiliaire *avoir* ou *être*

tr : transitif intr : intransitif imp : impersonnel pr : pronominal Ê : auxiliaire être A, Ê : auxiliaire avoir ou être

tr : transitif *intr* : intransitif *imp* : impersonnel *pr* : pronominal *Ê* : auxiliaire être *A, Ê* : auxiliaire *avoir* ou être

---

tr : transitif   *intr* : intransitif   *imp* : impersonnel   *pr* : pronominal   *Ê* : auxiliaire *être*   *A, Ê* : auxiliaire *avoir* ou *être*

emparer (s') **1er** pr (de), Ê 90	énamourer (s') **1er** pr, Ê 90	encombrer **1er** tr 81
emparquer **1er** tr 78	encabaner **1er** tr 81	encorder **1er** tr 81
empâter **1er** tr 81	encadrer **1er** tr 81	encorner **1er** tr 81
empatter **1er** tr 81	encager **1er** tr 77	encoubler (s') **1er** pr, Ê.. 90
empaumer **1er** tr 81	encagouler **1er** tr 81	encourager **1er** tr 77
empêcher **1er** tr 81	encaisser **1er** tr 81	encourir **3e** tr 122
empeigner **1er** tr 89	encalminer (s') **1er** pr, Ê 90	encrasser **1er** tr 81
empêner **1er** tr 81	encanailler **1er** tr 91	encrêper **1er** tr 81
empenner **1er** tr 81	encapsuler **1er** tr 81	encrer **1er** tr 81
emperler **1er** tr 81	encapuchonner **1er** tr ... 81	encroûter **1er** tr 81
empeser **1er** tr 88	encaquer **1er** tr 78	enculer **1er** tr 81
empester **1er** tr 81	encarter **1er** tr 81	encuver **1er** tr 81
empêtrer **1er** tr 81	encartonner **1er** tr 81	endauber **1er** tr 81
empiéger **1er** tr 56	encaserner **1er** tr 81	endenter **1er** tr 81
empierrer **1er** tr 81	encasteler (s') **1er** pr, Ê.. 72	endetter **1er** tr 81
empiéter **1er** tr, intr .. 57	encastrer **1er** tr 81	endeuiller **1er** tr 62
empiffrer **1er** tr 81	encaustiquer **1er** tr 78	endêver **déf** intr 185
empiler **1er** tr 81	encaver **1er** tr 81	endiabler **1er** tr, intr..... 81
empirer **1er** tr, intr, A, Ê 81	enceindre **3e** tr 148	endiguer **1er** tr 68
emplafonner **1er** tr 81	encenser **1er** tr 81	endimancher (s') **1er**
emplâtrer **1er** tr 81	encercler **1er** tr 81	pr, Ê 90
emplir **2e** tr 92	enchaîner **1er** tr 81	endivisionner **1er** tr...... 81
employer **1er** tr 69	enchanter **1er** tr 81	endoctriner **1er** tr 81
emplumer **1er** tr 81	enchaperonner **1er** tr.... 81	endolorir **2e** tr............ 92
empocher **1er** tr 81	enchâsser **1er** tr 81	endommager **1er** tr...... 77
empoigner **1er** tr 89	enchatonner **1er** tr 81	endormir **3e** tr 130
empoisonner **1er** tr 81	enchausser **1er** tr 81	endosser **1er** tr 81
empoisser **1er** tr 81	enchemiser **1er** tr 81	enduire **3e** tr 116
empoissonner **1er** tr 81	enchérir **2e** intr 92	endurcir **2e** tr............ 92
emporter **1er** tr 81	enchevaucher **1er** tr 81	endurer **1er** tr 81
empoter **1er** tr 81	enchevêtrer **1er** tr 81	énerver **1er** tr 81
empourprer **1er** tr 81	enchifrener **1er** tr 88	enfaîter **1er** tr 81
empoussiérer **1er** tr 57	enclaver **1er** tr 81	enfanter **1er** tr 81
empreindre **3e** tr 110	enclencher **1er** tr 81	enfariner **1er** tr 81
empresser (s') **1er** pr, Ê.. 90	encliqueter **1er** tr, intr.. 75	enfermer **1er** tr 81
emprésurer **1er** tr 81	encloîtrer **1er** tr 81	enferrer **1er** tr 81
emprisonner **1er** tr 81	enclore **déf** tr, A, Ê...... 185	enficher **1er** tr 81
emprunter **1er** tr 81	enclouer **1er** tr 76	enfieller **1er** tr 74
empuantir **2e** tr 92	encocher **1er** tr 81	enfiévrer **1er** tr 57
émuler **1er** tr 81	encoder **1er** tr 81	enfiler **1er** tr 81
émulsifier **1er** tr 83	encoffrer **1er** tr 81	enflammer **1er** tr 81
émulsionner **1er** tr 81	encoller **1er** tr 81	enfler **1er** tr, intr........... 81

tr : transitif   *intr* : intransitif   *imp* : impersonnel   *pr* : pronominal   *Ê* : auxiliaire *être*   *A, Ê* : auxiliaire *avoir* ou *être*

entrapercevoir **3e** *tr* 156
entr'apparaître **3e** *intr* 118
entraver **1er** *tr* 81
entrebâiller **1er** *tr* 91
entrebattre (s') **3e**
    pr, Ê .... 53 et 111
entrechoquer **1er** *tr* 78
entrecouper **1er** *tr* 81
entrecroiser **1er** *tr* 81
entredéchirer (s') **1er** *pr, Ê* 90
entre-déchirer (s') **1er**
    pr, Ê 90
entre-détruire (s') **3e**
    pr, Ê ...... 53 et 119
entredévorer (s') **1er** *pr, Ê* 90
entre-dévorer (s') **1er**
    pr, Ê 90
entr'égorger (s') **1er** *pr, Ê* 77
entre-frapper (s') **1er** *pr, Ê* 90
entre-haïr (s') **2e**
    pr, Ê ...... 53 et 93
entre-heurter (s') **1er**
    pr, Ê 90
entreiller **1er** *tr* 87
entrelacer **1er** *tr* 63
entrelarder **1er** *tr* 81
entre-louer (s') **1er** *pr, Ê* 76
entremanger (s') **1er** *pr, Ê* 77
entre-manger (s') **1er**
    pr, Ê 77
entremêler **1er** *tr* 81
entremettre (s') **3e**
    pr, Ê ...... 53 et 139
entrenuire (s') **3e**
    pr, Ê ...... 53 et 144
entre-nuire (s') **3e**
    pr, Ê ...... 53 et 144
entreposer **1er** *tr* 81
entreprendre **3e** *tr* 153
entrer **1er** *tr, A, intr, Ê* .. 90
entreregarder (s') **1er**
    pr, Ê 90

entre-regarder (s') **1er**
    pr, Ê 90
entretailler (s') **1er** *pr, Ê* 91
entretenir **3e** *tr* 169
entretoiser **1er** *tr* 81
entretuer (s') **1er** *pr, Ê* .. 86
entre-tuer (s') **1er** *pr, Ê* .. 86
entrevoir **3e** *tr* 179
entrevoûter **1er** *tr* 81
entrobliger (s') **1er** *pr, Ê* 77
entrouvrir **3e** *tr* 146
entuber **1er** *tr* 81
enturbanner **1er** *tr* 81
énucléer **1er** *tr* 64
énumérer **1er** *tr* 57
envahir **2e** *tr* 92
envaser **1er** *tr* 81
envelopper **1er** *tr* 81
envenimer **1er** *tr* 81
enverger **1er** *tr* 77
enverguer **1er** *tr* 68
envider **1er** *tr* 81
envieillir **2e** *tr* 92
envier **1er** *tr* 83
environner **1er** *tr* 81
envisager **1er** *tr* 77
envoiler **1er** *tr* 81
envoler (s') **Pr** *pr, Ê* 53
envoûter **1er** *tr* 81
envoyer **1er** *tr* 71
épaissir **2e** *tr, intr* 92
épaler **1er** *tr* 81
épamprer **1er** *tr* 81
épancher **1er** *tr* 81
épandre **3e** *tr* 157
épanneler **1er** *tr* 60
épanner **1er** *tr* 81
épanouir **2e** *tr* 92
épargner **1er** *tr* 89
éparpiller **1er** *tr* 62
épater **1er** *tr* 81
épaufrer **1er** *tr* 81

épauler **1er** *tr* 81
épeler **1er** *tr* 60
épépiner **1er** *tr* 81
éperdre **3e** *tr* 149
éperonner **1er** *tr* 81
épeurer **1er** *tr* 81
épicer **1er** *tr* 63
épier **1er** *tr* 83
épierrer **1er** *tr* 81
épiler **1er** *tr* 81
épiloguer **1er** *tr* 68
épinceler **1er** *tr* 72
épincer **1er** *tr* 63
épinceter **1er** *tr* 75
épiner **1er** *tr* 81
épingler **1er** *tr* 81
épisser **1er** *tr* 81
éployer **1er** *tr* 69
éplucher **1er** *tr* 81
épointer **1er** *tr* 81
éponger **1er** *tr* 77
épontiller **1er** *tr* 62
épouiller **1er** *tr* 79
époumoner (s') **1er** *pr, Ê* 90
épouser **1er** *tr* 81
épousseter **1er** *tr* 75
époustoufler **1er** *tr* 81
époutier **1er** *tr* 83
époutir **2e** *tr* 92
épouvanter **1er** *tr* 81
éprendre **3e** *tr* 153
éprouver **1er** *tr* 81
épucer **1er** *tr* 63
épuiser **1er** *tr* 81
épurer **1er** *tr* 81
équarrir **2e** *tr* 92
équerrer **1er** *tr* 81
équeuter **1er** *tr* 81
équilibrer **1er** *tr* 81
équiper **1er** *tr, intr* 81
équivaloir **3e** *tr (à)* 174
équivoquer **1er** *intr* 78

tr : transitif   *intr* : intransitif   *imp* : impersonnel   *pr* : pronominal   *Ê* : auxiliaire être   *A, Ê* : auxiliaire *avoir* ou *être*

tr : transitif *intr* : intransitif *imp* : impersonnel *pr* : pronominal *Ê* : auxiliaire *être* *A, Ê* : auxiliaire *avoir* ou *être*

tr : transitif *intr* : intransitif *imp* : impersonnel *pr* : pronominal *Ê* : auxiliaire être *A, Ê* : auxiliaire avoir ou être

---

tr : transitif *intr* : intransitif *imp* : impersonnel *pr* : pronominal *Ê* : auxiliaire *être* *A, Ê* : auxiliaire *avoir* ou *être*

tr : transitif   *intr* : intransitif   *imp* : impersonnel   *pr* : pronominal   *Ê* : auxiliaire *être*   *A, Ê* : auxiliaire *avoir* ou *être*

tr : transitif   *intr* : intransitif   *imp* : impersonnel   *pr* : pronominal   *Ê* : auxiliaire être   *A, Ê* : auxiliaire *avoir* ou *être*

tr : transitif   *intr* : intransitif   *imp* : impersonnel   *pr* : pronominal   *Ê* : auxiliaire *être*   *A, Ê* : auxiliaire *avoir* ou *être*

ouater	**1er** *tr*	81	palanguer	**1er** *intr*	68	paraphraser	**1er** *tr*	81

ouater **1er** *tr* 81
ouatiner **1er** *tr* 81
oublier **1er** *tr* 83
ouiller **1er** *tr* 79
ouïr **déf** *tr* 190
ourdir **2e** *tr* 92
ourler **1er** *tr* 81
outiller **1er** *tr* 62
outrager **1er** *tr* 77
outrepasser **1er** *tr* 81
outrer **1er** *tr* 81
ouvrager **1er** *tr* 77
ouvrer **1er** *tr, intr* 81
ouvrir **3e** *tr, intr* 146
ovaliser **1er** *tr* 81
ovationner **1er** *tr* 81
ovuler **1er** *intr* 81
oxyder **1er** *tr* 81
oxygéner **1er** *tr* 57
ozoniser **1er** *tr* 81

P

pacager **1er** *tr, intr* 77
pacifier **1er** *tr* 83
pacquer **1er** *tr* 78
pactiser **1er** *intr* 81
paganiser **1er** *tr, intr* 81
pagayer **1er** *tr, intr* 82
pageoter (se) **1er** *pr, Ê* .. 90
pager **1er** *intr* 77
paginer **1er** *tr* 81
pagnoter (se) **1er** *pr, Ê* .. 90
paillarder **1er** *intr* 81
paillassonner **1er** *tr* 81
pailler **1er** *tr* 91
pailleter **1er** *tr* 75
paisseler **1er** *tr* 60
paître **déf** *tr, intr* .. 190
palabrer **1er** *tr, intr* 81
palancrer **1er** *tr* 81
palangrer **1er** *intr* 81

palanguer **1er** *intr* 68
palanquer **1er** *tr, intr* 78
palataliser **1er** *tr* 81
paletter **1er** *tr* 81
palettiser **1er** *tr* 81
pâlir **2e** *tr, intr* 92
palissader **1er** *tr* 81
palisser **1er** *tr* 81
palissonner **1er** *tr* 81
pallier **1er** *tr* 80
palmer **1er** *tr, intr* 81
paloter **1er** *tr* 81
palper **1er** *tr* 81
palpiter **1er** *intr* 81
pâmer **1er** *intr* 81
panacher **1er** *tr* 81
paner **1er** *tr* 81
panifier **1er** *tr* 83
paniquer **1er** *tr, intr* 78
panneauter **1er** *intr* 81
panner **1er** *tr* 81
panoramiquer **1er** *intr* .. 78
panosser **1er** *tr* 81
panser **1er** *tr* 81
panteler **1er** *intr* 60
pantoufler **1er** *tr, intr* ... 81
papillonner **1er** *intr* 81
papilloter **1er** *tr, intr* 81
papoter **1er** *intr* 81
papouiller **1er** *tr* 79
parachever **1er** *tr* 88
parachuter **1er** *tr* 81
parader **1er** *intr* 81
parafer **1er** *tr* 81
paraffiner **1er** *tr* 81
paraisonner **1er** *tr* 81
paraître **3e** *intr, A, Ê* 118
paralléliser **1er** *tr* 81
paralyser **1er** *tr* 81
paramétrer **1er** *tr* 57
parangonner **1er** *tr* 81
parapher **1er** *tr* 81

paraphraser **1er** *tr* 81
parasiter **1er** *tr* 81
parceller **1er** *tr* 74
parcelliser **1er** *tr* 81
parcheminer **1er** *tr* 81
parcourir **3e** *tr* 122
pardonner **1er** *tr* (à) 81
parementer **1er** *tr* 81
parer **1er** *tr, intr* 81
paresser **1er** *intr* 81
parfaire **déf** *tr* 190
parfiler **1er** *tr* 81
parfondre **3e** *tr* 170
parfumer **1er** *tr* 81
parier **1er** *tr* 83
parisianiser **1er** *tr* 81
parjurer **1er** *tr, intr* 81
parkériser **1er** *tr* 81
parlementer **1er** *intr* 81
parler **1er** *tr, intr* 81
parloter **1er** *intr* 81
parodier **1er** *tr* 83
parquer **1er** *tr, intr* 78
parqueter **1er** *tr* 75
parrainer **1er** *tr* 81
parsemer **1er** *tr* 88
partager **1er** *tr* 77
participer **1er** *tr* (à, de).. 81
particulariser **1er** *tr* 81
partir **3e** *intr, Ê* 147
partir **déf** *tr* 190
partouser **1er** *intr* 81
partouzer **1er** *intr* 81
parvenir **3e** *tr, Ê* (à) 176
passementer **1er** *tr* 81
passepoiler **1er** *tr* 81
passer **1er** *tr, intr, A, Ê* .. 81
passiver **1er** *tr* 81
passionner **1er** *tr* 81
pasteller **1er** *tr* 74
pasteuriser **1er** *tr* 81
pasticher **1er** *tr* 81

---

tr : transitif   *intr* : intransitif   *imp* : impersonnel   *pr* : pronominal   Ê : auxiliaire être   A, Ê : auxiliaire *avoir* ou être

pigner `1er` *tr, intr* 89
pignocher `1er` *intr* 81
piler `1er` *tr, intr* 81
piller `1er` *tr* 62
pilonner `1er` *tr* 81
piloter `1er` *tr* 81
pimenter `1er` *tr* 81
pinailler `1er` *intr* 91
pinceauter `1er` *tr, intr* ... 81
pincer `1er` *tr* 63
pindariser `1er` *intr* 81
pinter `1er` *tr, intr* 81
piocher `1er` *tr, intr* 81
pioncer `1er` *intr* 63
pionner `1er` *intr* 81
piper `1er` *tr, intr* 81
pique-niquer `1er` *intr* 78
piqueniquer `1er` *intr* 78
piquer `1er` *tr, intr* 78
piqueter `1er` *tr, intr* 75
pirater `1er` *tr, intr* 81
pirouetter `1er` *intr* 81
pisser `1er` *tr, intr* 81
pister `1er` *tr* 81
pistonner `1er` *tr* 81
pitcher `1er` *intr* 81
pitonner `1er` *intr* 81
pivoter `1er` *tr, intr* 81
placarder `1er` *tr* 81
placer `1er` *tr* 63
plafonner `1er` *tr, intr* 81
plagier `1er` *tr* 83
plaider `1er` *tr, intr* 81
plaindre `3e` *tr* 123
plainer `1er` *tr* 81
plaire `3e` *tr* (à) 150
plaisanter `1er` *tr, intr* 81
planchéier `1er` *tr* 83
plancher `1er` *intr* 81
planer `1er` *intr* 81
planer `1er` *tr* 81
planifier `1er` *tr* 83

planquer `1er` *tr, intr* 78
planter `1er` *tr* 81
plaquer `1er` *tr* 78
plasmifier `1er` *tr* 83
plastifier `1er` *tr* 83
plastiquer `1er` *tr* 78
plastronner `1er` *tr, intr* .. 81
platiner `1er` *tr* 81
plâtrer `1er` *tr* 81
plébisciter `1er` *tr* 81
pleurer `1er` *tr, intr* 81
pleurnicher `1er` *intr* 81
pleuvasser `1er` *imp* 81
pleuviner `1er` *intr, imp* .. 81
pleuvioter `1er` *imp* 81
pleuvoir `imp` *intr* 193
pleuvoter `1er` *imp* 81
plier `1er` *tr, intr* 83
plisser `1er` *tr, intr* 81
plomber `1er` *tr* 81
plonger `1er` *tr, intr* 77
ploquer `1er` *tr* 78
ployer `1er` *tr, intr* 69
plucher `1er` *intr* 81
plumer `1er` *tr, intr* 81
pluraliser `1er` *tr* 81
pluviner `1er` *imp* 81
pocharder (se) `1er` *pr, Ê.* 90
pocher `1er` *tr, intr* 81
podzoliser `1er` *tr* 81
poêler `1er` *tr* 81
poétiser `1er` *tr, intr* 81
poignarder `1er` *tr* 81
poigner `1er` *tr* 89
poiler (se) `1er` *pr, Ê* 90
poinçonner `1er` *tr* 81
poindre `3e` *tr* 134
poindre `déf` *tr, intr* 190
pointer `1er` *tr, intr* 81
pointiller `1er` *tr, intr* 62
poireauter `1er` *intr* 81
poiroter `1er` *intr* 81

poisser `1er` *tr* 81
poivrer `1er` *tr* 81
polariser `1er` *tr* 81
polémiquer `1er` *intr* 78
poldériser `1er` *tr* 81
policer `1er` *tr* 63
polir `2e` *tr* 92
polissonner `1er` *intr* 81
politicailler `1er` *intr* 91
politiquer `1er` *intr* 78
politiser `1er` *tr* 81
polliniser `1er` *tr* 81
polluer `1er` *tr* 86
polycopier `1er` *tr* 83
polymériser `1er` *tr* 81
pommader `1er` *tr* 81
pommeler (se) `1er` *pr, Ê.* 60
pommer `1er` *intr* 81
pomper `1er` *tr* 81
pomponner `1er` *tr* 81
poncer `1er` *tr* 63
ponctionner `1er` *tr* 81
ponctuer `1er` *tr* 86
pondérer `1er` *tr* 57
pondre `3e` *tr* 170
ponter `1er` *tr* 81
pontifier `1er` *intr* 83
pontiller `1er` *tr* 62
populariser `1er` *tr* 81
poquer `1er` *intr* 78
porphyriser `1er` *tr* 81
portager `1er` *intr* 77
porter `1er` *tr* 81
portraire `3e` *tr* 171
portraiturer `1er` *tr* 81
poser `1er` *tr, intr* 81
positionner `1er` *tr* 81
positiver `1er` *tr* 81
posséder `1er` *tr* 57
postdater `1er` *tr* 81
poster `1er` *tr* 81
postériser `1er` *tr* 81

---

tr : transitif   *intr* : intransitif   *imp* : impersonnel   *pr* : pronominal   *Ê* : auxiliaire être   *A, Ê* : auxiliaire *avoir* ou *être*

tr : transitif   *intr* : intransitif   *imp* : impersonnel   *pr* : pronominal   *Ê* : auxiliaire *être*   *A, Ê* : auxiliaire *avoir* ou *être*

tr : transitif *intr* : intransitif *imp* : impersonnel *pr* : pronominal *Ê* : auxiliaire être *A, Ê* : auxiliaire *avoir* ou être

tr : transitif   *intr* : intransitif   *imp* : impersonnel   *pr* : pronominal   *Ê* : auxiliaire être   *A, Ê* : auxiliaire *avoir* ou être

tr : transitif   *intr* : intransitif   *imp* : impersonnel   *pr* : pronominal   *Ê* : auxiliaire être   *A, Ê* : auxiliaire *avoir* ou *être*

tr : transitif *intr :* intransitif *imp :* impersonnel *pr :* pronominal *Ê :* auxiliaire *être* *A, Ê :* auxiliaire *avoir* ou *être*

S | **SORTIR**

---

tr : transitif   *intr* : intransitif   *imp* : impersonnel   *pr* : pronominal   *Ê* : auxiliaire *être*   *A, Ê* : auxiliaire *avoir* ou *être*

249

tr : transitif   *intr* : intransitif   *imp* : impersonnel   *pr* : pronominal   Ê : auxiliaire *être*   A, Ê : auxiliaire *avoir* ou *être*

tr : transitif *intr* : intransitif *imp* : impersonnel *pr* : pronominal *Ê* : auxiliaire être *A, Ê* : auxiliaire *avoir* ou être

Index des formes et emplois du verbe

Conception graphique : ESPERLUETTE
Couverture : Patrice CAUMON
Coordination artistique : Thierry MÉLÉARD
Édition : Anne-Sophie LE BRETON
Fabrication : Jacques LANNOY

Aubin Imprimeur
LIGUGÉ, POITIERS

Achevé d'imprimer en août 1999
Nº d'édition 10069872-(IV)-C SBTS-90º
Nº d'impression P 58564
Dépôt légal août 1999 / Imprimé en France